50皇冠
50週年 嚴選50

我從童年開始，就迷上了讀書。

十四、五歲的時候，更是瘋狂般的愛上了書本，

曾經利用整個暑假，到師大圖書館去看書，

每天從圖書館開門，看到圖書館關門。

直到如今，我仍然離不開書本。

我覺得，人的生存條件，

有空氣、陽光、食物、水。

對我而言，書本就是我精神上的

空氣、陽光、食物和水。

瓊瑤◎著

還珠格格

第三部

天上人間

三之三

44

這眞是漫長、痛苦、悲哀、而無助的一日。當永琪和小燕子終於回到景陽宮，已經是晚上了。景陽宮裡的人，個個都伸長了腦袋，等得望眼欲穿。好不容易，看到兩人回來，宮女太監們，就全部擁上前去，簇擁著他們走進大廳。

『恭喜五阿哥！五阿哥勝利回來了！五阿哥千歲千歲千千歲！』大家七嘴八舌的祝賀著。

『五阿哥！聽說你把緬甸人打得落花流水！好厲害！』小卓子說。

『小鄧子每天給五阿哥唸天靈靈，地靈靈，還眞是靈！就把五阿哥給唸回來了！』小鄧子說，大家都很有默契，不提爾康，只怕兩人傷心。

明月、彩霞、珍兒、翠兒、桂嬤嬤全部迎到門口，請安嚷著：

『五阿哥吉祥！五阿哥辛苦了！』

永琪疲倦而哀傷的看著眾人，心裡塞滿了各種複雜的情緒，沉痛的說：

『大家不要行禮了！額駙走了，實在沒有什麼可以恭喜的事，不要再說恭喜，不要再說吉祥！給我倒杯茶，我又累又渴！』

『是！是！是！』

眾人就飛奔過去，倒茶的倒茶，拿點心的拿點心，拍靠墊的拍靠墊……

這時，知畫大腹便便，奔進大廳來。她的兩眼閃著熱切的光芒，整個臉蛋上，帶著激動、期盼、感恩、和狂喜。她一直奔到永琪的面前，目不轉睛的、懇切的盯著他，顫聲說：

『總算回來了！知畫給你請安……』

知畫說著，就請下安去，永琪見她大腹便便，急忙伸手一扶。

『請什麼安？趕快起來！』

知畫站起身，視線在他臉上梭巡。想找尋一絲絲的想念，一絲絲的溫情。

『對不起！』她歉然的、幾乎是急切的解釋：『沒有去城外迎接你！本來，我也要去的，老佛爺不許，說是怕我動了胎氣！聽說你們先去了學士府，耽誤到現在才回來，那邊一定挺慘的，是不是？紫薇怎樣？』

永琪沒有力氣多說，嘆了口氣。

『唉！不說也罷！』

小燕子眼睛紅紅的，心神不在知畫身上，在紫薇和福家身上，在這個時刻，她心裡只有紫薇和福家，沒有自我，她幾乎忘了自己和知畫的戰爭，忘了永琪是屬於她們兩個的丈夫，忘了永琪一回家，他們又要面對的尷尬。她仍然陷在福家一幕的震撼裡，自責的說：

『我應該留在學士府，陪著紫薇，她那個樣子，我真不放心！雖然今天拉住了，沒有讓她撞棺，但是，她心裡有了這個念頭，隨時隨地都可能尋死，那要怎麼辦？』

大家聽說紫薇『撞棺』，全體變色。

『撞棺？紫薇格格去撞棺啊？好慘呀！』小卓子低喊。

『難怪呀，他們感情那麼好，額駙走了，紫薇格格怎麼活下去？』彩霞說著，想起額駙和紫薇格格這一路走來的種種，就落下淚來。

『爲什麼額駙會戰死呢？老天也太沒眼睛了！』明月跟著哭。

一時之間，眾宮女太監，個個紅了眼睛，人人拭淚。

知畫情不自禁，也跟著落淚了。

桂嬤嬤看了看狀況，擦擦眼睛，趕緊拍拍這個拍拍那個，說：

『大家別哭了！你們沒看到嗎？五阿哥又瘦又累，眼睛腫腫的，大概哭過好幾次了，大家別再把五阿哥的眼淚招出來！一走就是大半年，好不容易才回家，也讓五阿哥喘口氣！』

知畫被提醒了，立刻擦乾眼淚，走上前去，扶著永琪。

『永琪，趕快過來坐一下！』她把他拉到椅子上坐下，雙手捧著茶杯送上。『不是渴了嗎？喝茶！』怕茶太燙，又打開蓋，輕輕的吹著。『老佛爺那兒，去過了嗎？』

『去過了！』永琪接過茶來，心不在焉的喝了一口放下。

『看樣子，你今天夠瞧的！是不是很累了？要不要早點歇著？餓不餓？晚膳是在學士府吃的吧？一定沒吃飽吧？我讓桂嬤嬤給你再煮點宵夜……想吃什麼？』知畫一連串的問了好多問題。

『什麼都吃不下，別忙了！』永琪搖搖頭。

知畫看看永琪，看看小燕子，看看桂嬤嬤。急忙吩咐：

『桂嬤嬤！給五阿哥準備洗澡水……這一路的風霜，總要好好的洗一洗！』說著，就凝視著永琪，柔情似水：『泡一個熱水澡，情緒也會放鬆很多，說不定心裡會舒服一點！』

小燕子看看知畫，看看永琪，在爾康的悲劇下，沒有力氣吃醋了，沉默不語。讓他去洗花瓣澡、茶葉澡……她都不想爭了。

誰知，永琪站起身來，肅穆的看了知畫一會兒，說：

『知畫！看到妳一切都好，我也放心了！我剛剛從雲南回來，又面對了爾康的死，心裡有太多的感觸，讓我更加珍惜我和小燕子一路走來的感情！我想，我很難讓妳瞭解我的感覺，畢竟爾康和我們的故事，不是妳能體會的！我和小燕子，有很多很多的話要談，我就不去妳房裡了！』

永琪說完，大大方方的伸手給小燕子，拉著她的手，往臥室裡走去。小燕子驚怔的看著他，這麼小小的一個選擇，對小燕子而言，卻是一個大大的感動。她眼眶濕濕的，立刻握緊了他的手。兩人就這樣手牽著手，旁若無人的進房去了。

知畫的心，頓時沉進了地底，握著帕子的手，剎那間捏得死緊。眼裡是受傷野獸般的陰鷙。她怎樣也沒料到，永琪幾乎連『敷衍』都沒有敷衍她一下！他就這樣乾脆俐落，簡簡單單的把話挑明，然後頭也不回的牽著小燕子進房？他一點也不在乎她的感覺，就這樣把她拋在一邊？在丫頭嬤嬤面前，連面子都不給她留？此情此景，就是等待了無數朝朝暮暮的結果嗎？

桂嬤嬤走上前來，低低說：

『五阿哥還沒走出額駙死亡的悲哀，他們來不及要談額駙……那些，都是福晉不知道的事。等過一陣子，一切都會改觀的！何況，孩子就要出世了！時間多得很，福晉不要心急！』

知畫不語，眼裡有著深刻的痛楚和忍耐。

永琪牽著小燕子進了房間，立刻把房門關上。

小燕子就抬起眼睛，悲喜交集的看著他，他也看著她。

兩人一語不發，就這樣手握著手，彼此互看著，用眼光搜尋著彼此的心靈，訴說著千千萬萬種恍如隔世的深情。然後，永琪用力一拉，就把她拉進懷裡。

小燕子抬頭，永琪低頭，兩人就瘋狂般的擁吻著。這一吻，纏綿、炙熱、強烈。永琪看遍了死亡，從戰場上劫後餘生，只想把這一生，完全獻給她！他再也不要讓她痛苦，再也不能讓她經歷紫薇的傷痛。他恨不得把自己整個的生命，吻進她的生命裡！小燕子啊，我多麼珍惜我們能夠相聚相愛的時光！他的吻，如此狂熱深刻，帶著靈魂深處的渴求和給予。她的心，被他這樣的吻絞痛了，她的雙臂，緊緊的，緊緊的纏著他，體會著他的熱愛和珍惜。

一吻之後，永琪抬起頭來，把她的頭，緊壓在自己的肩上。在她耳邊輕聲的、鄭重的、誠摯的、感恩的說：

『能夠這樣抱著妳，就是我最大的幸福，最強烈的願望！生命那麼短暫和脆弱，沒有多少時間讓我們浪費在鉤心鬥角上，浪費在口是心非上！從今以後，妳是我最重要的事，最重要的人！』

小燕子什麼話都說不出來，她全心都震撼著，忍不住抬頭看他，一直在眼眶裡打轉的熱淚，終於奪眶而出，滑下了她的面頰。他溫柔的低頭，細心的吻去了她的淚痕。他的眼眶也濕濕的，心裡悲苦的想著，他和小燕子，還能這樣相擁相憐，相愛相惜，爾康和紫薇呢？

爾康正在飄飄渺渺的遊蕩。他要去找紫薇，他要跟她說清楚，他要她重拾生命力，他要她愛護東兒……紫薇，紫薇，紫薇……依稀彷彿，他又回到了學士府，走進了他的臥室，看到了他的紫薇……魂兮夢兮？眞兮幻兮？滿屋子的人，依舊沒有人看得到他。

紫薇躺在床上，在過分的疲倦下，睡著了。秀珠帶著丫頭們，輕悄的給她撫平枕頭，蓋上棉被，點上薰香。

『好不容易，總算睡著了！我們出去，在門口守著，讓格格好好的睡一覺……不過，大家警覺一點，有任何風吹草動，都要進來看看！』秀珠說。

丫頭們點頭稱是。秀珠就帶著丫頭們，躡手躡足的出門去。

房內沒人了，爾康悽悽惶惶的看著紫薇。她不安穩的睡著，憔悴如死。這是他摯愛的妻子，為什麼他不能把她擁在懷中？為什麼他不能停止她的悲苦？原來，魂魄也有『思想』，原來，魂魄也會『絕望』！他覺得好無助，體會到自己正在生死兩界中飄浮。如果人死了才能安息，那麼，讓自己無法『安息』的，不是任何人，不是任何藥物，而是紫薇！

一燈如豆，青煙裊裊。他小心翼翼的走到床邊，在床沿上坐下。不勝憐惜的，心痛的，用手輕觸她的面頰，低語著：

『紫薇，我要把妳怎麼辦？妳這個樣子，我怎麼忍心離去？妳牽引著我所有的意志，如果我一息尚存，那是為了妳！但是，我的神志飄飄渺渺，我的軀殼只剩下一堆臭皮囊，我也很痛苦呀！紫薇……讓我安心的走吧！』

紫薇好像聽到了他的呼喚，聽到了他的聲音，她猛的睜開了眼睛，突然大大一震，她看到了爾康！她不敢相信的眨動眼瞼，拚命睜大眼睛，一翻身，她急忙坐起身子，驚喜的低喊：

『爾康，是你？你來了！』

爾康一見紫薇醒來，就倉卒起身，往後退去。緊張的說：

『我不吵妳，妳好好的睡一覺！』

紫薇跳起身子，幾乎跌下地來，爾康趕緊伸手一扶，她就一把抓住了他。

天啊！她沒有抓一個空，她抓住他了！天啊，天啊，天啊……爾康也瞪大了眼睛，她居然抓住了他！他喘息的喊：

『妳抓住我了！』

紫薇也喘息的喊：

『我抓住你了！』她的眼神裡，頓時盛滿了驚喜、渴盼、哀懇、和痛楚。急切的低喊：『爾康！不要走！我知道你不是眞的，我知道你只是一個幻影，我知道我在作夢，你是夢裡的人！但是，夢也好，幻想也好，只要有你就好！你去雲南以前，我就跟你說過，不管是醒著睡著，不管是夢裡夢外，不管是白天黑夜……我都在等你回來！我等到了你，我看到了你，請你不要一下子就不見了，請你跟我多說說話……請你陪著我，請你守著我！請你不要離開我！』

爾康悲傷的看著她，這一大串掏自肺腑的話，撕裂了他的心。原來，『魂魄』的心也會撕裂！他很急，只怕無法控制這種局面，難得她能看到他，也能聽到他，他必須掌握這個機會！他急促的說：

『我不能停留太久……我自己也不知道，我這樣出現，能維持多久？紫薇，我長話短說……把妳對於我的愛，轉移到東兒身上去，好不好？妳怎麼捨得不理他呢？』

『不好！不好！』紫薇瘋狂的搖頭，悔恨的說：『爾康，我錯了！我跟你認錯！你原諒我！』

『妳沒有做錯任何事，不要跟我認錯！』他心痛的凝視她：『是我不好，把妳陷進這樣的絕望裡！妳要怎樣才能從絕望裡走出來呢？』

『我有錯我有錯！』她拚命點頭，陷在不可自拔的自責裡：『你以前常常跟東兒吃醋，說我愛東兒超過了你，說我把太多的精力放在東兒身上！我現在終於懂了，明白了，我沒有你，只有東兒，是活不下去的！你才是最重要的……我不知道我跟你只有這麼短的時間，我都浪費在東兒身上了……只要你回來，我一定彌補，我上次還為了東兒，打了你一個耳光，我……我……我錯了，我要你回來，我不會再疏忽你，一心去照顧東兒了……』

『原來，妳為了我幾句開玩笑的話，一直耿耿於懷！』他驚愕痛楚的說：『不是的，紫薇，我用我的生命愛著東兒，我希望妳也這樣……現在，我更希望妳愛他勝於愛我……』

她顫慄了一下，著急的打斷他：

『你以為你把東兒塞給我，你就可以棄我而去了嗎？我對你的愛，怎麼能夠轉移？如果你認為我有了東兒，就可以沒有你，那麼，我拒絕東兒！我要你！』

『紫薇，妳要理智！生生死死，不是我們可以控制的，我也希望和妳白頭到老，和妳一起看著孫兒曾孫的出世，和妳白髮蒼蒼還手牽著手，一起看落日……但是，上蒼沒有給我們這種幸福，我要早走一步，妳是我最愛最佩服的女子，不許被打倒……』

『不要再說下去！不要像叮囑後事一樣的叮囑我！我不要你的佩服，我也不勇敢，沒有你，我什麼都沒有！失去你，我肯定會被打倒……』

『這是什麼話？』他生氣的，大聲的嚷：『妳是最不平凡的女子！多少次生死邊緣，妳都熬過去了！現在，妳怎麼可以被打倒？這是我最無助的一次，我一點辦法都沒有。我必須把這個沉沉重擔交給妳，而妳居然不肯接？妳還是我的妻子嗎？妳還是東兒的娘嗎？東兒已經沒有父親，妳還要讓他沒有母親嗎？妳怎麼這樣忍心，這樣狠心呢？妳怎麼不肯幫助我呢？我那個有擔當、有智慧、有毅力的紫薇，那裡去了？』

『你罵我吧！你責備我吧！』她心碎的說：『那個有擔當、有智慧、有毅力的紫薇，被你殺死了！當你死亡的那一刻，你就該知道，我絕對不會獨活！我們共同生活了那麼多年，難道你還不瞭解我？你居然罵我……』說著，眼淚奪眶而出。『我好不容易夢到你，夢裡的你，還不肯溫柔一點，你罵我……罵我……』

爾康依稀的感到，那股不能控制的大力量又來了，正在拉扯著他，要把他拉扯到另一個世界裡去。他近乎崩潰的喊：

『我不罵妳，我不罵妳！我著急呀！紫薇，我沒有時間了，我要走了，妳肯不肯聽我呢？算我求妳了！』

紫薇知道他要消失了，大急，喊著：

『不要消失！不要像前面幾次那樣，說了一半話就不見了！我不要醒，我要夢到你！爾康……抱著我，不要消失……不要消失……抱著我……』

『紫薇……紫薇……我抱著妳，我抱著妳！』

爾康就張開雙手，把她緊緊一抱。但是，他抱了一個空。那種感覺又來了，他的身子陡然從高空中，向下墜落。他忍不住放聲狂喊：

『紫薇……紫薇……』

『紫薇……紫薇……紫薇……』他的喊聲持續著，他的身子，下墜、下墜、下墜……他掉回到他的皮囊裡，這付皮囊，正躺在緬甸皇宮的綾羅綢緞中。

慕沙撲到枕邊去，凝視著他。

『紫薇，這個名字，你已經叫了幾個月，還沒叫夠嗎？來！該吃藥了！蘭花桂花，過來幫忙！』

蘭花和桂花過來，扶起爾康的頭。慕沙掐住他的嘴，把藥水和藥粉灌了進去。巫師和大夫圍著他，檢查著。

『眞奇怪！幾次要死都沒死，這個人實在命大！』大夫不解的說。

『不是他命大，是八公主的誠心，感動了鬼神！』巫師感動的看天空。

『你們的意思是說，他會活下去嗎？』慕沙驚喜的問。

『不是！他遲早逃不過一死，八公主心裡要有數！這個駙馬，是我見過的最離奇的病人，按道理，他早就應該死了！妳看，他腿上的傷，一直沒有癒合，已經潰爛了！如果毒走到全身，他還是活不成！』大夫說，察看著爾康的傷勢。

慕沙一聽，就急切的喊：

『銀硃粉！銀硃粉！你再給他一些銀硃粉！』

『銀硃粉止痛很有效，救命還是差一點！』大夫說。

『什麼東西救命最有效呢？』

大夫用手指了指天。這時，爾康忽然從床上彈了起來，含糊不清的喊著：

『東……東兒！東……兒……爲什麼……不要……東、東……東兒……』

慕沙壓住了他的身子，她聽不懂『東兒』兩字，以爲是『痛啊！』緊張的大喊：

『他痛！他喊痛……他痛！快！銀硃粉！銀硃粉！』

蘭花桂花拿了銀硃粉和水過來。大家壓住他，又是一陣手忙腳亂的灌藥灌水。折騰半天，他躺下了。神志昏迷，嘴裡喃喃的說著：

『我不……消失……我不……消失……不、不、不……消失……』

當爾康還掙扎在生死邊緣的時候，北京的學士府，已經為爾康舉行了盛大的葬禮，把他葬進了福家祖墳裡。

出殯那天，悲悽的送葬行列，綿延了好幾里。爾康的靈柩，裝飾得豪華而隆重。紫薇渾身縞素，在小燕子和晴兒的一步步扶持下，腳步蹣跚的走向墓園。東兒披麻帶孝，一步一顛躓，扮演著孝子的角色。福倫、福晉一邊走，一邊哭。永琪帶著文武百官、親屬、浩浩蕩蕩的跟在後面，人人都濕了眼眶。

在北京的『爾康』，就這樣『入土為安』了。爾康的盔甲、爾康的紫薇花、爾康的寶劍、爾康的同心護身符……騙過了所有的人。對福家和宮中眾人來說，留下的悲痛，是無邊無際的，是無時無刻的，是無了無休的。

一直等到爾康下葬了，永琪才有機會和晴兒談到簫劍。

這天，在御花園裡，他和小燕子，陪著晴兒，走到花木扶疏處的綠蔭深處，四顧無人，他才開口：

『晴兒！自從我回到北京，就忙著爾康的事，心裡，被爾康的死塡得滿滿的，忙到現在，才有工夫跟妳好好談談！妳知道嗎？這次的清緬戰爭，簫劍也參加了！他一直跟我們在一起！』

晴兒點點頭，眼睛閃亮的看著永琪。

『我知道他參加了，爾康的快馬傳書裡，有他的信息……他怎麼會參加呢？』

『我們剛到雲南，他就現身了！原來他一路跟著我們，他對雲南的氣候、地理、人情……都非常熟悉，成了我們的軍師！這個經過，我慢慢再跟妳談。他留在雲南大理，有話要我帶給妳，他說，時機成熟，他就會到北京來帶走妳，要妳跟他一樣堅定！我想，他一定在定一個萬全的計畫！』

晴兒一則以喜，一則以悲。

『可是，老佛爺最近一直跟我說，要把我指婚給八阿哥！我幾乎天天在求她，我都不知道我能支持多久？再說，我以前發過重誓，我也很怕違背誓言，會讓簫劍不幸！』

小燕子忍不住插嘴說：

『晴兒！妳別考慮那些重誓了，我早就告訴過妳，危急的時候，人人都會發誓，從來沒有人應過誓！關於老佛爺的指婚，只要妳咬緊牙關，就是不答應，老佛爺也沒辦法強迫妳進洞房！』

晴兒深思著，長長一嘆，說：

『我目睹了爾康和紫薇的故事，心裡也有很多的啓示。人生，大概沒有比「天人永隔」更悲慘的事了！看到紫薇的痛徹心肺，看到福家全家的傷心，我這才體會到無法相聚的絕望。我覺得，我們活著的人，如果還不能珍惜我們的感情，還不能堅持奮鬥，爲團聚而努力，那就太可惜了！』說著，她堅定的一點頭，下了決心：『是！我會等他！不管五年十年二十年三十年……我反正等他！』

小燕子感動的點頭，伸手握住她的手。親切的喊著：

『我的好嫂子！我哥沒有白白愛妳，沒有白白爲妳受這麼多苦！』想想，又一嘆。『可憐的紫薇，我們要怎樣才能幫助她呢？』

『唉！』永琪跟著一嘆：『失去爾康的痛，大概我這一生都好不了，連我都這樣，紫薇的痛，更加可想而知。人生，怎麼會有這樣悽慘而無助的事情呢？我好想回到從前，就是回不去！』

小燕子又忍不住淚汪汪，晴兒眼眶也跟著濕了。

45

幾天後，在乾清宮的大殿裡，乾隆論功行賞，冊封了永琪和爾康。那天，永琪、福倫和文武百官都列隊於大殿中。乾隆正襟危坐，鄭重的說：

『今天，朕在各位賢卿前，正式宣佈，冊封五阿哥永琪爲榮親王！』

永琪出列，對乾隆行禮。

『謝皇阿瑪恩典！永琪愧不敢當！』

『清緬之戰，打得轟轟烈烈，還說什麼愧不敢當呢？從此，你就是榮親王了！爵位世襲，傳給長子！兩位夫人，不分大小，都是榮王妃！』

文武百官齊聲祝賀：

『皇上英明！恭喜榮親王！榮親王千歲千歲千千歲！』

乾隆再說：

『朕再追封額駙福爾康爲固山貝子！爵位也世襲給長子！紫薇封爲固倫格格！』

福倫出列謝恩。含淚說：

『臣福倫代爾康謝皇上恩典！願爾康來生，再效忠於皇上！』

文武百官又齊聲祝賀：

『皇上英明！額駙名至實歸，身後哀榮！恭喜福學士！』

永琪和福倫，在一大堆的祝福聲中，在封爵的榮耀中，卻各有各的哀痛。

同一時間，太后興匆匆的來到景陽宮。小燕子去了學士府，知畫帶著宮女嬤嬤迎進大廳，趕快行禮：

『老佛爺吉祥！』

『知畫，得到好消息了嗎？』太后笑吟吟的問。

『還沒鬧清楚是怎麼回事呢？』已經得到消息的知畫，有些害羞的說。

『怎麼回事？妳當榮王妃了！』太后笑著看她，明白的說：『皇帝的兒子不少，這五阿哥是唯一封王的，皇帝心裡的打算，再明白不過了！太子這個位子，已經非他莫屬了！妳現在是榮王妃，將來是什麼地位，妳心裡該有數！』

『那……還是小燕子姐姐在前面嘛！』知畫羞答答的低下頭。『我是不是榮王妃，根本不要緊，榮王妃應該是姐姐才對！』

太后給了眾人一個眼光。

『你們退下去！』

『喳！』宮女嬤嬤全部退下。

太后就拉著知畫的手，親熱的說：

『皇帝跟我也商量了一下，暫時，爲了永琪的感覺，讓妳和小燕子不分大小，等到妳肚子裡的孩子出世，如果是個兒子，馬上就加封妳做嫡妃！妳不要急，這個王位是世襲的，傳給長子，只要妳的肚子爭氣，生個小王爺，妳這一生，就是享不盡的榮華富貴了！』說著，就悄聲問：『聽桂嬤嬤說，五阿哥回來之後，還沒進過妳的房間，有這回事嗎？』

知畫眼眶一紅，低頭輕聲說：

『他和姐姐，有好多話要談，額駙這一走，永琪整天都失魂落魄，您知道的，他是最有義氣的人……這樣也好，我現在動一動都累，孩子都快出世了，實在不方便侍候永琪！』

『妳不要處處退讓呀！』太后盯著她，沉思了一下再說：『現在，永琪封王了，情況更加清楚。小燕子的身世，一直是我心上的大石頭，她無論如何，也不能當太子妃！我總覺得，這件事要瞞皇帝一輩子，也不容易。萬一皇帝知道了，是怎樣一個局面，誰都不能預料。就怕到時候永琪一陣亂鬧，把太子的位子也給鬧掉！所以，永琪一直迷戀小燕子，我們就一直有顧慮，總得讓永琪對小燕子死心才好！』

知畫迎視著太后，眼裡閃著慧黠的光芒，點了點頭。

『老佛爺，您的意思我明白了！我會看著辦的，希望不辜負您的期望！』

太后看看屋裡，不見永琪回來，也不見小燕子的身影，問：

『永琪封了王，都沒回來跟妳說一聲嗎？』

『最近，下了朝都沒回來，小鄧子小卓子帶著便衣在朝房外等，一下朝就趕去學士府！小燕子姐姐和晴格格，不是也去了嗎？』

『可不是！晴兒一早，就跟著小燕子走了！』太后想著爾康，也忍不住悲從中來：『唉！爾康也封貝子了，死後蔭封，又有什麼意義呢？可憐的紫薇，實在太慘了！』

當乾隆宣佈永琪封王，爾康封貝子的時候，小燕子和晴兒都在紫薇身邊，千方百計想安慰她，誰都沒情緒去關心加官封爵的事。紫薇最初的激動期已經過了，剩下的，是深不見底的沉痛。這份沉痛，幾乎壓垮周圍所有的人。她坐在床上，手裡捧著爾康的盔甲，撫摸著領子上的紫薇花，和每一個破口。小燕子和晴兒，一邊一個坐在她身邊，傾聽著她，陪伴著她。

『我以爲，盔甲可以擋掉弓箭和武器的傷害，但是，怎麼這兒也有洞？那兒也有洞？這每一個洞，都在爾康身上留下傷口了嗎？那他死的時候，豈不是好慘嗎？』紫薇幽幽的說，撫摸著盔甲領口內側，那朵紫薇花。『這朵紫薇花，是我繡的，裡面還藏著觀音廟裡求來的平安符！觀音廟……我以後再也不相信神佛……不是說，「人在做，天在看」，好人應該得到上蒼的照顧嗎？像爾康這樣的人，上蒼爲什麼讓他短命呢？這太不公平……』

晴兒試圖把那件盔甲拿開。勸解的說：

『不要再抱著這件盔甲看來看去了，把它收起來吧！看到了它，妳只會更加難過！我幫妳收起來……』

『不要！』紫薇搶過盔甲，擁在懷中。『我還可以感覺到爾康的溫度……』她抬眼看著兩人，痛苦的說：『自從爾康下葬以後，我都沒有再夢到他！我每天晚上，在房間裡燒好香，對著天空祈禱，希望他能出現在我的夢裡，但是，他不來了！他不再出現了！』她說著說著，又猝然大痛，抓著小燕子的手嚷：『小燕子！他眞的走了，他不肯再出現了，我寧可他一直出現在我的夢裡，我寧可一直睡著，不要醒來！』

小燕子拍著她的手，趕緊說：

『妳一定還會夢到他的，可是，作夢就是作夢，妳不要把作夢和眞實混在一起！』

『是呀！』晴兒接口：『妳要盡量振作起來，不能一直到夢裡去找安慰！紫薇，我去把東兒帶來，他好可憐，天天都在找妳！或者，把他抱在懷裡，比抱著這件冰冷的盔甲，更能溫暖妳的心！試試看，好不好？』晴兒又想拿走那件盔甲。

紫薇拚命一奪，把盔甲搶回，抱在懷裡，激動的喊：

『不要不要不要！我最恨的一件事，就是你們拚命要把東兒塞給我，要他取代爾康的位置！我不要不要，如果有了東兒，就可以失去爾康，我永遠不要見東兒……』

『好好好！不帶東兒來，沒有東兒，我們也不搶妳的盔甲，妳冷靜一點……』小燕子心碎的喊：『紫薇，好紫薇，親親紫薇，妳那麼體貼大家，就幫幫我們大家的忙，我們怎樣才能治好妳心裡的傷口？怎樣才能讓妳舒服一點？』

紫薇平靜下來，噓了口氣，虛弱的說：

『妳們都出去吧，我累了，我想睡一睡。』

她說著，就躺上床。晴兒和小燕子，趕緊拉開被子，幫她蓋好。

『那……我們就不吵妳了！我們就在外面，妳喊一聲，我們就進來！』晴兒說。

紫薇點點頭，不勝寒瑟的抱著盔甲，擁被而眠。小燕子和晴兒，交換了無奈的一瞥，兩人輕手輕腳出門去。

一個時辰以後，小鄧子、小卓子駕著馬車，踢踢踏踏進了學士府的院子。家丁們迎了過來，打開車門，永琪跳下車，再扶著福倫下車。小鄧子忍不住對家丁報喜：

『額駙封貝子了！趕快去向福晉和紫薇格格報喜呀！』

『紫薇格格也封了固倫格格！東兒少爺是小貝子了！』

眾家丁趕緊向福倫道喜。

『恭喜老爺！賀喜老爺！』

小鄧子又忍不住嚷：

『還有五阿哥，封了榮親王！還珠格格也是榮王妃了！』

眾人大呼小叫起來：

『恭喜五阿哥！恭喜恭喜呀！趕快去告訴兩位格格……』

正在這時，小燕子從房子裡，狂奔出來，看到永琪和福倫，就急切的大叫：

『永琪！不好了！紫薇不見了！』

永琪和福倫大驚失色。

『什麼叫紫薇不見了？什麼時候不見的？』永琪問。

『她說要休息，我和晴兒就陪著東兒玩，玩了一會兒，去她的房間，就沒人了！』她看著家丁們急問：『你們有沒有看到紫薇格格出去？』

『沒有呀！』

『怎麼可能不見？』福倫大急，紫薇自從得到爾康的死訊，就神志不清，完全崩潰了，如果失蹤，一定會出事！『趕快找！一定在那個房間！花園裡有沒有？大家趕快找！』

家丁們答應著，鬨然四散，飛奔著去找尋紫薇。

晴兒和福晉從屋裡奔出來，兩人都氣急敗壞。晴兒嚷著：

『我們把每個房間都找過了，紫薇眞的不見了！』

『紫薇是最體貼的孩子，怎麼會這樣？她連一張紙條都沒有留！』福晉哭了。

永琪想到什麼，急呼：

『馬廄！你們有沒有去馬廄檢查一下？如果她騎了馬，從後面出去，這邊根本看不到！趕快去馬廄，問問那兒的人，有沒有看到紫薇？看看紫薇常騎的那匹馬在不在？』

『她會騎馬出去？你知道紫薇去了那裡嗎？她可能去那兒？』晴兒急問。

『幽幽谷！』永琪和小燕子異口同聲的喊了出來。

確實，紫薇一人一騎，快速的衝進了幽幽谷。她翻身落馬，茫然四看。只見岩石嵯峨，山林寂靜，流水淙淙，風聲如訴。

她佇立片刻，就選擇了一塊巨大的山崖，開始攀登。攀上了崖頂，她臨風而立，一身白衣，衣袂飄飄。她四面環視，揚聲大喊：

『爾康……你在那裡？』

紫薇的呼喚聲，帶著靈魂深處的熱盼，穿山越嶺，透雲透天而去。這種呼喚，超越了生死，超越了時空，超越了一切人爲的力量，超越了大自然……一直傳送到爾康的耳邊。爾康躺在緬甸皇宮裡，正在昏迷中。隱隱約約，他聽到了紫薇的聲音。他在枕上掙扎，他要去見紫薇，他的紫薇！但是，他四肢沉重，動也動不了，他拚命掙扎，嘴裡喃喃的應著：

『我……在、在、在……我……來、來、來……不了……』

『銀硃粉！銀硃粉！銀硃粉！銀硃粉……』慕沙驚喊著。

緬甸宮女、大夫、巫師都奔上前來，壓著他餵藥。

『不……不……不要……』他急促的掙扎，讓我去救紫薇，讓我去……

紫薇迎風佇立，聽到自己的聲音，在山壁中回響。回音之後，就是風聲的嗚咽，鳥聲的哀鳴，水聲的低訴。除此而外，四周寂寂，不見爾康。她悲切的喊：

『爾康！這是我們的幽幽谷，你爲什麼不出現呢？我已經好多日子，沒有夢到你了！你在那兒呢？如果我連夢裡，都見不到你，我要怎麼辦？上次，我夢到我在幽幽谷見到了你，我猜，你的魂魄常常會回到這兒吧！我來了，你的魂魄爲什麼不出現呢？你是鬼也好，你是魂也好，你是神也好，我都要你！請你出來！請你和我在一起！』

她說完，再淒然四顧，但見山谷幽幽，渺無人影。她絕望了，心中悲悽已極。走到懸崖邊緣，站住。放聲大叫：

『爾康！山無稜，天地合，才敢與君絕！我來了！你的魂魄找不到我，就讓我的魂魄來找你吧！我們生也相從，死也相隨！』

紫薇說完，就毅然決然的對著山崖下，縱身一躍。

在緬甸皇宮中的爾康，突然從床上彈起，睜眼大喊：

『紫薇……不要……不要……』

喊完，他砰然一聲，倒回床上，閉上眼睛。

慕沙驚懼的撲了過去，急喊：

『不好！巫師，大夫，快來快來，他死了……這次好像眞的死了……』

在幽幽谷，紫薇正一身白衣，飄飄蕩蕩向山谷下面墜落。忽然間，山谷中飛來無數無數的蝴蝶。蝴蝶們聚集在一起，像是一朵彩色的雲。這朵彩色的雲，把紫薇下墜的身子給托住了。她輕飄飄的落在蝴蝶雲層上，蝴蝶們托著她，往上飛，往上飛，往上飛……飛到岩石頂端，把她輕輕放下。

紫薇像是突然從夢中驚醒，發現自己躺在岩石頂端。她大驚，坐起身子，看向深谷。只見谷中，許多蝴蝶在飛舞著。她驚愕的，不相信的自言自語：

『怎麼回事？我不是跳下去了嗎？怎麼有好多蝴蝶來救我？』她想了想，搖搖頭：『不是，是我作了一個夢，我夢到自己跳下去，夢到蝴蝶來救我！』

她站起身子，走到懸崖邊上，凝神祈禱：

『天上的神仙，不要救我，讓我結束這種悲痛吧！』她看著懸崖下面。『這次，我要真的跳下去！』

她抬頭看天，大喊：『爾康！我來了！』

紫薇正想縱身一躍，忽然看到爾康飛奔而來。

『紫薇，等一等！』

紫薇猛的收住腳步，看著爾康。他來得好快，轉眼間已到她身邊。他雙手握住她的肩膀，兩眼冒火的盯著她，把她一陣瘋狂的搖撼。喊著：

『紫薇！妳是怎麼一回事？我們這樣深刻的感情，就調教出一個會放棄生命的紫薇嗎？如果妳知道，我如何掙扎在生死邊緣，還苦苦的求生，苦苦的維持著一絲氣息，希望還能和妳團聚！妳這樣求死，讓我太失望了！妳說妳恨我，我才恨妳！恨這個不會珍惜生命的妳！恨這個不肯面對現實的妳！恨這個推開東兒的妳！恨這個不管額娘阿瑪的妳！恨這個心裡只有我的妳……』

爾康的一番大叫，紫薇又驚又痛，睜大眼睛，瞪視著他，她神志不清的，牙齒打顫，聲音顫抖著：

『你、你、你不能恨我！』

『我能！我就是恨妳！』爾康有力的喊：『恨這個沒出息的妳，恨這個比我更不負責任的妳！恨這個不慈不孝的妳！恨這個跳下懸崖的妳！恨這個聽不到我的呼喚，感覺不到我的痛苦的妳！我恨妳恨妳恨妳恨妳……』

紫薇被打倒了，踉蹌後退。

『你不能恨我，你不能因為我這麼愛你而恨我！如果你恨我，我上天下地，都沒有容身之地了！』

『妳不要我恨妳，就照我希望的去做！妳的逃避，對不起東兒，對不起我！妳活著，一切才有希望，或者，我沒有死，或者我們還能相聚呢？』

紫薇大震。

『你說什麼？或者什麼？你沒有死……是嗎是嗎？我們還能相聚嗎？』

『萬一不能，我也和妳同在！』

爾康說完，身子向後退去，逐漸隱沒。紫薇大急，痛喊：

『爾康！不要走……不要走！你把話說清楚……爾康……爾康……不要走……』

這時，山谷中，幾匹快馬疾馳而來。

小燕子、永琪、福倫奔進山谷，小燕子喊著：

『紫薇！紫薇……妳在那裡？』

紫薇還危危險險的站在山崖上，仍在茫然四顧，悽厲的喊著：

『爾康……爾康……回來！回來……』她四處找尋，腳步越來越移近懸崖邊緣。

永琪聽到聲音，抬頭一看，魂飛魄散。

『她在那兒！老天，她要跳崖！趕快阻止她……』福倫驚喊。

『紫薇！妳不要傻，千萬不要做傻事！我們來了！』永琪大叫。就施展輕功，三步併作兩步，飛奔向岩石，再手腳並用，攀上巨石。

小燕子跟著爬了上來。只見紫薇站在懸崖邊緣，對著虛空喊著：

『爾康……你在那裡？你爲什麼不把話講完呢？我不明白啊！你回來回來……』

紫薇早已進入一種『失魂』的狀態，她的心神，全在爾康身上。她眼裡，看不到小燕子，也看不到永琪。她說著，抬腳就往懸崖走去，一跨步，一隻腳已經踩空，身子就往懸崖下掉落。永琪飛竄過來，在千鈞一髮中，一手拉住了紫薇的胳臂，一手攀住了崖上的巨石，兩人驚險萬狀的掛在懸崖邊上。小燕子撲了過來，趕緊拉住永琪的手，拚命往上拉。福倫趕了過來，再拉住小燕子，幾個人連拖帶拉，好不容易，才拉上了山崖，滾倒在地。

一時之間，大家都心驚膽戰，趴在地上直喘氣。

小燕子仆在紫薇身上，睁大眼睛看著她。驚魂未定，痛定思痛的喊：

『紫薇，紫薇，妳要讓我們大家，都活不成嗎？如果妳掉下去了，這個悲劇要擴大到什麼時候？妳醒醒呀！這兒沒有爾康呀！爾康已經離開我們了，妳一定要認清這個事實，他走了！他再也不會回來了！』

永琪站起身來，把小燕子和紫薇都扶了起來。紫薇怔怔的說：

『可是，我看到他，我剛剛還看到他！他跟我說了好多話，他說，他沒有死……』

永琪悲痛已極，忍無可忍，抓住紫薇的雙臂，一陣搖撼，激動的說：

『紫薇，他死了！他確實死了！當初，我也拒絕相信，我也堅持他沒有死！但是，我親自從他領子裡，拉出妳做的同心護身符！他身上的盔甲，染滿了鮮血，領子裡，是妳繡的紫薇花！他死了……紫薇，妳聽到他的聲音，看到他的出現，只是因爲妳思念太深，產生的幻覺！妳必須醒過來，不能再被這些幻覺欺騙了！』

『幻覺？』紫薇不相信：『那……只是我的幻覺嗎？他說，他恨這樣的我！他責備我，一件一件，說得好清楚！他恨我……恨我這麼愛他，恨我不顧東兒……』

『爾康恨妳？』永琪震動的喊：『他不可能恨妳，他永遠都不可能恨妳！妳聽到的聲音，那是……來自妳自己心底的聲音！是妳的良知在呼喚妳！如果妳認爲那是他的聲音，也可以，妳就照他的吩咐去做！讓他在天之靈，得到安慰，得到休息！妳這樣「痛不欲生」，如果爾康死而有知，他的魂魄怎能安息呢？不止他，活著的我們，又怎麼安心呢？妳這種樣子，好像是對我的責備，對我的控訴，因爲我一直被爾康保護著，我卻沒有好好保護他！紫薇，妳讓他死不瞑目，妳也讓我活得痛苦！醒來吧，振作吧，爲了我們大家！』

永琪一篇話，喊得悲切而沉痛，紫薇有些醒悟了，驚怔的看著他。小燕子淚汪汪，福倫也老淚縱橫了，哽咽著喊：

『五阿哥說得是！紫薇……妳想跳崖嗎？妳忍心跳下去嗎？如果妳跳了，我們做爹娘的，也不會原諒妳！妳停止折磨自己，也停止折磨大家吧！』

福倫再這樣一說，紫薇眞的醒了，思前想後，爾康的話，言猶在耳，不管是夢是幻是眞，爾康不要她這樣悲痛下去，她不能讓爾康恨她！讓他的魂魄不安！她痛定思痛，雙膝一軟，就跪倒在福倫面前。

『阿瑪！紫薇不孝，害得你們在失去爾康的同時，還要爲我擔心！我懂了，我醒了……』她的眼淚拚命的落下。『請您原諒我的任性吧！』說著，磕下頭去。

福倫更是淚落如雨，伸手去拉起她。

『起來！起來……跟我回家去吧！額娘還在到處找妳呢！』

紫薇落淚點頭。

小燕子和永琪，就一邊一個，攙起紫薇。

在山崖的遠處，爾康並沒有走，他悽悽涼涼的站在那兒，含淚看著這一幕。他恍恍惚惚的明白，他應該放下心來，離開紫薇，或者可以早日超生。但是，他依然心有不安，身不由己的跟著紫薇，飄下了山崖，飄向了學士府。

回到學士府，大家攙扶著紫薇走進大廳。福晉和晴兒迎了出來，看到紫薇，福晉眼淚就一直掉，哭著喊：

『阿彌陀佛！妳可回家了，我急得魂都沒有了！紫薇，再也不要離開我們，要痛要哭，都讓我們在一起！』

紫薇心中劇痛，把福晉一抱。痛喊出聲：

『額娘！對不起，對不起！我總是讓你們操心，又讓你們傷心！我太對不起阿瑪和額娘了！我醒了……給我一點時間，我會振作起來，我答應妳！』

福晉一聽，淚不可止，晴兒也在一邊拭淚。

『只要妳肯振作起來，我就謝天謝地了！爾康的悲劇，已經不可挽回，我們之間，不要再發生悲劇吧！』福晉哀懇的說。

『是！我知道了！』紫薇順從的回答。

爾康站在一隅，看著這一幕，眼角濕濕的，難道，魂魄也有淚？

這時，東兒奔進房，奶娘追在後面喊：

『東兒！東兒！不要去吵你額娘，趕快去花園玩！』

東兒跑得急，被門坎一絆，『砰』的一聲就摔了一跤，頓時放聲大哭。晴兒就近，趕緊拉起東兒。急忙說：

『不哭不哭！東兒乖，我帶東兒去玩，別在這兒吵額娘！』

晴兒看到紫薇剛剛好了些，生怕東兒再刺激到她，就拉著東兒，逃也似的往門外跑。東兒摔得很痛，看到紫薇，更加委屈，對紫薇伸長了手，哭著喊：

『額娘額娘……東兒痛痛，額娘呼呼……』邊哭邊扭著身子，掙扎著不肯走。

『額娘剛剛好一點，你別再去刺激她……晴姨幫你呼呼！』晴兒喊著。

東兒那裡肯聽，哭喊著奔向紫薇。嘴裡不斷的喊：

『額娘……額娘……額娘親親……額娘呼呼……痛痛啊！』

紫薇怔怔的看著東兒，身子往後一退。爾康看著紫薇這一退，心碎了。忍不住急切的喊了出來：

『紫薇，紫薇，妳要讓東兒哭死嗎？他口口聲聲在叫娘呀！妳爲什麼不愛他了呢？是我負了妳，不是他呀！他有什麼錯？他才三歲，他需要妳呀！你怎麼可以拒絕他呢？』

沒有人聽到爾康的呼喊，也沒有人看到他。

晴兒拉著東兒，奶娘也來幫忙，東兒一氣，坐在地上大哭。奶娘抱起他，就要往門外跑。小燕子再也忍不住，大喊了一聲：

『奶娘！把東兒抱回來！』

奶娘站住了，抱著東兒，不知如何是好。小燕子衝到紫薇面前，嚷著：

『妳恨的不是東兒，怪的不是東兒！這一切，都不是東兒的錯！是永琪的錯！我幫妳打永琪……』就奔到永琪面前，雙手握拳，在他胸口，一陣亂搥亂打。『你和爾康一起打仗，你看著他中箭，你爲什麼不擋在前面？都是你錯，都是你錯，都是你錯……』

永琪挺立在那兒，任由小燕子又搥又打。哀痛的說：

『對！都是我錯！我也自責了幾百次，幾千次！事實上，那天是我堅持要打那一仗，大家都看出是一個陷阱，我就是要打！如果我肯忍耐，肯聽簫劍的話，爾康就不會犧牲了！都是我錯！』

爾康在一邊，看得心驚膽戰，眼睛濕漉漉。著急的說：

『不是的！永琪，不是你一個人決定的，我也堅持要打，你忘了嗎？』

沒有人聽得到爾康。

晴兒趕快奔過來，拉住小燕子。喊：

『小燕子！妳也昏頭了嗎？不要這樣……』

『我受不了，紫薇這個樣子，我也快要瘋了……』小燕子哭著喊。

東兒看著這一切，似乎瞭解是自己闖了禍，忽然用袖子擦擦眼淚，彎下小身子，一邊揉著膝蓋，一邊自言自語的說：

『東兒乖乖，不吵額娘，東兒自己呼呼……』說著，就對著膝蓋吹氣。『呼呼……呼呼……』

福晉用手掩住嘴，阻止自己哭出聲來，眾人個個淚汪汪。

紫薇看著看著，此時，再也受不了，大喊了一聲：

『東兒！』她撲到東兒面前，蹲下身子，把東兒緊緊的抱住，哭著喊：『東兒！額娘愛你，額娘要你，這些日子，額娘對不起你……不是你錯，不是任何人的錯，是額娘錯！我怎麼會害怕面對你呢？怎麼會害怕你擠走爾康的位置呢？怎麼會把和爾康相處的時間太短暫，而怪在你身上呢？爾康在我心裡，是誰也擠不走的！東兒啊！額娘幫你呼呼……額娘也痛，比你還痛，東兒，你也幫額娘呼呼吧！』

紫薇說完，就抱著東兒痛哭。

東兒緊摟著紫薇的脖子，乍然得到額娘的疼惜，他剛剛擦乾的眼淚就又成串的滾落。他一面哭，一面伸出小手，去擦拭紫薇的淚，幫她呼呼這兒，又呼呼那兒。嘴裡嘰哩咕嚕的說著：

『東兒哭哭，額娘哭哭，東兒不哭哭，額娘也不哭哭……』

一屋子的人，個個拭淚了。

爾康看得熱淚盈眶。

『這才是我的紫薇……好好的哭吧，哭完了，就振作起來吧！』

爾康才這樣一想，整個身子，又像墜進深谷中一樣，向下掉落，掉落，掉落，掉落……

爾康掉落到一個地方。他忽然睜開了眼睛，茫然四顧，驚愕困惑，他動了動手腳，覺得渾身無力。

『東兒……紫薇……哎喲……我在那兒？他們呢？東兒呢？紫薇呢？額娘呢？』

慕沙衝到床邊來，又一疊連聲喊著：

『銀硃粉！銀硃粉！銀硃粉！銀硃粉……』

蘭花桂花奔來，遞上藥粉和水。宮女們壓著爾康，桂花就去捏爾康的嘴。慕沙一手拿著杯子，一手拿著藥粉，對爾康嚷著：

『趕快張開嘴，吃了這個藥粉，就不痛了！』

爾康掙開了桂花，愣然的瞪視著慕沙，虛弱的，迷惑的問：

『妳……是誰？這……是那裡？我怎麼不在家裡？』說著，就困惑的四面找尋。『東兒……紫薇……』

慕沙大驚，張大了眼睛驚喊：

『你醒了嗎？你看到我了嗎？』

爾康抬起眼睛，努力集中心智，去看慕沙。虛弱的，迷惑的說：

『是……我看到了妳……但是，我不知道這是那裡？妳是誰？』

慕沙喜出望外，驚跳起來，手裡的杯子一放，大喊：

『大夫！巫師！你們都過來看看，他是不是活了？是不是有救了？』

大夫和巫師，早就圍了過來，低頭看著爾康，都是一臉的驚異和不相信。

『駙馬，你眞的清醒了？你四面看看，看到了什麼？』大夫低頭問爾康。

爾康四面看，越看越驚。只見自己躺在一間金碧輝煌的房間裡，房裡居然有座噴水池，層層的帘幔，全是金色的。眼前，慕沙穿著華麗的異國服裝，帶著幾個緬甸宮女，環繞在床前，個個服裝艷麗，相貌美麗，恍如仙子下凡塵。

『我看到一間陌生的房間，充滿了異國的情調……』爾康驚愕的說著，這是第一次，他眞的清醒了。從那個『魂魄』的境界裡，走回了『人間』。他震動的看慕沙，見她巧笑倩兮，一身紅色與金色的打扮，美麗絕倫，就更加震驚了。他依稀記得，他是個遊魂，正飄蕩在幽幽谷和學士府之間。怎麼忽然到了這個地方？他迷糊的問：『難道我已經進入仙境了？妳是仙女嗎？』

慕沙聽他說得清楚，悲喜交集，笑著大叫：

『是！我是仙女，是救你一命的仙女！』又笑著搖頭：『我當然不是仙女啦，這兒也不是仙境，只是人間！』

『人間？我不認識這樣的地方……』爾康驚疑的皺皺眉。『頭好痛！』

『慢慢來，不要急！』慕沙急忙說：『你要重新認識我……』說著，樂不可支。『哈！費了三個月，又是大夫又是巫師，神神鬼鬼全體出動，總算把你這條命，搶救回來啦！』

爾康聽得糊裡糊塗，只見大夫和巫醫，彼此握手，歡喜莫名。巫師向慕沙說：

『恭喜八公主，這個駙馬，可以活下去了！』

蘭花、桂花和幾個宮女，就抱在一起又跳又叫。喊著：

『哇！總算沒有白費工夫！駙馬活了，八公主笑了！』

爾康驚愕著，想要從床上坐起來，剛剛撐起身子，一陣天旋地轉，又倒了回去。

『我怎麼一點力氣都沒有？我怎麼渾身都痛？我怎麼像暈船一樣……』

『趕快躺好，不要動！』大夫急呼：『駙馬想下床，還要一段時間！讓我趕快調藥，好好的補一補身子，腿上的傷口，還要敷藥，希望不會留下殘疾才好！』

爾康被動的躺在那兒，渾身無力，也動不了。

慕沙看著他，喜悅的笑著說：

『你活了，太好了！這是你的重生！你有一個全新的生命，沒有過去，沒有大清，從今天開始，是你出生的第一天！』

『什麼重生？什麼出生的第一天？』爾康昏亂的，著急的問：『難道我投胎轉世了？不要不要！你們趕快把我送回去，紫薇需要我，東兒需要我，家裡每一個人都需要我……我寧願做一個鬼魂，一個可以和他們在一起的鬼魂……讓我繼續飄飄蕩蕩吧！』他驚懼的動了動手腳：『我怎麼飄不起來？我怎麼回不去？』

『你要回到那兒去？』慕沙笑著喊：『這裡就是你的家了！什麼東兒紫薇，現在，他們都不存在了！』

『不存在？他們怎麼可以不存在？我要起來……』

爾康支撐著身子，才撐起一點，渾身都痛，又倒了回去。慕沙趕緊壓著他。

『大夫要你不要動，你為什麼一直亂動呢？』她著急的喊。

爾康迷惑的看著慕沙，覺得十分疲倦，精神渙散，眼睛慢慢的閉上了。嘴裡兀自低喃的說著：

『我去找紫薇的夢，只有在她的夢裡，她才能感覺到我……』

爾康昏睡過去了。慕沙又急呼：

『大夫！大夫！他又不動了，眼睛也閉上了！』

『他太虛弱了，睡著了！』大夫微笑著：『八公主，請放心，他是個奇蹟，幾次要死不死，現在，人清醒過來，大概就不會死了！』

慕沙放心了，憐惜的看著爾康，那個在戰場上威風凜凜，捉住她，放掉她的駙馬！那個讓人震撼懾服的勇士！那個大敵當前，仍然能笑罵由之的英雄！他活了，他以後的生命，將屬於她了！她笑了，充滿了成就感，充滿了感恩，她戰勝了死神！她也會擄獲這個勇士的心！

46

小燕子和永琪回到景陽宮，又是深夜了。明月、彩霞急忙迎上前來。

『五阿哥，格格，你們可回來了！皇上送了好多賞賜過來，說是賞給榮親王和兩位福晉的！』明月報告著。

『這以後，是不是要改稱呼了呢？』彩霞問。

『什麼稱呼都別改，還是喊五阿哥和格格就好！』永琪疲倦的說，對那個『榮親王』一點興趣都沒有。

正說著，知畫帶著珍兒、翠兒和桂嬤嬤，迎了出來。知畫一臉的笑，說：

『永琪！恭喜恭喜！從今以後，是榮親王了！這是了不得的殊榮，皇阿瑪還賞賜了寶劍、筆硯、和珊瑚珠寶，要不要趕快過來看？我都放到你書房裡去了……還有賞賜給我的東西，在我房裡呢！好多好多，你要不要進來看看，明天早上好去謝恩！』

知畫興沖沖，永琪和小燕子幾乎進不了情況。永琪毫無情緒的說：

『我不看了！反正就是那些珍奇異玩，我早就看夠了！』他嘆了口氣。『我們剛剛從學士府回來，那兒的愁雲慘霧，還罩在我的頭頂上，請諒解我，沒有什麼情緒去迎接「榮親王」這個喜訊，就好像福家，也沒有情緒迎接「貝子」的喜訊一樣！和「死亡」這件事比起來，封王不封王，眞是微不足道！』

知畫一呆，猶如一盆冷水，當頭淋下。忍不住說：

『你和額駙，情深義重是件好事，但是，皇阿瑪的恩典，也不能輕視和疏忽！死掉的人已經死掉了，活著的人，還要活下去呢！』

小燕子一聽，心裡就有氣，哼了一聲說：

『是啊！如果爾康不死，說不定妳這個「榮王妃」也撈不到！記住，這「榮親王」和「榮王妃」的地位，是爾康和那些戰死沙場的弟兄們，用鮮血換來的！妳戴著皇阿瑪賞賜的寶石，聽著大家喊「福晉」的時候，想一想爾康他們，付出的是什麼！死掉的人，換來活人的恩寵，這個「殊榮」，代價也太大了！』

小燕子這篇話一出口，知畫臉色大變。但是，永琪卻用一種嶄新的，驚佩的眼光，看著小燕子。再也想不到，那個在江湖賣藝長大的小燕子，能說出這樣的道理！

『小燕子……妳深得我心！』他心有戚戚焉，脫口讚美著：『妳能說出這篇話，讓我太感動，也太震動了！妳不止長大了，成熟了，妳的深度和境界，更讓我感到驕傲！』

小燕子迎視著永琪的眼光，因他的讚美而深深感動著。

知畫看看兩人，看到他們一唱一和，彼此欣賞，不禁醋意大發。深吸了一口氣，她努力壓制住自己惱怒的情緒，嫣然一笑，走上前去，挽住了永琪。

『好了好了，你和姐姐兩個，反正是如膠似漆，怎麼看怎麼好，怎麼聽怎麼順耳。可是，永琪……你是不是也欠我一些東西呢？今天，老佛爺來了，跟我談了好多的事……總之，我又挨罵了！我想想，還眞有點委屈，當初，如果我什麼都不管，現在，送命的恐怕也不止爾康一個！我這個「榮王妃」固然建立在很多人的鮮血上，你們的幸福，也建立在別人的痛苦和犧牲裡！鮮血是一時的，死了也就結束了！折磨卻是永遠的！有些人，殺人不見血，才是最可怕的！所以，當你們兩個親親熱熱的時候，別忘了，你們的笑裡，有別人的眼淚，你們的甜蜜裡，有別人的辛酸！如果你們還能高枕無憂，你們才是「曠世奇才」！』

知畫這一篇話，說得永琪臉色驟變，她一句一句，句句銳利，字字有力，像利刃一樣刺進他的心。他瞪著知畫，冷汗涔涔了。

小燕子張口結舌，再也無話可答。

知畫就看著永琪，柔聲問：

『我們是在這兒繼續談？還是去我房裡談？』

永琪看到房裡丫頭嬤嬤眾多，生怕知畫再說出什麼祕密，只得匆匆的看了小燕子一眼，拉著知畫說：

『我們去房裡談！』

永琪和知畫進房了。

桂嬤嬤就急忙拍了拍手，揚著聲音喊：

『珍兒，翠兒！發什麼呆？趕快去準備一些宵夜的點心！豌豆黃，核桃酥，蟹肉雲吞和小米粥……快去！』

『是！馬上去！』珍兒翠兒歡聲的回答，忙忙碌碌的奔去準備點心。

小燕子一嘆，心想，我們大家是怎麼了？學士府有學士府的悲哀，景陽宮有景陽宮的悲哀，至於晴兒和簫劍，又是另一種悲哀。是從什麼時候開始，老天收回了給他們的快樂和幸福？難道快樂和幸福也有用完的時候嗎？爲什麼以前的歡笑，都消失了？怎麼會這樣呢？她乏力的走回臥房，知道永琪今晚，大概會留在知畫房裡了，她沒有吃醋，只有悲哀。她知道，她的永琪，不管身在何方，心都在她身上。只是，他們六個，怎麼會變成這樣？

永琪進了知畫的房間，知畫立刻把房門一關，走到他面前，定定的看著他。

『知畫……』永琪勉強的開口。

知畫伸手，壓在他的嘴唇上。急促的說：

『不管你要說什麼，你先聽我說，我說完了，你再說！』

永琪就被動的看著她。她那對清亮的眸子，帶著一股說不出來的幽怨，一瞬也不瞬的盯著他。她的聲音，婉轉溫柔，更帶著幾分說不出來的哀懇：

『我瞭解你和小燕子這一路走來的感情，我也瞭解你失去爾康的悲痛，我很想分擔你的悲哀，很想像小燕子一樣，能夠和你一起面對這份痛苦，但是，你一直把你的門，緊緊的關著，不讓我走進去！』

『不是不讓妳走進去，是說來話長，有些經歷，除非親身體驗，是說不清楚的！』永琪無力的說，此時此刻，還得面對知畫，他眞有『無處可逃』的感覺。

『不用解釋！千言萬語一句話，你對小燕子有情，對我無情！當你無情的時候，我說什麼，做什麼都沒用，因爲你心裡沒有我！』

『我們能不能不要談這個問題？』永琪疲倦的嘆口氣。『我心裡，充滿了戰場、緬甸人、象兵部隊、和爾康的死，眞的沒有心情來談我的感情問題！妳瞭解也好，妳不瞭解也好，我就是這樣！我希望妳以後，在丫頭們的面前，不要再提當初結婚的苦衷！那件事，是各方面造成的，除了抱歉，我也不知道，現在還能怎麼辦？』

知畫聽了，背脊一挺，眼神驀然間變得銳利起來。收起了那份婉轉溫柔，她的聲音，也陡然提高，變得尖銳而有力：

『你說得好坦白！如果我們要用這種坦白的方式談，我就坦白的告訴你！我的肚子裡有你的骨肉，我是你的妻子……我不想在我這麼年輕的時候，就變成一個靜心苑裡的皇后！我要我的丈夫，我還要第二個孩子，第三個孩子，第四個孩子……我們來日方長，你要幫我完成！』

永琪大吃一驚，凝視著她，這樣的知畫，簡直是陌生的！他率直的說：

『這事……恐怕難了！』

『這事，一點也不難，當初你怎麼讓我懷孕的，你繼續努力就好！以後，我和姐姐的房間，你半個月去姐姐房，剩下的半個月，就要來我的房間！如果你不能眞心愛我，你就虛情假意好了！』

她的口氣，幾乎是命令的。他也一挺背脊，生氣了。

『妳怎能限制我的生活呢？這太荒謬了！』

『我只是要求我份內應該得到的東西而已，怎麼能說荒謬呢？』她振振有詞：『當然你可以拒絕，那麼，就是我和你恩斷義絕的時候，你利用了我，再甩開我，這麼無情的人，我也用不著珍惜和呵護！那麼，我們大家走著瞧！』

『什麼叫「走著瞧」？』他驚疑的問。

『我想……』她慢吞吞的回答：『你無論如何，也不想讓我和小燕子，正式宣戰吧！』

他盯著她，她也盯著他。他在她眼底，看到了她的堅決，她的厲害，和她的志在必得。他忽然就覺得心裡在冒涼氣，沒心眼的小燕子，她怎麼會是知畫的對手？知畫迎視著他的目光，繼續說：

『宮裡的戰爭，你從小看多了！女人和女人的戰爭，比你那個雲南戰場，更要慘烈幾百倍！你不怕，就讓這個戰爭發生吧！別說小燕子一身祕密，她那個大而化之，沉不住氣的個性，要讓她闖禍，實在輕而易舉！』

『妳在威脅我！』永琪忍不住一退，驚喊出聲，再想想，這不可能！『不……妳不是那種女人，妳是忠厚的，誠懇的，有深度的，有修養的女子！妳不會那樣做！』

『再有深度有修養的女子，都無法承受一個薄情的丈夫！』知畫說，忽然收起了她的凌厲，嫣然一笑，聲音又轉為溫柔：『瞧，你被我嚇住了，是不是？其實，愛我也不是那麼困難，你為什麼不試一試呢？為什麼不讓我成為你的賢內助，成為姐姐的知己呢？是敵是友，都在你一念之間！』說著，就踮起腳尖，去吻他的唇。『何必把我逼到走投無路？我的錯，只在不該喜歡你！』她一邊說著，一邊用手勾住了他的脖子，熱烈的吻住他。

永琪怔在那兒，眼前閃過小燕子的臉，那是他唯一的眞愛！他的身子僵硬，用力推開知畫，喊著說：

『我寧可成為妳的敵人，也不能成為妳的囚犯！』

喊完，他就掉轉身子，往門口衝去。知畫飛快的攔住門，悽厲的說：

『不要走！聽我說……』

『我不想聽妳說，』他大聲說：『我不想聽妳對我宣戰，不想聽妳威脅我……』

知畫瞬間瓦解了，淚水衝進眼眶，悽然無助的喊：

『你不要說我是怎樣怎樣的人，想一想，你是怎樣怎樣的人？在我心裡，你也是有深度、有思想、有情有義的人，你也是忠厚的，誠懇的，有修養的男子！但是，你對我的所作所為，把我心裡那個你，完全消滅了！你一點都不同情我嗎？你完全看不到我的期盼和悲哀嗎？我今天晚上會對你說這些話，是逼急了，你沒有一點感覺，沒有一點可憐我嗎？你回來一個多月了，每天和小燕子卿卿我我，你要我看在眼裡，完全無動於衷嗎？』

永琪呆住了，看到她無助的淚，看到她大腹便便，他深深體會到，她確實有無盡的悲哀。於是，愧疚的感覺，壓過了對她的反感，排山倒海般湧來。他一咬牙，痛悔的喊：

『錯，錯，錯！都是錯！我們怎麼會弄成這個局面？妳是我生命裡突然冒出來的「意外」，我被迫接受這個「意外」，卻沒辦法去愛這個「意外」！自從有了妳，我所增加的，不是快樂，而是痛苦；妳的痛苦，我的痛苦，小燕子的痛苦！我不要讓這痛苦再繼續增加，如果妳聰明一點，讓它就停止在現在這個階段上！』

知畫抬眼，哀懇的看著他，淚眼盈盈，祈求的說：

『我不要「停止」！我的生命在繼續，我怎麼可以停止？我並不貪心，我要的，不過是一點點溫情而已！你把整數都給了小燕子，給我一點零頭都不行嗎？我從來沒有想到，我會這樣低聲下氣，向我的丈夫乞求一絲溫暖……你爲什麼那麼吝嗇呢？』她說著，就伸出手去，握住他的手。他震動了一下，不忍抽出手去。她深深的看著他，眞摯的，傷痛的說：『永琪，我沒辦法，你這麼優秀，這麼充滿了男人氣概，又這麼文武雙全……我沒辦法不喜歡你呀！只要我不喜歡你，我就不會痛苦，但是，我就是做不到呀！』

永琪不怕知畫的『兇』，卻很怕她的『柔』。聽到這樣的句子，想到知畫下嫁的種種委屈，他的犯罪感更重了，他的眼眶濕潤起來。嘆息著說：

『妳有妳的可憐……我們都是別人的棋子，被人擺弄著，身不由己。妳是宮裡的犧牲品，本身就是一個「悲劇」。』

『我是「悲劇」，我是「意外」，你卻沒有一點點惻隱之心，把這個「意外的悲劇」，變成「意外的喜劇」嗎？』她更加低聲下氣，懇求的說：『今晚留下來，陪陪我！只要你肯陪我，我就不是「悲劇」。』她羞澀的看看自己那隆起的腹部，輕聲說：『我這個樣子，也不能做什麼，只是需要你在旁邊，跟我說說話而已！』

永琪被動的站著，對這樣的知畫，充滿了憐憫。知畫就用手環抱住他的腰，緊緊的依偎進他的懷裡。

永琪忽然驚覺到這樣不行，一個震動，用力把她推開。大聲喊：

『我不能優柔寡斷，今天給了妳希望，明天又會帶給妳失望！我不能欺騙妳，欺騙我自己，欺騙小燕子！我走了……』

永琪就大步走向門口，一把打開房門。知畫大震，又驚又怒，就向房門直衝而來。嘴裡悽厲的嚷著：

『不許走！』

知畫衝得太急，永琪又急於奪門而去，兩人就在房門口重重一撞。知畫大腹便便，一個站不穩，身子衝出去，『砰』的一聲，撞在桌子角上，跌落在地。她發出一聲慘叫，滾在地上，捧著肚子：

『哎喲……哎喲……哎喲……痛……痛死了……』

桂嬤嬤、珍兒、翠兒、明月、彩霞全部奔來。小燕子也跑了過來，驚愕的看著。

桂嬤嬤驚心動魄的喊：

『哎喲！這是怎麼回事？五阿哥……福晉肚子裡有孩子呀……不到一個月就要生了，萬一有個閃失，怎麼辦？』

桂嬤嬤珍兒翠兒明月彩霞全部撲上去，要扶知畫。

『福晉！福晉……趕快起來……』

知畫卻無法起身，在地上滾著，痛喊著：

『哎喲……哎喲……永琪，你也太狠了……這是你的兒子呀……』

永琪嚇得臉色慘白，急忙喊：

『傳太醫！傳太醫！傳太醫……』

小燕子睁大眼睛，看著滿地打滾的知畫，喃喃的說：

『不要相信她，她又來了……她是假裝的……』

永琪驚看小燕子，害怕的說：

『假裝的？不是，是我撞到了她的肚子……』

『她是假裝的，以前，她就演過這一幕了！她是假裝的！』小燕子固執的說，想到上次她搶信摔跤的事。

『天地良心！』桂嬤嬤驚喊：『格格不要這樣冤福晉呀……哎呀……』她悽厲的狂喊：『血！血！福晉流血了！救命呀……』

彩霞奔過去一看，只見知畫那條月白色的裙子，已經被血染紅，大叫：

『福晉眞的在流血呀！趕快傳太醫呀……』

知畫伸長了手給永琪，悽然的喊：

『永琪……救我，救我……我要死了！』

永琪看到了血，就嚇得魂飛魄散了。他的心狂跳，心裡在吶喊著，永琪！你殺了她！那個冰雪聰明，充滿詩情畫意的女子！那個會一面跳舞，一面畫『梅蘭竹菊』的女子！那個被命運播弄，不幸嫁給了他的女子！那個不該喜歡他不該愛他的女子！他撲上去，臉色比紙還白，一把抱起了她。顫抖的，心慌意亂，充滿自責的喊：

『知畫……對不起……知畫……妳撐著！太醫馬上就來了……』回頭大喊：『有沒有去請太醫？快傳太醫呀……』

眾丫頭早就一路喊著『傳太醫，傳太醫……』奔出去了。

知畫躺在永琪懷裡，臉色越來越白，眼淚滾落。她看著他，聲音震顫著：

『永琪，我要這個孩子，我愛他，我好不容易才有的，是你給我的恩賜，我求來的，以後再也不可能有了……我要他，我要他……』

永琪抱緊她，知道這幾句話是她內心真正的呼號，他的心更加揪成一團，他有什麼權利，把一個天眞無邪的女子弄成這樣？他發抖的，一疊連聲的說：

『我知道，我知道，我知道……太醫馬上就來了，會保住的！如果這個保不住，我答應妳，我們還會有第二個，第三個……妳不要怕……』

永琪一邊說，一邊把知畫抱上床。完全顧不得小燕子了。

小燕子呆呆的站在那兒，一臉的驚愕、震動、悲切，和茫然。

知畫這一撞，實在不輕。杜太醫和產婆全部趕到了景陽宮，太醫把脈診斷後，就退到房外，產婆接手，永琪的孩子，要提前報到了。令妃得到消息，火速趕來。知畫滿臉的痛苦，在床上掙扎著，冷汗不斷從額上滾落。雕花床的架子上，垂下一條紅色的布條，打著如意結。她抓著如意結使勁，慘叫著：

『啊……痛……好痛……好痛啊……我吃不消了……哎喲……啊……』

桂嬤嬤帶著幾個嬤嬤，不停的爲她拭汗，產婆們在床尾圍繞。

令妃跑出跑進，張羅著一切。

『熱水！熱水！多燒幾桶熱水提進來！』

杜太醫在門外侍候，把參片塞進令妃手裡，急急說：

『娘娘，參片在這兒，只要福晉氣接不上來，趕快給她含一片！』說著，對門外眾人吩咐：『快把藥爐燒起來，我自己來熬藥！』

杜太醫奔出去，差點撞在太后身上。晴兒和幾個嬤嬤簇擁著太后，正要進房。杜太醫趕快阻止：

『老佛爺，您在大廳裡等著，有任何消息，臣馬上過來告訴您！這產房不乾淨，您千萬別進來！』

太后著急的嚷：

『不要迷信了，生孩子是最嚴肅的事，有什麼不乾淨？怎麼日子提前了這麼多，我不放心呀！晴兒……妳不要進來了，妳還是姑娘家，到小燕子那兒去吧！』

『是！』晴兒趕緊退下。

珍兒、翠兒、明月、彩霞和嬤嬤們，不斷提熱水進房，把弄髒的被單帕子拿出去。眾人穿出穿進，忙忙碌碌。房內一片緊張景象。知畫不斷痛喊著：

『啊……啊，我要死了！啊……令妃娘娘……幫我，救我！我受不了了，啊……快停止這種痛……怎樣才能停止呀……』

『知畫！勇敢一點，不要怕！』令妃撫摸著她的頭髮，安慰的說：『老佛爺在這兒，她親自來看妳了！我生了三個孩子，個個都很辛苦，可是，個個都生出來了！現在，肚子裡還有一個呢！』

太后急忙走到床頭，憐惜的看著知畫。

『知畫，可憐的孩子，辛苦妳了！』太后拿起帕子，親自給她拭汗。

知畫看到太后，眼中立刻滿溢著淚，她掙扎著在枕上磕頭：

『老佛爺，知畫給您磕頭……都是我不小心，撞到了桌子，才會提前生產，我好怕……』話沒說完，一陣劇痛，她再度慘叫起來：『啊……』

桂嬤嬤滿頭大汗，喊著：

『福晉，快了快了，就快生下來了，不要緊張，再用力一次，說不定就生下來了！』

『福晉！來，再用力一次！用力……』產婆也在床尾喊著。

知畫拚命用力，臉孔由白而紅，汗珠滾滾而下。

『天啊……我生不出來，啊……好痛好痛好痛……啊……』

永琪不能進產房，他在小燕子房裡，像個困獸般走來走去。知畫的慘叫聲，不斷的傳了過來，每喊一聲，他就驚跳一次。他的臉色蒼白，膽戰心驚，悔恨如死。早知道就在她房裡過一夜，早知道不要讓她有小孩，早知道根本不該娶她……早知道，早知道，早知道……千金難買的，就是『早知道』！

小燕子站在窗前，也是滿臉緊張，一面注視著魂不守舍的永琪。晴兒也焦急的傾聽著。知畫的喊聲又悽厲的響起：

『啊……啊……救我……救救我……啊……』

永琪撲在窗櫺上，用拳頭捶著窗子。

『怎麼會變成這樣？如果孩子不能平安生出來，我真是罪該萬死！』

小燕子走到他身邊，試圖安慰：

『杜太醫說，差不了多少天，胎兒也夠大了，雖然是提前了，順產的機會還是很大，你不要著急，知畫年輕，身體又好，應該不會有問題的！』

『什麼沒問題？』永琪急切的喊：『妳聽，她這樣叫，已經叫了一個晚上，這種折磨，爲什麼不停止呢？我有什麼權利，讓一個女人這樣痛苦？』他昏亂的看著晴兒，說：『晴兒，妳知道嗎？是我把她撞倒，她摔了好大一跤，又撞在桌子角上，才提前生產的！我眞是混帳！』他握著拳頭，猛敲著自己的腦袋。

晴兒四面看看，急忙把手指放在嘴上，噓了一聲說：

『永琪，這話我們關著門說就好，別讓老佛爺知道！孩子提前生，也是常有的事，日子算錯了也可能！反正別提什麼摔跤的事了！』

『可是，是我撞的呀，她很痛呀，她叫了一個晚上……』永琪在房裡兜著圈子。

小燕子看他自責成這樣，又試圖安慰，說：

『生孩子本來就很痛苦，我以前在大雜院，眼看王媽媽生孩子，生了兩天兩夜才生出來，尤其第一胎，都很慢，你不要急嘛！紫薇生東兒，也生了整整一夜呢！』

永琪一回頭，對小燕子大聲說：

『不要再跟我提妳在大雜院的事情，現在不是大雜院，知畫不是大雜院裡的女人，這個孩子還沒足月，是被我撞出來的……老天！』他又去搥桌子：『我做了什麼事？知畫說得對，我們很可怕，我們殺人不見血……』

小燕子聽他這樣說，又急又委屈，挺直背脊，瞪著他說：

『你不要因爲自己充滿了犯罪感，就順著知畫的話去想，知畫就是要你有犯罪感，就是要你不忍心，她是很厲害的角色，我就上過她的當！到底誰是「殺人不見血」，我們還不知道呢……』

小燕子話沒說完，永琪抓住她的雙肩，一陣亂搖。痛楚的喊：

『小燕子！妳仁慈一點，知畫爲了救簫劍，委委屈屈的嫁了我，我爲了愛妳，一再冷落她，現在，還把她弄到這麼悽慘的地步，而妳……一點同情心都沒有，妳變了！妳變聰明了，也變狠心了，妳和宮裡那些鉤心鬥角的女人，沒有兩樣……』

永琪這幾句話，像是狠狠的一棒，敲在小燕子頭上，她大受打擊，瞪大眼睛看著他，不相信自己所聽到的。

這時，新房裡又傳來知畫一聲尖銳的哀號：

『娘！娘！我娘在那兒……老佛爺，我要我娘……啊……永琪！』她開始聲聲哀號：『永琪……永琪……救我……我要死了……永琪……永琪……』

永琪聽得冷汗涔涔，推開小燕子，衝出房門。小燕子怔在那兒，滿臉灰敗，動也不動。晴兒急忙走過去，拉住她的手，發現她的手冷冰冰。

『不要跟五阿哥認眞，他現在心慌意亂，自己說些什麼，他都弄不清楚！畢竟，知畫懷的，是他的兒子，他的緊張就可想而知！對知畫，他一直就充滿了犯罪感，不是從今天開始的，是從老早就開始了。』她壓低聲音，悄悄的、哀懇的說：『爲了妳哥，我們一定要忍！妳千萬不要沉不住氣！』

小燕子吸了吸鼻子，咬了咬嘴唇，努力忍住眼眶裡的淚。

永琪衝到了產房外，就被杜太醫和珍兒、翠兒、明月、彩霞等人攔住。

『五阿哥不能進去，那兒是產房，五阿哥不方便進去！』杜太醫說：『臣已經熬了催生的藥，也熬了提神的藥，只要福晉撐得下去，孩子活命的機會還是很大……』

杜太醫話沒說完，房裡，知畫的慘叫又傳了出來：

『永琪……哎喲……我痛痛痛啊……快要痛死了……永琪！永琪！永琪……你在那兒？我……我……啊……救我……救我……救救我……』

永琪一陣顫慄，推開杜太醫，就向房裡衝去。

眾丫頭趕緊去攔住門，七嘴八舌的喊：

『不行不行呀！五阿哥不能進去，在外面等就好了呀……』

永琪用力一推，丫頭們摔的摔，跌的跌，他就大步進門內去了。令妃驚呼：

『五阿哥！你怎麼進來了？快出去，這兒沒你的事！』

『娘娘，知畫就是我的事！孩子也是我的事！』永琪著急的說。

太后抬頭一看，喊著說：

『令妃，讓他進來吧！知畫口口聲聲在叫他……生死關頭，別忌諱了！』

永琪奔到床頭，看到知畫面色慘白，冷汗涔涔，髮絲都被汗水浸透了，貼在額上面頰上，眼裡全是恐懼、無助、和痛楚。從來，知畫都是打扮得亮麗出眾的，何曾這樣狼狽過。這種狼狽和無助，就更加撕裂了永琪那顆善良愧疚的心。

『知畫，知畫，我來了，我在這兒！』他扶住她的頭。

知畫抬眼看他，眼裡，滾出大顆大顆的淚珠。她氣若游絲，充滿歉意的說：

『永琪……對不起……我怕我保不住這個孩子了……對不起……』

永琪頓時心痛如絞，脹紅了眼圈，啞聲說：

『不要再說傻話，是我對不起妳，把妳害成這樣！妳不要洩氣，勇敢一點，我在這兒陪妳，好不好？』

知畫拚命吸氣，淚霧中的眸子暗淡悽楚，她顫聲說：

『永琪……請妳告訴我娘和我爹，我辜負了他們的期望……我……大概活不成了，我也沒想到會這樣……告訴他們，我……好想他們，只怕今生再也見不到面了……』一陣痛楚翻天覆地的捲來，她大叫：『哎喲……哎喲……啊……啊……』

永琪抱緊她的頭，嚇得臉色慘白，用帕子拚命擦拭她的額頭和面頰。

『知畫知畫，妳會好的，妳會熬過去的，妳會再見到妳爹和妳娘的……妳振作一點，我們再好好的開始……我會補償妳的……知畫……知畫！』

房門口，小燕子和晴兒早已忍不住，都溜了過來，站在一群宮女中，伸長了腦袋觀望著。

只見知畫頭一歪，厥過去了。永琪大叫：

『知畫！醒來醒來……知畫，妳怎麼了？』

『不能厥過去，我來……參片參片！』令妃急喊。

『杜太醫！病人厥過去了，怎麼辦？』太后跟著喊。

『藥來了！提神藥來了！大家給她灌下去！掐她的人中，喊她！』杜太醫把熬好的藥，遞給產婆。

產婆端著藥過來，和幾個嬤嬤圍著知畫，灌藥的灌藥，掐人中的掐人中，拍打臉頰的拍打臉頰，大家喊成一團，情況危急而慘烈。

『福晉！福晉！醒來醒來……孩子就快出來了……再用力呀！不可以厥過去！』

永琪看得魂飛魄散，驚心動魄，整顆心都絞扭著，覺得慘不忍睹。知畫在眾人的一陣折騰下，醒來了。大叫：

『啊……好痛好痛……讓我死吧……我不要活了……我也不要生了……』

『知畫！振作振作，熬過了今晚，生下小王爺，就是榮華富貴了……』令妃喊。

『我不要榮華富貴，我什麼都不要了……』知畫痛極，眼光找尋著永琪，哀聲呼喚：『永琪……永琪……』

永琪又急撲上前，握住了她的手。顫聲說：

『我在……我在……我在……』

知畫痛得三魂去了兩魂半，此時此刻，眞情流露，她凝視著他，眼裡全是後悔和自責，掏自肺腑的說：

『永琪……原諒我，原諒我情不自禁，喜歡你太多，給了你好多的負擔……我知錯了，請原諒我……』說著，眼淚從眼角滾落。『老天一定在懲罰我太貪心了，才要我受這麼多苦……』

這番坦誠相告，更加撕碎了永琪的心，他這才知道，自己一路走來，帶給她多少痛苦。他情不自禁，把她的頭緊抱在胸前。啞聲說：

『請妳不要這樣說，是我應該請求妳原諒，是我愧對妳，是我太薄情……』

太后和令妃相對一看，太后眼裡濕漉漉。

門口的小燕子，聽得心也碎了，臉色灰白，神情慘淡。她恨不得自己是知畫，恨不得永琪抱著的是她！她寧願爲他生孩子，寧願爲他死！她的眼眶，也是濕漉漉。

知畫又一陣劇痛，急喊：

『永琪！握住我的手，永琪……不要放開我……啊……』

『是！是！是！』他緊握著她的手，汗水也滴滴滾落。『怎樣能讓妳好過一點，我就怎樣做……妳需要我怎樣？告訴我！』

『只要握著我，只要握著我……』

『是！是……』

又是一陣劇痛襲來，知畫慘叫：

『哎喲！我受不了了……哎喲……』

產婆嚷著：

『福晉！看到孩子的頭了，趕快用力！再來一次，用力呀……』

知畫的手，抓緊了永琪的手，拚命攥著，拚命拉扯著。

『哎喲……老天啊！菩薩啊！永琪啊……幫我幫我幫我……』她一陣用力。

永琪也跟著用力，死命攥住她的手。

驀然間，一聲嘹亮的兒啼響了起來。產婆喜悅的大喊：

『生了生了生了！恭喜老佛爺！恭喜娘娘！恭喜福晉，恭喜五阿哥……是一位小王爺呀！』

桂嬤嬤和眾產婆，就歡呼起來：

『小王爺……小王爺……菩薩保佑，活得好好的，長得好漂亮……是位小王爺呀！老佛爺，娘娘大喜大喜啊！福晉大喜了，五阿哥大喜了……恭喜恭喜啊！』

太后鬆了一口氣，和令妃交換著喜悅的眼光，太后就拍著知畫，說：

『知畫！妳成功了！永琪終於有兒子了！』大喜之下，熱淚也奪眶而出，一面拭淚，一面感恩的說：

『皇帝的洪福，祖宗的保佑呀！知畫，妳是我們愛新覺羅家的大功臣！』

『趕快去向皇上報喜！鞭炮準備了嗎？可以放鞭炮了！』令妃喜孜孜的喊。

一陣鞭炮震天價響，太監們歡聲的喊了出去：

『小王爺出世了！小王爺出世了！』

知畫聽著，在這番折騰下，疲憊已極，氣若游絲。卻目不轉睛的看著永琪，感動的、感恩的說：

『我做到了……永琪，我生下了你的兒子……我要給他取名字叫「綿億」，綿綿不斷的「綿」，億億萬萬的「億」！是我「綿綿不斷的深情，億億萬萬的決心」，才創造了我們共有的這條小生命！希望他長大以後，有「瓜瓞綿綿的福祉，億億萬萬人的愛戴」！他是我們的「綿億」，好不好？』

永琪拚命點頭，喉中哽咽。

『好！綿億，很好的名字！』

知畫深深看他。再說：

『我對你，盡心盡力了！』她看向太后：『老佛爺，我對您也可以交差了！』再看回永琪：『請你……好好的愛護綿億，讓他長成一個像你這樣的好王子。』說著，就虛弱的微笑起來：『永琪，你說的對，我的本身就是一個「悲劇」，我……』她的聲音越說越弱：『大概已經結束你的「意外」，完成我的「悲劇」了！』

知畫說完，頭一歪，再度暈厥過去。

永琪大震，驚喊著：

『知畫！知畫……不要走！我們化悲劇為喜劇，妳對了，我錯了！妳再給我一次機會，讓我補償妳……知畫……知畫……』他抬頭急喊：『杜太醫！杜太醫……趕快進來看看呀！』

杜太醫、小燕子、和晴兒，都衝進房來。

『這怎麼辦？有沒有危險呀！』太后緊張的問。

杜太醫急忙把脈，臉色沉重的站起身子：

『回老佛爺，福晉流血過多，耗損過久，已經筋疲力盡。只怕會撐不下去了！』

永琪大震，跳起身子，抓住杜太醫胸前的衣服，紅著眼眶嚷：

『不許說撐不下去，你快治！能用的藥，全部用出來……她才十八歲，正是一個女子最好的年齡，正是要享受生命的年齡，她不可以死！你聽到沒有？』

『可是……可是……福晉太衰弱了，臣只怕無能為力……』

太后一聽，身子一軟，差點摔倒，令妃和桂嬤嬤趕緊扶住。永琪更急，喊：

『你還沒有治，怎麼知道無能為力？趕快再請幾位太醫來，大家會診！我要她活著，你們聽到沒有？』

『把鍾太醫，林太醫通通傳來！』令妃嚷著。

『是是是！知道了！臣趕緊去傳鍾太醫，林太醫……臣再開方熬藥去！臣一定盡全力救福晉！』杜太醫一疊連聲的應著，趕緊出房去。

桂嬤嬤和眾嬤嬤忙著在知畫嘴裡，塞進參片。忙著掐人中，喊著：

『醒來醒來呀！福晉……妳總要看看妳的公子呀！妳當了額娘了，妳生下小王爺，妳真了不起，趕快醒來呀！』

知畫毫無生氣的躺在那兒，臉色像白紙一樣。

太后和令妃，都焦急的看著。

永琪在床前坐下來，握著她的手，凝視著她，虔誠的、承諾的說：

『知畫，我要妳活著，誠心誠意的希望妳活著！我瞭解妳的期盼和悲哀了，我知道我帶給妳多大的傷害……我是怎麼了？我一天到晚忙著去保護別人，而讓眼前的人，遍體鱗傷，我到底在做些什麼呢？我是「曠世奇才」！我瞭解了，但是，妳不要讓我瞭解得太晚！』

太后聽著，眼睛裡都是淚，頗爲感動。

這時，產婆們已經洗乾淨了嬰兒，包在襁褓中，抱到太后面前來。

『老佛爺！小王爺因爲是早產，有點小，不過……慢慢就會長大了！』

太后看著孩子，忍不住抱了過來，含淚注視。把孩子抱到永琪面前來，給他看。

『永琪！爲了這個孩子，知畫幾乎拚掉了她的命，如果她好了，你再辜負她，我絕對不會饒你！』太后說。

永琪看著那個弱小的生命，不勝感慨。

『爲了這樣一條脆弱的小生命，值得知畫拚掉她那麼美好的生命嗎？』他凝視知畫。幾乎是『請求』的說：『知畫！妳必須好起來，我才能結束妳生命裡的「悲劇」！妳得給我機會！』

小燕子看到這兒，聽到這兒，眼淚慢慢的落下，轉身回房去了。

晴兒見小燕子這樣，急忙跟著去了。

小燕子衝進了房間，就悲切的喊：

『晴兒！我完了！我輸給知畫了！永琪不再愛我，他愛上知畫了！我有最強烈的預感，我會失去永琪！知畫會一點一點的佔據他，直到他心裡再也沒有我爲止！可能……現在她已經達到目的了！』

晴兒急忙關上房門，拉住她的手，認眞的說：

『不會的！今晚的一切，不能用常理來推斷！永琪和妳，是從妳進宮就開始的感情，是七年以來，點點滴滴堆積的感情，是風裡浪裡，培養出來的感情，那裡是知畫能夠取代的？』

『但是，她已經取代了我，妳也親眼看到了，永琪根本看不到我，他守著她，他握著她的手，他說，他要結束她的悲劇，那是什麼意思？那就是要開始我的悲劇！我完了！眞的完了！』

『妳不要慌，自己亂了陣腳！知畫現在面臨生死關頭，永琪說的做的，都不是男人對女人的感情，只是一個有責任心的人，因爲歉意所做的懺悔而已！』晴兒握緊小燕子的手，誠摯的說：『我們大家，在這一陣子，都負擔了太多的悲劇，永琪負擔的，尤其重大！爾康的死，他已經自責得不得了，如果知畫再有什麼不幸，他如何面對自己的良心？小燕子，妳要體諒永琪，他嚇壞了！他嚇得不知所措了！』

小燕子無助的張大眼睛，看著晴兒。晴兒就拉著她的手，走到床邊坐下。

『我們在這兒靜靜的等，只要知畫脫離了危險，永琪就會恢復正常。』

『那……如果知畫死了，怎麼辦？』小燕子害怕的問。

晴兒想了想，說：

『我覺得不會耶，知畫一直很健康，生孩子看起來都很危險，但是，每個女人都會生，我覺得她會度過難關的！』

小燕子用手托著下巴，看著窗子。爲什麼她沒有保住那兩個孩子？綿億？爲什麼她沒有給永琪生下綿億？她心中一片悽慘，知畫還在生死關頭，她不該嫉妒，不該吃醋。但是，天啊！她嫉妒知畫！嫉妒她生下綿億，嫉妒她被永琪擁抱著，呵護著，憐惜著。同時，她也恨這個會嫉妒的自己！是的，她變得殘忍了，爲什麼她不能容忍知畫呢？爲什麼她不能愛她呢？她心裡充塞著幾千幾萬種思想，幾千幾萬種煎熬。天啊！如果她當初沒有冒充紫薇，如果她當初沒有進宮，如果她當初沒有愛上永琪……她就不必忍受這些了！但是，她那麼喜歡永琪，喜歡得心會痛，喜歡得連殺父之仇，都能包容！天啊，我不是小燕子，我變成一個『宮裡的女人』了！她就這樣胡思亂想著，直到窗外，暗沉沉的天空，逐漸被曙色染白。天亮了。

房門被推開了，明月和彩霞端著洗臉水，輕手輕腳進門來。彩霞看到兩人坐在床沿發呆，嚇了一跳。

『兩位格格，怎麼一夜沒睡？我們以爲妳們老早就睡了，老佛爺還說，不要吵醒妳們，令妃娘娘送她回慈寧宮了！』

晴兒一震，急忙起立。問：

『知畫怎樣了？』

『杜太醫還留在這兒，其他太醫也回去了！』明月說。

小燕子從沉思中驚醒，立刻急急的問：

『太醫怎麼說呢？』

『太醫說，情況還是很危險，但是……』她皺皺眉，小小聲說：『我覺得沒什麼問題耶！』

『爲什麼？』晴兒問。

『因爲我聽到杜太醫送老佛爺出門的時候，說了「放心」兩個字，老佛爺就挺安心的走了！』彩霞低聲說：『假若福晉很危險，老佛爺和令妃娘娘，大概不會走吧！』

『再有，』明月接口說：『老佛爺心情很好的樣子，也沒有催著晴格格回去，還說要妳們兩個多睡一會兒！』

晴兒不禁去看小燕子，兩人都在驚疑中。小燕子又急急的問：

『那……知畫現在怎樣？五阿哥呢？』

『福晉睡著了，可是，一直拉著五阿哥的手不放，五阿哥也不敢動，就一直坐在床前面。』彩霞說。

小燕子一仰身，倒上了床。哀聲說：

『晴兒，妳不要多說了，我告訴妳，我的「悲劇」已經開始了！』

晴兒不語，心裡湧上了困惑和擔憂，對永琪失去了把握，悲哀的看著小燕子。

47

紫薇一連好多天，都沒有再夢到爾康。她每晚入睡時，都對著窗子虔誠祝禱，祈求爾康來入夢。但是，他不再出現了。這些日子，她也重拾母愛，不捨得把東兒交給奶娘，她都帶在身邊。每晚，和東兒說說這個，談談那個，等到東兒倦了，看著他的眼睛瞇起，看著他打哈欠，看著他沉入睡鄉。凝視著那張稚嫩的小臉，驚愕著自己怎會排斥他那麼久？歉疚和憐惜的心，就把她的心房漲滿了。等到東兒熟睡了，她的思緒，又飄到窗外，尋尋覓覓，她找尋著爾康的身影。她也曾坐在窗前，彈著她的琴，對著窗外黑暗的穹蒼低語：

『爾康，你在那裡？魂也好，夢也好，我希望看到你！這些日子來，心裡除了你，還是你！但是，你不再出現了，夢裡夢外，你都不見了！回想那一陣，常常看到你的日子，覺得也是一種幸福！或者，那只是我的幻想吧！但是，現在，幻想中的你，又在那兒呢？』

她寫了一首歌，每夜每夜，她扣弦而歌，唱得一往情深，哀婉纏綿：

『回憶當初，多少柔情深深種！
關山阻隔，且把歌聲遙遙送！

多少往事，點點滴滴盡成空，
千絲萬縷，化作心頭無窮痛！

自君別後，鴛鴦瓦冷霜華重，
漫漫長夜，翡翠衾寒誰與共？
臨別叮嚀，天上人間會相逢，
一別茫茫，魂魄爲何不入夢？

情深似海，良辰美景何時再？
夢裡夢外，笑語溫柔依依在！
也曾相見，恍恍惚惚費疑猜！
孤魂飄泊，來來往往應無礙！

舊日遊蹤，半是荒草半是苔，
山盟猶在，只剩孤影獨徘徊！
春夏秋冬，等待等待再等待，
望斷天涯，無奈無奈多無奈！』

紫薇的歌聲，飄出了窗子，飄出了院子，在黑夜的穹蒼中擴散，綿綿裊裊，如泣如訴。這夜的爾康，躺在遙遠的緬甸皇宮裡，恍恍惚惚中，他聽到了紫薇的歌聲，恍恍惚惚中，他看到了紫薇的眼神。他很想飛過去，但是飛不了。紫薇，紫薇！妳牽引著我全部的思緒，妳主宰著我整個的生命！紫薇紫薇，我願化爲鳥，化爲蝶，化爲雲，化爲風……只要能夠飛向妳！

『紫薇！妳的歌，我聽到了！等我等我……』他忽然從床上彈了起來。這樣彈身而起，他醒了，睜大眼睛，看著室內，一片茫然。

慕沙被驚動了，走到床邊，對他展開一個燦爛的微笑。

『又在叫紫薇啊？我不管紫薇是誰，你最好趕快把她忘了吧！你的身體，已經一天比一天好，腳上的傷口，也慢慢癒合了！眼看你就快復元了，那些該忘的事，就不許再提！我要你把它們徹底的忘掉！』

爾康瞪著慕沙，迷惘著。他始終沒有鬧清楚，這個詭異的地方，是人間還是天界？如果自己是再世爲人，爲什麼又忘不掉前世的一切？他鬱怒的說：

『怎麼忘掉？我過「奈何橋」的時候，妳忘記讓我喝「孟婆湯」了？』

『你在說些什麼，我聽不懂！』慕沙坐在床邊，凝視他。看到他眼清目明，就高興起來，笑著提高聲音說：『看看我，我可不是什麼仙女，你應該認得我！我是誰？』

爾康上上下下打量她，是啊，這個仙女好像前生見過！他忽然想起來了，在月光下，她迎風飛舞的頭髮，橫劍自刎的壯烈！在戰場上，她叱吒風雲的氣勢，萬夫莫敵的英勇……他認出來了，大驚之下，整個人也『還魂』了。

『妳是那個緬甸王子慕沙！』

『哈哈！』慕沙大笑。『你總算完全清醒了！不錯，我是緬甸王子慕沙！只有在戰場上，我是緬甸王子，在這兒，我就恢復本來面目了，我是緬甸王猛白的八公主！你要重新認識我！』說著，居然有些羞澀，抿了抿嘴角。『其實，在戰場上，你就知道我是公主了！』

爾康驚愕的看看她，再看四周，只見緬甸宮女們，個個笑吟吟。室內，金碧輝煌。一頭雕塑的大白象，站在水池中，用鼻子緩緩的噴出水來。層層帘幔延伸過去，看不到帘幔的盡處，好大的房間！他在這個皇宮裡，已經躺了幾個月，始終在生死邊緣掙扎，直到這時，才眞正清醒。隨著清醒，是極度的震驚，他一掀被子，就想下床。

『難道我在緬甸？這兒到底是什麼地方？什麼城？』

『這兒是三江城，又叫「阿瓦」城，是緬甸的首都！』

他這一驚非同小可，扶著床柱，搖搖晃晃的站起身來。東看西看，越看越驚。

『你們俘虜了我！是不是？妳俘虜我做什麼？趕快放我回去……』

說到這兒，一陣暈眩，他的身子搖搖欲墜。

『你最好躺回床上去！』慕沙急忙嚷。

『不要！』他掙扎的站穩，急切的說：『我得下床，我得馬上恢復體力，我必須設法，趕快回北京去！』他看著慕沙，不解的問：『你們把我俘虜到緬甸來，不怕清軍打進緬甸來嗎？我是駙馬呀！皇阿瑪和五阿哥，會上天下地的追殺你們！你還是趕快把我放走吧！』

慕沙笑著喊：

『我不管你是「富馬」還是「窮馬」，你這個名字我也不大喜歡！我再幫你想一個緬甸名字，就叫「天馬」吧！天馬比較好聽！從今以後，你是緬甸人！讓我坦白告訴你吧，清軍以爲你死了，沒有人會來找你！』

爾康瞪著她，滿臉的不信。

『妳胡說！他們找不到我，一定不會死心的！』

『哈哈！』慕沙大笑，得意極了：『當時，你身受重傷，我俘虜了你，立刻就把你的衣服盔甲，連同你身上所有的配件，什麼制錢啦、玉珮啦、寶劍啦、靴子啦……通通穿戴到一個清軍的死屍上，然後，把那個死屍打得面目全非，丟在路邊！後來，探子告訴我們，清軍把你的屍體，一路帶回北京去了！』

爾康一震，站立不穩，跌坐在床沿上，頭上冒著冷汗。他瞪著她：

『妳為什麼要這樣做？』

『因為……』慕沙笑得溫柔，笑得明亮，笑得羞澀，笑得爽朗：『我們緬甸的姑娘，身子被你看過了，手被你拉過了，腳被你扯過了，胸口被你打到了……就只好嫁給你啦！』

爾康驚愕得一塌糊塗，大喊：

『什麼？嫁我？怎麼會這樣？』

『就是這樣！誰教你對我動手動腳，拉拉扯扯！』

爾康回憶著，思索著，這才明白發生了什麼，越想越急，喊：

『我是無心之過呀！我一直以為妳是個「王子」呀！只有那天在樹林裡，才發現妳是一個姑娘！我不是立刻放了妳嗎？妳為什麼恩將仇報，把我俘虜到緬甸來呢？』

『沒辦法，從那天起，我就愛上你啦！』慕沙坦率的回答，一股理所當然的樣子：『誰教你當時不殺了我，也不許我自殺！你捨不得我死，我就也捨不得你了！』

爾康一楞，急忙解釋：

『那不是「捨不得」，只是一種「人道精神」而已。』

慕沙的漢語再好，也弄不清楚什麼叫『人道精神』，她搖搖頭，依舊滿臉的笑。

『聽不懂。反正我是你的人了，你也是我的人了！』

『不是不是，我怎麼會是妳的人呢？』他又急又氣：『我跟妳說，我在北京有老婆有兒子，妳把我俘虜過來也沒用，我不能娶妳，我更不可能當一個緬甸人！』

慕沙不以爲意的，依舊笑嘻嘻。

『那麼，我們就慢慢磨吧！看看是你的意志力強，還是我的意志力強！』

爾康看著這樣的慕沙，看她一臉的認眞，絕非玩笑，又看到滿屋子的宮女，和站在房門口的緬甸侍衛，他明白事情的嚴重性了。扶著床柱，還想起身和慕沙講理，誰知，一陣顫抖襲來，寒意直達指尖，身子中，如萬箭穿刺，痛入骨髓。頓時間，他站立不穩，痛楚的彎下身子，冷汗滾滾而下。他呻吟著：

『哎喲……我的頭要裂開了……啊……我渾身在發冷，我……我……』他的牙齒和牙齒打顫，倒回床上，身子傴僂著，無法控制的抽搐起來。『我怎麼會這樣？我……我要站……站……起……來……』

他沒有站起來，他根本站不起來，整個身子，震動得床架都咯咯作響。

『銀硃粉！銀硃粉！銀硃粉……銀硃粉……』慕沙急喊。

蘭花桂花和眾宮女奔來。慕沙接過了藥，對他急促的說：

『趕快把這個藥粉吃下去，吃了就會好！』

『這……這是什麼藥？』他掙扎的問。

『救命的藥！你再不吃，你會發抖到死！你是我未來的丈夫，我還會害你嗎？』

爾康只想趕快停止這種痛楚，迫不及待的吞下藥粉，喝了水。在激烈的顫抖下，再也沒有心思去和慕沙講理辯白。慕沙用被子蓋住他，抱住他顫抖的身子。十分憐惜的安慰著：

『一會兒就會過去了！忍耐一下！是我不好，早就該給你吃藥了，我怕用藥太多，少吃了一次，以後我不會忘記了……』

爾康痛苦的蜷曲著身子，額上，大顆大顆的汗珠，不斷的流下。

爾康陷在緬甸皇宮裡，有家歸不得。在北京的諸人，也各有各的悲痛。

這晚，小燕子一個人坐在燈下，用手托著下巴，看著燈花發楞。知畫生下綿億，已經五天了，這五天，永琪幾乎沒有到過小燕子的臥室。宮裡，太醫太后乾隆令妃和嬪妃們，來往不斷，嬰兒的哭聲，常常迴響在整個景陽宮。每一聲兒啼，都深深刺痛了小燕子的心，她思念著永琪，害怕他不再愛他，她弄不清楚，她和永琪都住在一個屋簷下，一個院落裡，怎麼像是分隔了千山萬水！

一聲門響，令妃走了進來，小燕子急忙站起身來。問：

『怎樣？這麼多天了，知畫還沒有脫離危險嗎？』

『放心放心！』令妃一笑：『剛剛杜太醫說，知畫沒有問題了！只要好好的調理，很快就可以恢復健康的！這樣，大家都安心了！』

『我就猜想，她不會有事的！』小燕子眉頭一鬆，惆悵就兜上心頭。知畫沒事了，永琪爲什麼還不離開那間產房呢？

令妃看了看她，走過來，拉住她的手，牽著她坐在床沿上。誠摯的說：

『小燕子，我有幾句話，一定要跟妳說！這些日子，我每天到景陽宮來照顧知畫，也看到了妳們生活的情形。妳知道，對於妳和永琪的感情，我想，沒有人比我更清楚了！我完全能夠瞭解妳心裡的失落感，和妳的難過。』

小燕子不語，落寞的看著令妃，眼裡，盛滿了挫敗感。令妃嘆了口氣繼續說：

『唉！小燕子，嫁給一個皇子……不，已經是王爺了，就跟小戶人家的女人不一樣，要忍受很多痛苦。五阿哥身分崇高，遲早是三宮六院，嬪妃成群的！妳能夠專寵這麼幾年，已經很不容易了！妳看我，什麼都忍了，就連南巡時，發生盈盈姑娘的事，我也一個反對的字都沒說。結果，我是後宮裡最能持久的女人，現在，肚子裡又有一個了！』

『妳又要生小阿哥了呀？』小燕子驚看令妃。

『是！』令妃點點頭，深刻的看著她：『接受知畫吧！就像我接受很多嬪妃一樣！把五阿哥對妳的好，看成一種恩賜，不要看成理所當然。在後宮，沒有「理所當然」，只有「恩賜」。妳越是虛心容忍，五阿哥越對妳有歉意，假若妳盛氣凌人，妳遲早會輸掉五阿哥！』

『我不要他的歉意，』小燕子眼睛一紅。說：『我不是因爲他有歉意而嫁給他，是因爲他喜歡我，我也喜歡他才嫁給他！如果這份「喜歡」沒有了，我必須靠他的「歉意」來生活，那還有什麼意思？永琪教過我一句話，說是什麼寧可餓死，也不吃別人吆喝著，丟給你的食物……』

『廉者不受嗟來食！』

『就是！我就是「廉者不受嗟來食」，現在，他把知畫看得比我重，我就算了！』

『這就是我要勸妳的話，什麼叫「算了」？妳怎麼算了？妳是五阿哥的老婆，妳也沒有停止愛他，妳心裡牽牽掛掛的，還是他！離開他是做不到的，不離開，除了忍耐和包容之外，妳還有什麼辦法？』

小燕子正想說話，房門一開，永琪滿臉倦容的走了進來。

令妃就急忙起身，笑著說：

『我也該回延禧宮去了！五阿哥這幾天辛苦了，好好休息吧！我走了！』

『令妃娘娘，謝謝妳的幫忙！』永琪急忙說。

『是我應該做的！』令妃給了小燕子一個眼色，出門去了。

令妃一走，永琪就嘆了口氣，筋疲力盡的倒在床上。說：

『這些日子，比我在緬甸打仗還累！』

小燕子不說話，坐在床沿上發呆。心裡湧塞著翻江倒海般的委屈，好希望永琪對她說一些抱歉的話，說一些溫存的話，說一些安慰的話，說一些賭咒發誓不變心的話……她等了半天，什麼話都沒聽到，接著，卻聽到永琪發出鼾聲。她驚愕極了，一回頭，發現他居然沉沉入睡了！她又氣又失望，再也忍不住，跳起身子，就去推他。

『你起來起來！』她大喊：『不許睡！要睡，你去知畫房裡睡！』

他被她一推一喊，驀然醒來，慌張的坐起身子，緊張的喊：

『知畫！知畫怎樣了？又怎樣了？』

小燕子這一氣非同小可。大叫：

『知畫知畫！你心裡只有知畫，跑到我房裡來幹什麼？想睡覺，她的房裡不能睡嗎？我這兒不是你的客棧！令妃娘娘要我做的事，我做不到！因爲我不是令妃娘娘，我是小燕子！我沒辦法把一肚子的話都嚥下去，我也沒有辦法接受你吆喝著丟給我的食物，我寧願餓死算了！』

永琪被她一篇喊叫，把瞌睡蟲都趕走了。他深深的凝視她，立刻體會出她的寂寞、委屈、和痛楚。他張開手臂，把她一把抱進懷裡。由衷的，誠摯的說：

『對不起，小燕子！我知道妳生氣，我知道妳寂寞，我知道妳嫉妒……我也不想弄成這樣，這一步步走來，我身不由己，妳也親眼目睹。在我心裡，妳的地位依舊不可取代，也絲毫沒有動搖……只是，知畫剛剛生了綿億，又死裡逃生，我只要是個人，就不能無動於衷。希望你能爲我設身處地的想一想，不要生氣了！我累得筋疲力盡，妳再跟我吵架，我的日子怎麼過？』

小燕子掙開了他，紅著眼圈嚷：

『你爲別的女人，累得筋疲力盡，關我什麼事？難道我還要爲知畫，來做你的褓母？把你的疲倦治好，再把你送回她身邊去？這種聖人，不是我！』

永琪一聽，心煩意亂。就站起身來，往門外走去。

『算了，我去客房睡！』

小燕子怔在那兒，強大的挫敗感和失落感，把她牢牢的包圍住了。她想叫住他，驕傲又使她開不了口，就眼睜睜的看著他離去。

永琪走到了房門口，忽然停住，轉回身子，神情憔悴的說：

『我把自己陷進這種左右爲難的局面，我也很想一走了之！我去找一把斧頭！』

小燕子一楞。

『找斧頭幹什麼？你想劈死我嗎？』

『我上山砍柴去！』永琪瞅著她說。

小燕子一聽，舊時往日，如在目前，眼淚就撲簌簌一掉。

永琪飛奔回來，把她緊緊的抱在懷裡。眞摯的說：

『對妳，是不變的感情，對她，是深深的歉意。妳不要弄擰了！』

小燕子再也說不出話來，只是緊緊的環抱住他的腰，把頭埋進他的肩窩裡。

這天，紫薇、小燕子、晴兒帶著東兒，到爾康的墳前祭爾康。

紫薇對著墳墓，燃香祝禱，悽然說：

『爾康！這是第一次，我帶著東兒來祭你，以前，我都不肯到你的墓地來，我想，我一直不能接受你已經死去的事實！如果我來祭你，等於我承認你死了，在我心裡，是怎樣也無法承認的！但是，時間一天天的過去，你連我的夢裡，都不再出現，我想，你是眞的棄我而去了！爾康，我既不能隨你而去，只能帶著東兒，苟且偷生，希望你在天之靈，幫助我！幫助我！幫助我！』

小燕子聽得好感動，也走上前來，對爾康說：

『爾康！你在天上嗎？你看到我們在祭你嗎？現在，我們這群活著的人，個個都活得好痛苦，反而是死掉的你，什麼都不用操心了！紫薇雖然失掉你，但是，她知道你心裡，從頭到尾只有她一個！不像我，眼看著另外一個女人，慢慢的佔據永琪，卻什麼辦法都沒有！爾康，我好希望你活著，你那麼聰明，一定會幫我拿主意！爾康，也請你在天之靈，幫助我，幫助我，幫助我！』

晴兒聽到兩人的祈禱，忍不住也開口了：

『爾康！我相信你聽得到我們的祈禱，相信你看得到我們的無助！失去了你，我們個個都像無主的遊魂，失去歡笑，也失去了信心！我相信像你這麼善良的人，死後一定會變爲神仙吧！如果你已經進入仙界，你也可以洞察人世的一切吧！請你保佑紫薇，給她信心！請你保佑小燕子，給她幫助！請你保佑永琪，讓他明辨是非！請你保佑簫劍，讓他遠離傷害！至於我……只要你保佑了他們，我也得到幸福了！請你幫助我們吧！』

丫頭家丁，拚命燒著紙錢。東兒跪在地上，不住磕頭。

這一幕，爾康沒有看到，自從他的神志清醒，他就失去『離魂』的能力了。對於那一段魂魄飄渺的日子，只有模糊的印象，那是昏迷時候的夢吧！夢中，紫薇從來沒有離開過他，但是，現實裡，紫薇卻遠在天邊，遙不可及！

爾康的身子已經逐漸恢復，可以柞著枴杖，在緬甸皇宮的花園裡，來來回回的走動了。當紫薇在祭他的時候，他正在異國的花園裡，拚命的練習著『走路』。他走得滿頭是汗，已經筋疲力竭，仍然在勉強的撐持。慕沙跟在他旁邊，蘭花、桂花也隨侍在側。慕沙看他走得如此辛苦，忍不住說：

『你已經走了一個時辰了，還不夠嗎？趕快去休息，不要再把身子累垮，我可沒有耐心，再救你一次！』

『妳不要管我！我的武功都不見了，我要把它找回來！只有拚命運動，趕緊恢復體力，才可能恢復功力！』爾康說著，雙腿發軟，腳下一個踉蹌，差點摔一跤。他又氣又急，摔掉枴杖叫：『這還是我嗎？這還是福爾康嗎？連走幾步路都走不動！我變成了一個廢物！沒有武功的我，像是沒有水的魚，這樣的我，還有什麼用？』他這樣一激動，又失去枴杖的倚靠，身子驟然不能平衡，就跌倒在地。

慕沙和蘭花桂花，趕緊把他扶起來。慕沙著急的說：

『你在床上躺了五個月，怎麼可能說好就好，要體力恢復，也要慢慢來呀！』

爾康搖搖晃晃的站穩，蘭花趕緊把枴杖交給他。他喃喃自語：

『我是怎麼了？為什麼會衰弱到這個地步？我不能慢慢來，我得快快好！紫薇一定哭死了，我怎樣才能讓她明白，我根本沒有死，我還活著……』

他急步往前走，汗水滴滴答答往下掉，腳下又一個踉蹌。

『回房間去！』慕沙嚷著：『你沒有力氣了，不要這樣折騰自己，我好不容易把你救活，才不要看到你把自己再弄死！』

『不要管我！』爾康暴躁的喊：『我連走路都走不動，我還能做什麼？我要練武！我一定要恢復我的功夫……』

他丟掉枴杖，就對著一棵樹，一掌劈去。架式不錯，只是樹葉動也不動，反而弄得自己失去平衡，身子東倒西歪。蘭花桂花趕緊扶住，再把枴杖塞給他。他撐著枴杖站著，滿臉的無法置信。慕沙一嘆說：

『哎哎，要練武，也要等身體好了再練，你們中國人不是說「欲速則不達」嗎？』

正說著，猛白大步走來，一見爾康，就吼了起來：

『這匹死馬，已經變成活馬了？很好！很好！』

爾康看到猛白，精神一振，立刻義正辭嚴的說：

『猛白！我告訴你，你馬上派人把我送回雲南去，免得兩國再次交兵！上次的戰爭，我們雖然打得辛苦，你們也沒佔到好處！中國地方大，人口多，士兵源源不絕！你們一定要打，長期下來，絕對是你們吃虧！現在，整個朝廷，一定都在找我，你們以爲瞞住了所有的人，那是不可能的！等到皇上出兵來打，你們再後悔，就來不及了！』

『哈！說的是什麼話？』猛白嗤之以鼻：『你這小子，沒有我女兒救你，你早就變成一堆白骨了！你的皇上和朝廷，已經爲你收了屍，那裡還會找你呢？何況，你也沒有那麼重要，會引起兩國再度交兵！』他看看慕沙，再看看爾康，臉色一正。『這些都不要管了！既然你已經可以走路，我們可以辦喜事了！五天以後，舉行婚禮！』

爾康大震。

『什麼婚禮？誰的婚禮？』

『當然是你和慕沙的婚禮！五個多月來，慕沙待在你的病床前，和你形影不離！除了嫁你，也沒有別的辦法了！便宜了你這條死馬！』猛白氣沖沖的喊。

『爹，』慕沙笑著說：『他已經改了名字，叫做「天馬」，不要叫他「死馬」，難聽不難聽呢？那有岳父叫女婿「死馬」？』

『我看來看去，他就是一匹「死馬」！』猛白氣呼呼。『好吧，天馬就天馬，給他梳洗梳洗，馬上做衣裳，準備結婚！』

爾康大急，往前一衝，差點又摔一跤，在兩個宮女的扶持下，才踉蹌站穩。

『不行不行！』他喊著：『我不能跟八公主結婚！請你們立刻打消這個念頭！我家裡有老婆，我的紫薇，是天下最好的妻子，我不可能背叛紫薇，再娶任何女人！慕沙公主年輕貌美，又有一身好功夫，爲什麼要我這個中國人當丈夫呢？爲什麼不找一位緬甸勇士結婚呢？』

猛白大怒，瞪著他喊：

『你懂不懂規矩？到了我們的地盤，到了我緬甸的皇宮，沒有你說話的餘地！慕沙看上了你，是你的福氣，你不要不知好歹！我說了，五天以後結婚，就是五天以後結婚！這是命令，不是討論！你家裡的老婆，我們不管，反正，你這一生，也別想回中國去了！大清跟你之間的瓜葛，等於一刀兩斷，再也不要提起！』

猛白說完，一拂袖子，轉身就走。

爾康大急，忘了自己腳傷未癒，也忘了體力不繼，拔腳就追。急喊：

『猛白！你聽我解釋……』

爾康這一追，才發現自己渾身無力，傷處劇痛，整個人又摔倒在地，柺杖乒乒乓乓，摔到老遠。他伏在地上，搥著地痛喊出聲：

『我怎麼會弄得這麼狼狽？永琪，簫劍……你們怎麼會丟下我？』又抬頭大喊：『猛白！猛白！不論你怎麼說，我都不能娶慕沙！』

猛白回頭，看著地上的爾康，對慕沙不屑的說：

『妳說他是「天馬」，我怎麼看，他都是一匹「死馬」！』

慕沙被猛白一激，又聽到爾康口口聲聲不要她，氣不打一處來，頓時怒上眉梢，走了過來，對著爾康，一腳踢了過去，大罵：

『天馬！你給我起來！如果再說不要跟我結婚，我救得活你，也弄得死你！』她回頭看著蘭花桂花喊：『把他拖回房間去！不管他怎麼發抖抽筋，不要給他銀硃粉！』

『是！』

慕沙頭也不回的走了。

這晚，爾康才知道，他的生命，已經和那個『銀硃粉』密不可分了。爾康在緬甸已經長達五個多月，這五個多月裡，慕沙在千方百計救他的命，一群人侍候著他。他在昏昏沉沉中接受了許多的藥物，意識裡只有紫薇、東兒、父母、沒有自己。此刻，他活了，他的悲劇卻好像才剛剛開始。

室內燈火熒熒。他蜷縮在床上，渾身顫抖抽搐，滿頭冷汗。身體裡，像是萬蟻鑽行，這『萬蟻』都是冰做的，鑽到那兒，冷到那兒。這種身體上的痛苦，他從來沒有經歷過。他一向覺得自己是個鐵錚錚的男子漢，可以忍受任何身體上的痛苦，以前也受過傷，卻不曾遭遇過這樣煎熬。

『冷，好冷！我……為什麼渾身發抖？為什麼痛成這樣？』他吸著氣，為了想止住痛楚，像唸經似的唸著：『紫薇，紫薇，紫薇，紫薇，紫薇……我一定要想辦法，回到妳身邊去，我知道，妳不會相信我死了，妳會等我，紫薇，我一定要想辦法，回到妳身邊去，我一定要想辦法，回到妳身邊去……紫薇，我一定會想辦法，回到、到、到、到……』他的牙齒打顫，語不成聲：『到到、到……妳、妳、妳……』

蘭花桂花心驚膽戰的看著他。

『要不要給他吃銀硃粉？不吃的話，恐怕會死喲！』蘭花問。

『八公主吩咐，不要給他吃，只好不給他吃！八公主發起脾氣來，還得了？』

兩個宮女正說著，慕沙進門來，大步走到床前，她低頭看著他。只見他在床上痛苦翻滾，發抖抽筋，眼睛脹紅著，冷汗濕透了枕巾。她在床沿上坐下，拿出一包銀硃粉，在他鼻子前面晃著。

『想不想馬上吃一包？吃完，發抖就會停止，生命力又會恢復。要不要？』

爾康看到銀硃粉，眼中，閃出渴切的光芒，饑渴般的仰著頭。

『要、要、要、要……』他一疊連聲的說。

『那麼，五天以後，要不要娶我呢？』慕沙笑得好甜。

『不、不、不、不要……』他掙扎著說，每個字都用盡全身的毅力，才蹦出來。那銀硃粉帶著最大的誘惑力，在誘惑著他。

慕沙臉色大變，笑容一收，把銀硃粉放進口袋，站起身來。

『很好！你繼續去抽筋發抖吧！再見！』

『慕沙！慕……慕……慕沙！』爾康哀求的喊著，從床上滾到地下來，就一面發抖，一面爬向她，對她乞討似的伸著手，悲聲喊：『給……給……給我！』

慕沙站住了，低頭看他。

『要不要娶我呢？』她柔聲問。

『不、不、不行！只、只有這個，不行！不、不、不行！我再、再、再報答、報答妳！』

『我不要你的報答，我要你這個人！當了我的丈夫，你要什麼有什麼，銀硃粉，一輩子也不會缺！你說，要不要娶我？』

爾康整個身子，在地上蜷成了一團，臉色越來越白，呼吸急促。

『不、不、不要！不要！』他堅持的說，咬緊牙關，簌簌發抖。

蘭花不忍的說：

『八公主！這樣不行，如果再不給他吃藥，恐怕就會死掉了！』

『大夫說過，藥癮發起來，如果不吃藥，只有兩種情況，一個就是死掉，另外一個是熬過去，就戒掉了癮，妳要不要賭一賭，看他是死，還是戒掉？』桂花說。

爾康聽到了兩個宮女的對話，就痛楚的滾動，喃喃的喊：

『生不如死！不如死、死、死！』

慕沙聽了，臉色驟然一變。

『讓你這麼簡單的死，也太便宜你了！』她大聲喊：『拿水來！』

蘭花桂花急忙倒了水來，扶起他的頭。他如獲甘霖，饑渴的張嘴，慕沙倒進藥粉。他好像得到仙丹一樣，身體裡每根筋都在渴求這些粉末，他狼吞虎嚥的喝水，狼吞虎嚥的吞下那些藥粉。然後，頹然的，虛脫的倒在地上。

同一時間，紫薇在房裡瘋狂的點蠟燭。

紫薇已經接受了爾康的死，卻無法走出和他『魂魄相聚』的回憶。她很久沒有夢見他了，對於那些能在夢中見爾康的日子，簡直夢寐求之。這晚，她忽然想起自己失明的那段日子，爾康為她所做的事，她就著魔一樣，拚命在房裡點蠟燭。她點了無數無數的蠟燭，窗台上、桌子上、架子上、地上……幾乎有空隙的地方，就有燭火。她一面點蠟燭，一面默默祝禱：

『爾康，記得我眼睛瞎掉的時候，你曾經點燃滿房間的蠟燭，希望照亮我的生命，結果，皇天不負苦心人，我終於好了！現在，我也點燃滿房間蠟燭，希望能照亮你回家的路！不管天上人間，我只求和你相會！』

一屋子的燭光，火焰閃閃爍爍，包圍著那個全心呼喚著的紫薇。

紫薇默禱完畢，睜開眼睛，忽然間，她看到爾康了！他踩著燭火，穿著平日的家居服，像騰雲駕霧般，對她緩緩走來。她大大的震動了，原來點蠟燭有用！她屏息的凝視他，疑夢疑眞，生怕他瞬間消失，大氣都不敢出。小小聲的問：

『爾康，是你嗎？』

爾康停在她面前，悲哀的注視著她，他的臉色蒼白緊張而痛苦。求救似的說：

『紫薇！我在水深火熱裡，受著妳不能想像的苦！趕快想辦法救我……』

『你在那兒呢？我要怎樣救你？』她著急的，焦灼的問。

『我沒有死，但是，生不如死！』他悽然的喊：『紫薇，救我！救我！救我……』話沒說完，他的身子向後飄去，他急切的伸手給她，不停的喊：『紫薇……我沒有死……救我……救我……』

紫薇大急，伸手去拉他。

『爾康！別走！趕快把話說清楚！你沒有死，你在那裡？我們已經葬了你，爲什麼你說你沒有死？告訴我……別走！別走……』

『阿瓦……阿瓦……紫薇……紫薇……』

紫薇撲上去，用力一抓，抓了一個空，她『砰』的一聲，跌倒在一堆燭火中。

『爾康……』紫薇喊著，伸長了手，爾康也伸長了手去搆她，兩隻手幾乎相遇，他的身子卻消失了。

『爾康！爾康！回來啊！爾康……爾康……』

房門一開，福晉、秀珠和丫頭們，急急衝進房間。福晉四面一看，驚愕已極。

『怎麼了？怎麼了？紫薇，妳在做什麼？爲什麼點了滿房間的蠟燭？妳怎麼摔在地上？』福晉喊著，奔過去，和丫頭攙起紫薇。

紫薇定睛一看，那兒有爾康的影子，只見滿室燭火搖曳。她一把抓住福晉，痛楚的，焦灼的喊：

『額娘！爾康沒有死！』

福晉悲切的看著她。說：

『我也希望他沒有死！但是，他已經入了土，墓草也綠了，屍骨也冷了！紫薇，接受事實吧！自己騙自己，只會讓我們一次又一次的失望！』

紫薇好著急，激動得一塌糊塗。

『額娘！我眞的看到爾康，他向我求救呀！我們要想辦法去救他，他沒有死，他說他生不如死！他可能受了傷，在雲南的某一個地方……』

福晉抓住她的雙臂，穩定住她。含淚說：

『妳看看清楚，房裡那兒有爾康？那都是妳的幻影呀！妳點了這麼多蠟燭，在煙霧裡，火焰裡，會醞釀出一種氣氛，好像魂魄會回來！如果爾康眞的回來過，像妳說的，妳常常見到他，爲什麼我都見不到？難道爾康不想見額娘嗎？』

『不是這樣的，』紫薇急急的解釋：『爾康也想額娘，但是，我和爾康的心靈是相通的，以前，就常常這樣，他想什麼，不用說出口，我就知道。我的心事也一樣！我們有一種超過自然的感應力，就像很多雙胞胎，也會有感應一樣！』她抓住福晉的手，熱切的喊：『額娘，妳相信我，我眞的看到爾康在求救，他還活著，他一定還活著！』

『不要再說這種話了！』福晉悲切的搖頭，痛楚的喊：『醒來吧……爾康已經死了，再也不會回來了！把這些燭火滅掉，不要再作夢了！』

紫薇知道無法說服福晉，就悲痛的站在燭火之中，充滿期待的對空中喊：

『爾康！求你再現身一次，求你在額娘面前，現身一次！爾康！出來吧！』

房裡燭火熒熒，香煙繚繞。福晉和丫頭們，悲哀的看著她，哪兒有爾康的影子？紫薇悽然佇立，開始懷疑自己是不是在幻想，在作夢。爾康，你到底是生是死？你到底在那裡？

爾康陷在緬甸皇宮，轉眼間，已經到了結婚的日子。

他坐在房間正中的椅子裡，一群宮女圍繞著他，正給他梳妝打扮。半年以來，他的頭髮已經長得亂七八糟，前面短，後面長。慕沙曾經想剃掉他的頭髮，他大鬧著說，滿人最重要的就是頭髮，要剪他的辮子，除非先砍他的頭！沒奈何，慕沙只好用緬甸人的頭巾『崗包』，把他的長髮包住。現在也是這樣，宮女們挽住他的長髮，用一塊鑲著銀絲的白頭巾，包住了他的頭。接著，一件簇新的緬甸貴族裝，套上了他的身子。他看著這樣的自己，忽然爆發了，煩躁的拉扯著衣服喊：

『脫下來！脫下來！我不穿這個！』

一個侍衛大步上來，伸手一壓他的肩膀，他『砰』的一聲，跌坐在椅子裡。他怔住了，驚愕的想，我怎麼連一個緬甸兵都反抗不了？他大聲喊：

『你們趕快把八公主找來，我跟她當面說清楚！我不能結婚！我不要結婚！』

他再站起來，侍衛一按，他又砰然落坐。宮女們就在侍衛的壓迫下，給他穿戴整齊，還戴上許多貴族的飾物。他大急，先扯掉崗包，再伸手一拉，珠飾扯斷了，飾物唏哩嘩啦滾落一地。他惱怒的喊：

『天下那有這種事？你們緬甸人，沒有人要娶慕沙嗎？那有強迫別人結婚的道理？我不結婚！我早已結過婚了，你們聽到沒有？』

一個宮女，捧著臉盆過來，另外一個拿著剃刀，就要給他剃鬍子。他一氣，伸手一掀，臉盆落地，乒乒乓乓，水灑了一地。

宮女們見爾康如此不肯合作，嘰嘰喳喳奔出門去報告。

只見盛裝的猛白和慕沙，大踏步而來。猛白大吼：

『天馬！你再不好好的準備當新郎，我一刀殺掉你！』說著，從腰際拔出匕首，往桌上用力的一拍。『我可是玩眞的，不要以爲我在唬弄你！』

盛裝的慕沙，穿著一件金色的服裝，美麗絕倫，不可方物。爾康對於當初在戰場上，不論是自己，或是永琪簫劍，都沒懷疑到她是女子，覺得簡直不可思議！如果當初大家懷疑過，或者他不至於弄到今天這個地步！但是，如果她不曾對他有意，他大概老早就死在戰場上了吧？他瞪著她，不知道對她這樣一廂情願的愛，應該感激，還是應該痛恨。她睜著一對明亮的大眼睛，困惑的看著他，問：

『天馬，你還有什麼不滿意？難道我還配不上你嗎？你這樣不合作，會讓我很沒有面子耶！』

『你們願不願意聽我說幾句?』他急促的說:『我說過幾千次了,我不能和慕沙結婚!你們大概不瞭解我的意思,我再說清楚一點,在北京,我有一位妻子,名字叫……』

『我知道,名字叫紫薇,』慕沙打斷了他:『但是,她跟你已經沒有關係了,你這一生,都不可能再見到她!她是你另外一個生命裡的人,現在,你是天馬,你生命裡的女人是我!』

『不是!慕沙,聽我說完!紫薇和我,經過了很多艱苦,才結爲夫妻。我們的感情,不是平凡的感情,是一種深刻到你們無法想像的感情。她是我這一生,唯一的女子!我愛她,那種愛,也不是你們可以瞭解的愛,是深入靈魂的愛。在很久以前,我就告訴過紫薇,我的生命裡,除了她,再也沒有別人!換言之,就是我死了,我的魂魄,也會圍繞在她身邊!最近,我就覺得我會「離魂」,我人在這兒,我的魂,還是守著她!這種愛,是不容任何力量介入的!連鬼神都沒有辦法破壞……慕沙,妳很好,妳是一個具有很多優點的姑娘,但是,妳不是我生命裡的女人,她才是!不管我叫天馬、地馬、活馬、死馬……她都是我生命裡唯一的女人!我心裡只有她!這樣一個心裡只有紫薇的男人,妳嫁給我不是也很委屈嗎?妳爲什麼要受這樣的委屈呢?』

『廢話怎麼那麼多?』猛白大怒。恨恨的嚷:『慕沙!他既然這樣小看妳,不要妳,妳還發什麼昏?殺了他算了!』

猛白說著,就從桌上一把抓起匕首。慕沙一攔,說:

『讓我跟他說!』就轉身對爾康嚷:『你想想清楚!如果不娶我,你不是「離魂」,你會變成「鬼魂」!娶了我,留下你這條命,或者你還有機會見到紫薇,你選擇生,還是死?』

爾康想了一下,毅然說:『殺了我吧!反正,我失去了武功,又被你們弄得上了藥癮,經常半死不活!與其背叛紫薇,苟且偷生,不如忠於紫薇,一死了之!』

爾康說完，就把眼睛一閉，引頸待戮。

慕沙和猛白，都呆住了。猛白就抓住匕首，一下子就用匕首的尖刃，抵在爾康的面頰上，咬牙說：

『你想乾乾脆脆的死，也沒有那麼容易！你的紫薇，愛你什麼地方？因為你長得俊嗎？我不殺你，我劃掉你這張臉孔，讓你變成一個醜八怪，你說！要不要娶慕沙？快說！』

『刀子下逼出的婚姻，有什麼價值？』爾康不為所動。

『我沒耐心了，你說，要不要娶慕沙？』猛白再問。

爾康眼珠一轉，一翻身，想跳出重圍。心想，自幼學習的武功，不相信完全沒有了，先打一架再說！誰知，他不但武功全失，身子也很虛弱，一翻身之下，竟然『砰』的一聲，摔在地上。

猛白怒不可遏，衝了過來，對著他亂踢亂踹，然後一腳踩在他的胸口。怒吼：

『這小子還想逃！』匕首又飛快的抵住他的面頰，大叫：『我再問你一次，你娶不娶慕沙？』

爾康被踹得七葷八素，忍著痛楚，咬牙說：

『貧賤不能移，威武不能屈！何況，我絕對不負紫薇，我不娶！』

猛白的匕首一用力，在爾康的面頰上劃了一道，鮮血立刻流出。慕沙大驚，飛撲過來，雙手握住猛白拿匕首的手。大喊：

『不要！他這張臉，我也喜歡呀！你為什麼要劃掉他的臉？這樣，怎麼舉行婚禮呢？』就推著猛白，嚷：『爹！你不要管了，你出去！今天只好不結婚了，等到他臉上的傷口好了再結婚！』

慕沙一面說，一面趕緊拿了一條帕子，壓在爾康的傷口上。

猛白氣得跳腳，對爾康恨恨的說：

『我再給你兩個月的時間來考慮，如果兩個月以後，你還不肯娶慕沙，我每天在你臉上劃一道，直到把你的臉，變成一個棋盤為止！』

猛白說完，掉頭大步而去。

慕沙趕緊坐在地上，把爾康的頭抱在懷裡，一疊連聲的喊：

『蘭花！桂花！趕快拿金創藥來！侍衛，趕快去請大夫！』

兩個丫頭拿了藥，飛奔而來。侍衛答應著，飛奔出去。

慕沙在傷口上撒了藥粉，再用帕子按住傷口，看著帕子染紅了，又是憐惜，又是生氣，又是不可思議。

『你為什麼這麼傻？娶了我，不喜歡隨時可以走，總比送命和毀容好！刀子抵在臉上，還不肯屈服，你瘋了嗎？』

爾康痛楚的看著她，眼裡，充滿祈求的神色。

『我已經這麼狼狽，什麼地方還值得妳愛？把這個沒用的我，還給紫薇吧！』

慕沙凝視他，想了想，就對他一笑，灑脫的說：

『我爹已經說了，再給你兩個月考慮，你呢，也利用這兩個月，把身子調理好！這兩個月裡，你不要再跟我鬧彆扭，什麼都聽我的，好好的陪陪我！我答應你，如果兩個月以後，你還是不想娶我，我認了！什麼話都不說，馬上放掉你！』

爾康眼睛一亮，精神大震。

『一言為定嗎？』

慕沙點頭，斬釘截鐵的說：

『一言為定！』

48

這天，是綿億滿月的日子。

晚上，乾隆賜宴，把所有的皇親國戚都請來了，在大戲台前，擺下幾十桌酒席。戲台上，許多只穿著肚兜的小孩，在表演『百子滿月舞』。孩子們跳著，笑著，翻觔斗，手裡拿著紅綢，寫著各種吉祥話。

正中一桌，圍桌坐著乾隆、太后、知畫、小燕子、晴兒、令妃、永琪、永璇、和其他妃嬪。其他的桌子，坐滿妃嬪、親王、貴婦、格格、阿哥等。知畫今晚是個主角，穿著紅色的福晉裝，頭上飾著大朵的牡丹花，戴著乾隆賞賜的珠寶，一身的喜悅，滿臉的笑容，樂不可支。和知畫相比，小燕子是悶悶不樂的，若有所失的，她甚至無法掩飾自己的失意。永琪不時看看小燕子，看看知畫，這眞是一種難堪的局面。大家在爲他的第一個兒子做滿月，他應該興高采烈才對，他卻連笑容都擠不出來。再想到，每逢宮中有喜慶，都是福倫和爾康來張羅，小燕子和紫薇同歡笑。現在，失去爾康，福家全家都沒來，他就更加笑不出來了。

其實，乾隆是在苦中作樂，爾康的去世，紫薇的悲切，事事傷心。勉強提著興致，他環視眾人，說：

『今天，是綿億滿月的日子，宮裡已經很久沒有喜事了，綿億的出世，帶來一份嶄新的希望，讓我們一起祝福這個小生命！來！大家喝一杯！』

眾人站起身子，舉杯，大聲祝福：

『恭喜皇上！恭喜老佛爺！恭喜榮親王！祝福小王爺身體健康，長命百歲！』

乾隆乾杯，永琪趕緊乾杯，大家也乾杯。乾隆看著知畫，答應了太后的事，不能不履行。再說：

『今天，還有一件事情要宣佈。知畫生下小王爺，功不可沒，從今天起，正式冊封爲榮親王的嫡福晉！』

眾人掌聲雷動，又大聲恭喜：

『恭喜榮王福晉！福晉大喜了！』

知畫滿面笑容，羞答答起身道謝：

『知畫謝皇阿瑪恩典！謝謝大家！謝謝！謝謝！』

沒料到乾隆會在宴席中突然宣佈這個，小燕子一聽，大受打擊，臉色頓時變得好蒼白，眼裡，盛滿了痛楚，忍不住看了永琪一眼。永琪也著急的看著她，想安慰，苦於無法說，眼神裡充滿歉意。

太后志得意滿，看看眾人，朗聲說：

『大家坐下喝酒吧！只是家宴，不要拘束了！』

大家喜氣洋洋，坐下喝酒。台上的舞蹈，跳得熱鬧繽紛，讓人目不暇給。

小燕子看著這樣熱鬧的場面，心裡五味雜陳，眞想抱著紫薇哭一場。紫薇，紫薇在那裡呢？紫薇比她還慘！她想著，心裡酸楚已極，再也沉不住氣，衝口而出：

『紫薇在家裡哭，我們在這兒笑！上次聚在這兒看表演，是送永琪他們上前線，現在聚在這兒慶祝綿億滿月，已經少了一個重要的人！我們好健忘啊，照樣的喝酒，照樣的笑……大家心裡，還有爾康嗎？』

太后臉色一僵。瞪著小燕子，不快的說：

『今天是個歡慶的日子，妳一定要說掃興的話嗎？我們心裡都有爾康，但是，不能因爲爾康的死，就停止過日子！死是悲哀，生是喜悅！我們爲死者悲，也要爲生者喜！』

『老佛爺說得好！』知畫甜甜的接口，帶著一臉的歉意。『其實，我心裡也很不安，在這個非常時期，大張旗鼓的慶祝綿億滿月，確實不妥。但是，有了這個題目，讓老佛爺和皇阿瑪能夠從悲哀裡走出來，就是綿億的功德了！』

乾隆不禁點頭說：

『知畫眞是個懂事的孩子，說進朕的心坎裡了！就是這樣！』

小燕子聽到知畫什麼都好，什麼都對，心裡的痛，翻江倒海的湧了上來。她無法再面對這個局面，無法再面對這樣的知畫，這樣的乾隆，甚至這樣的永琪！她一唬的站起身子，大聲說：

『你們去慶祝，我坐不下去了！我走了！』

『回來！』乾隆一怔，怒喊：『妳怎麼這樣沒風度？朕知道，妳心裡不舒服，因爲孩子是知畫生的，因爲朕封了她爲嫡福晉！但是，母以子貴，這是天經地義的事！妳要怪，只能怪妳自己肚子不爭氣！』

晴兒好著急，拚命拉小燕子的衣服。低聲說：

『坐下，坐下！小人大貓！別忘了！』

永琪在另一邊，也拉小燕子的衣服。低聲說：

『顧全大局，好不好？』

小燕子聽到乾隆那幾句話，早已氣得神志不清了，那裡還聽得到晴兒和永琪的勸解，把自己的衣服一拉，傲然的昂頭說：

『皇阿瑪！你不會願意我在場的！我再留下去，大家都吃不好！你們大家去享受「生的喜悅」，我一個人去憑弔「死的悲哀」，我不在這兒惹大家討厭！』

小燕子說完，就掉轉身子，衝出了大廳。永琪跳起身子，匆匆說了一句：

『我去追她回來！』

永琪跟著跑了。

大家怔著。令妃急忙打圓場：

『皇上別跟她計較，小燕子就是這個脾氣嘛！來來來！大家看表演，吃飯，喝酒……不要掃興！』

『還好知畫進了門，小燕子這副樣子，那裡配得上永琪！』太后哼了一聲，對乾隆說：『咱們喝酒，不要理她了。』

乾隆一嘆，舉杯和大家喝酒。勉強提起的歡樂情緒，都被小燕子這樣一鬧給鬧掉了。小燕子變了，不再是他的開心果，永琪也變了，不再是出發打仗時那個意興風發的青年，紫薇更是變了，熱孝在身，幾乎不進宮。唉，爾康死了，什麼都變了！台上，百子舞如火如荼的跳著，音樂喜悅的響著。乾隆卻一點喜悅都沒有了。

小燕子離開了大戲台，心裡的苦，心裡的怒，心裡的嫉妒，心裡的痛楚……全部匯集，像是一把大火，燃燒著她。這個宮殿，再也不是她的樂園！她要逃，她要走，她要衝出這個牢籠！她埋著頭在御花園裡急走，永琪三步兩步，追上了她。

『小燕子！等我一下！』他拉住了她，誠摯的說：『我知道妳心裡有多少不舒服，我也非常不舒服。妳不要以爲我沉浸在綿憶出世的喜悅裡，就忘了爾康！我沒有！我早就跟皇阿瑪說過，我沒有情緒慶祝綿憶的滿月，但是，老佛爺一定要做滿月，我也沒有辦法！至於封嫡福晉的事，我抱歉，又是我無法控制的事……』

小燕子站住了，猛然回頭，對著永琪大聲喊：

『不要說了！你有一大堆無法控制，身不由己的事！我腦筋不清楚，我是傻瓜，我是白痴，我瘋了才會嫁給你！做了你這個大人物的老婆，我要和知畫分一個你，看著知畫幫你生兒子，看著大家幫你們慶祝，我還要坐在那兒恭喜你們，糊裡糊塗就從大老婆變成小老婆……老天啊！』她抬頭看著天空，對天空握拳叫：『老天！祢告訴我，這還有天理嗎？』

像是回答小燕子的問話一般，那黑暗的天空，驟然一亮，一朵煙火衝上天空，轟然炸開，綻放出一蓬花雨。接著，無數的煙火，在天空綻放。許多宮女太監，紛紛仰頭，歡呼不斷：

『哇！放煙火了！五阿哥生了小王爺，普天同慶呀！』

小燕子呆住了，看著天空一蓬蓬的煙火。怎麼？逃都逃不掉？永琪急忙解釋：

『這是宮裡的習俗，有了喜事，都要放煙火，妳應該早就習慣了！』

小燕子的視線，從煙火轉到永琪臉上，她瞪著他，像是在看一個完全陌生的人。呼吸急促的鼓動著她的胸腔，她所有的理智，全部飛了，她搖著頭，咬牙說：

『我不習慣！我爲什麼該習慣？我像那個煙火一樣爆炸了，我和你結束了！』

『什麼叫結束了？』永琪驚愕的問，睜大了眼睛。

『結束了，就是完了！』她悲憤的喊：『我不要你了，不要這個婚姻，不要跟別的女人去搶丈夫，我認了！我輸給知畫了，我把你完完全全的讓給她！我今晚就搬到學士府去住！我和紫薇一起抱著哭，讓你和知畫一起抱著笑！我還要給自己再找一個男人，去生我的孩子！』

聽到小燕子最後那幾句話，永琪臉色大變。畢竟是阿哥，那兒聽過這樣的言論！他瞪著她，又急又氣。

『妳在說些什麼話？給別人聽到算什麼？妳不怕大家傳話嗎……』

『我不怕，我什麼都不怕！』她眼裡冒著火：『我不再喜歡你了，我的苦都因爲喜歡你才有，只要不喜歡你，我還有什麼可怕？我決定離開這個皇宮……』

她說著就要走，他緊緊的拉著她，急促的說：

『小燕子！妳肯不肯理智一點？妳不要這樣說，如果妳否定了我，實在太過份了，知畫是妳求我娶的，妳忘了嗎？』

小燕子一聽，悲從中來，怒上眉梢，憋著氣喊：

『是我求你的，我還求你跟她洞房呢！』她的眼淚，不爭氣的衝進眼眶。『你這個謊話大王！欺騙大王！僞君子！騙子！』

『什麼謊話大王？欺騙大王？妳指什麼？』永琪也沈不住氣了，生爲阿哥，被人這樣指著鼻子罵，還是少有。何況，對小燕子，他掏心掏肺，怎麼會落到是騙子，是僞君子？

『我指你和知畫結婚那晚，就「洞房」了！』小燕子喊，想著知畫告訴她的話，越想越氣：『還騙我沒有！騙了我兩個月之久，最後還要我求著你去……我眞是天下最大最大最大的大笨蛋！你是天下最大最大最大的大混蛋！』

『這話從何說起？』永琪一怔，驚愕極了。

『從你的正福晉說起！從你的榮王妃說起！』小燕子手一摔，摔開了永琪，拔腿就跑。『我不要再跟你說任何一句話，我們完了！結束了！我再也不為你傷心受罪了！我解脫了！』

小燕子說完，就向景陽宮飛奔而去。

永琪楞了半晌，拔腳就追。拚命喊：

『小燕子……小燕子……小燕子……』

一群宮女太監，看得目瞪口呆，議論紛紛。

滿天花雨，仍然熱鬧的撒了下來。

小燕子衝進景陽宮，再衝進自己的臥室，拿出包袱皮，攤在床上，打開抽屜，把衣服一件件拋在包袱皮上。她再卸掉那個鑲著牡丹花的旗頭，嚷著：

『明月，彩霞！來幫我一下，我要換我的普通衣裳，從今以後，我不是福晉，不是格格，也不是五阿哥的老婆！我恢復我的本來面目，我是小燕子！』

小燕子一面說著，一面七手八腳的脫掉那身正式的旗服，穿上最簡便的便服。明月、彩霞趕緊過來幫忙梳頭。明月一邊梳頭，一邊著急的勸著：

『格格，不要生氣，好好跟五阿哥談談嘛！』

『妳這樣一走，不是正好中計了嗎？』彩霞也著急的說：『那個福晉就是要把妳逼走，妳怎麼可以讓她稱心如意呢？想想清楚吧！』

『讓她稱心去，讓她如意去！我不在乎了！』小燕子嚷著。

正說著，永琪大步衝了進來。看到這樣，就嘆氣說：

『妳又要鬧「出走」嗎？爲什麼要這樣？我好不容易從戰場回來，留住了這條生命，希望和妳共度以後的人生，妳居然和以前一樣，只要不開心，就收拾東西鬧出走！妳也想想我的感覺，我的處境……』

永琪話沒說完，小燕子大聲的打斷：

『你的感覺，你的處境我都不在乎了！因爲你老早就不在乎我的感覺和處境了！我走到今天這個地步，已經沒有路再走下去，我不是你的備用老婆！』她把鞭子纏在腰間，把劍佩帶在身上，又把簫放進包袱裡。『我告訴你，我的永琪和爾康一樣，在戰場上就死了，今天這個你，我根本不認識！我不要和你談！』

小燕子口不擇言，一句一句，刺痛了永琪，他惱怒起來，大聲問：

『妳巴不得我在戰場死掉算了，是不是？』

『對！』小燕子答得乾脆俐落：『最起碼，那時的永琪會永遠活在我心裡，那時的永琪是我的英雄，是我的丈夫！今天這個你，會對權勢低頭，對老佛爺低頭，在爾康的死亡陰影下，大肆慶祝兒子的滿月，對皇阿瑪像小狗一樣……你就算當了王爺，就算將來要當太子，當皇帝，對我而言，也什麼都不是！』

這一下，永琪再也無法忍耐了，他不止生氣，而且痛心。這樣一路走來，爲了她，多少委屈都忍受了。娶知畫的事，說來說去都是爲了她，爲了簫劍！她應該比任何人都瞭解，最後，卻換來她這樣的評價！他重重的喘氣，抬高了眉毛，怒聲說：

『妳這樣貶低我！妳把我說得一錢不值，這樣的妳，我也不認識！我也不希罕！』

『你不希罕就不希罕，我們誰也不希罕誰，從此以後，橋歸橋，路歸路！一拍兩散！』她堅決的說，已經結束停當，一副女中豪傑的短打裝扮，就把包袱用力打結。揚聲大喊：『小鄧子！小卓子！』

小鄧子、小卓子奔進房。

『你們去幫我準備一輛馬車，告訴神武門，我要出宮去看紫薇格格，不許在宮門口攔住我！』

小鄧子、小卓子二人，看看永琪，看看小燕子。立刻心知肚明。

『格格要出宮啊？恐怕有點不方便吧？太晚了！』小鄧子陪笑的說。

『就是就是！這麼晚，管馬車的小廝早就睡著了，馬伕也睡著了，那些馬兒大概……大概……』他一個勁兒傻笑：『也都睡著了！』

小燕子大聲一吼：

『你們去不去？』

『格格……』小卓子為難的囁嚅著。

永琪瞪著小燕子，見她橫眉豎目，心中更痛，大聲嚷：

『格格要走！就讓她走！你們儘管去備車，告訴神武門的侍衛，是我說的，還珠格格要出宮，誰也不許攔住門！』

小鄧子抓著腦袋，傻笑。

『五阿哥……真的要備車啊？』

如果永琪肯把小燕子往懷裡一抱，輕言細語解釋一下，或者就沒事了。偏偏永琪也憋著一肚子的無奈和沉重的悲哀，恨極她不瞭解他的心。俗語說『泥人也有土性』，何況，永琪是阿哥，可不是『泥人』，這場戰爭，演變到此，已經不可收拾。小燕子聽到他這樣說，連留她都不留，根本就是『有了新人忘舊人』！她傷心已極，怒氣騰騰的對兩個太監跺腳大吼：

『你們兩個聽不懂北京話是不是？要用海寧話講，你們才懂？』

永琪一聽『海寧話云云』，如此夾槍帶棒，辜負他一片眞心，還要百般冤枉他，氣得也跺腳大吼：

『去備車！去備車！去去去！』

『喳！』小鄧子、小卓子只得答應，飛奔出去。

明月、彩霞雙雙呆住了。

小燕子整整衣裳，走到永琪面前，深深的凝視他。

『我不會和你說再見！我們兩個的緣分已盡，我再也不會回來了！你最好認清這一點，我不是一時鬧彆扭，我終於認清了你！我跟你永別了！』

說完，她掉轉身子，就往門外大踏步而去。

明月、彩霞一急，明月衝到永琪身前，急促的，焦灼的喊：

『五阿哥！你趕快留一留嘛！不要鬧到整個宮裡都知道了，又生出許多枝節來！』

彩霞一眼看到桌上的一本成語大全，就拿了過來，衝到小燕子身邊，喊著：

『格格！格格……妳就看在五阿哥幫妳寫成語大全的份上，也要包涵一點嘛！』

小燕子抓起成語大全就撕，彩霞趕緊去搶，已經來不及，撕碎了好多頁。小燕子對彩霞怒氣騰騰的說：

『那個幫我寫成語大全的五阿哥，早已死了！』她把成語大全對著永琪扔了過去。毅然決然的說：

『以後，我再也不用背成語，再也不用裝淑女，再也不用討好這些宮裡的僞君子！我的新生命從今天開始！』

永琪一閃，成語大全落在地上，他的臉色發青，怒不可遏，大喊：

『妳走了，就永遠不要回來！』

小燕子氣得發抖，堅決的大叫：

『放心！你就是用八人大轎來抬我，你就是痛哭流涕來求我，我也不會回來了！』說完，她就背著包袱，乒乒乓乓的出門去了。

永琪氣呼呼的站在那兒，看著她的背影消失，臉色灰敗，眼神卻是極端痛楚的。

小燕子出了宮，當然只能去學士府。她有一肚子的話，要告訴紫薇。只有紫薇才能瞭解她的憤怒，她的委屈，她的醋意，和她的無助。誰知，到了學士府，福晉就用一對帶淚的眸子迎接她，一句話也沒說，就把她帶進紫薇的房間。她跟著福晉進房，一進門，就呆住了。

只見滿房間都點著蠟燭，房裡，處處燭火熒熒。

紫薇一身素服，牽著東兒的手，站在窗前，對著打開的窗子，虔誠的喊：

『爾康！我帶著東兒，在這兒等你！你不是責備我不理東兒嗎？那麼，你也不可以忘掉他呀！看看東兒，來吧！回來吧！』就低頭對東兒說：『東兒，你喊阿瑪！告訴阿瑪，你想他，希望看到他！』

東兒順從的看著窗外，喊：

『阿瑪！東兒乖乖……東兒聽話不闖禍，阿瑪趕快回家！』

福晉看得熱淚盈眶，對小燕子低低說：

『最近，她好像中邪了，每晚都是這樣子！』就悲哀的喊：『紫薇，小燕子來了！』

紫薇驚動的回頭，看了小燕子一眼。立刻緊張的，小小聲的說：

『噓！別吵……說不定爾康會回來！上次我點了蠟燭，他就來了！』說著，顧不得小燕子，又虔誠的看向窗外。

小燕子一見紫薇這樣，悲從中來，把佩劍鞭子都丟在床上，奔了過來，握住紫薇的雙臂搖著，沉痛的喊：

『紫薇！妳醒醒啊！爾康已經死了，他怎麼會回來呢？』

紫薇一回身，熱切的抓住她的手，滿眼狂熱的說：

『小燕子，我告訴妳，爾康沒有死，他陷在一個地方，過著生不如死的日子，但是，他沒有死！他在我面前現身，向我求救，我跟阿瑪額娘講，他們都不相信我的話，妳一定要相信我！我所有的思想、意識、感覺都清清楚楚的體會到這個事實，他沒有死！我們必須想辦法去找他去救他，要不然就太晚了！』她四面看，找尋著：『永琪呢？他在那兒？我有話要問他！』

提到永琪，小燕子大痛。悲聲喊：

『沒有永琪！再也沒有永琪！紫薇，妳失去了爾康，我失去了永琪！我們姐妹兩個，從進入皇宮開始，就是一場夢，現在，夢醒了，我們都變成原來的那個我，什麼都沒有！』

紫薇搖搖頭，熱切的向窗外觀望。

『不不！不要這樣說，我不是什麼都沒有，我有東兒，我有阿瑪額娘，我有皇阿瑪，我還有爾康啊！』

福晉聽著看著，傷心著，忍不住拭去眼角的一滴淚。走過來說：

『紫薇，妳心裡明白，妳還有我們有東兒，就爲我們振作起來吧！小燕子帶了行李過來，妳們又可以睡在一張床上說悄悄話了，我不打擾妳們，妳們慢慢談！兩個都不許鑽牛角尖……妳們互相吐吐苦水，說不定都會舒服很多！東兒我帶走了，放心，奶娘會照顧他……我讓秀珠給妳們準備宵夜！』

福晉說完，就牽著東兒，難過的看了二人一眼，出門去了。

房門關上，小燕子拉住紫薇的手，激動的說：

『我告訴妳，我永遠離開那個皇宮了！我再也不會回到永琪的身邊去，在他把我「休掉」以前，我先下手爲強，把他「休掉」了！』

紫薇這才注意小燕子的話，眼神裡充滿了困惑。

『妳離開皇宮了？妳「休掉」了永琪？什麼意思？』

『他們男人，動不動就要休掉老婆，什麼「七出」之罪，都是女人的錯！男人可以三妻四妾，換了女人，就是淫蕩！我想通了，我和永琪是平等的，男人可以「休妻」，我也可以「休夫」，他傷了我的心，我決定不再愛他！我把他「休了」！從此，我和他一刀兩斷！』

紫薇凝視了她一會兒。

『一刀兩斷？妳怎麼可以和永琪一刀兩斷？他是妳生命裡最重要的人，就像爾康是我生命裡最重要的人一樣！生死都無法斬斷的感情，妳怎麼會說斷就斷？』

『這次是眞的斷了！我再也不會原諒他！』她激動的嚷，搖著紫薇的肩：『紫薇，妳也別認那個爹了，他是我的殺父仇人，我再也沒辦法愛他，他也不再愛我！我每次看到他，就想著我爹在斷頭台上的情形，想著我娘在烈火裡自刎的情形，我眞想衝上前去，給他兩刀，爲我爹娘報仇……可是，我又會想到他對我的好……我眞的太痛苦了！紫薇……我們兩個，怎麼會變成這樣？』

紫薇看著窗外，神思恍惚起來：

『是啊，我們兩個，怎麼會變成這樣？如果當初我們沒進宮認爹，這一切都不會發生，說不定，我們嫁了兩個平凡的小老百姓，過著平凡而幸福的生活，沒有緬甸戰場，沒有死亡，沒有爾康，沒有永琪，沒有皇阿瑪，沒有知畫……說不定，那樣的一輩子，比現在幸福！』

『是啊是啊！』小燕子熱淚盈眶：『紫薇，讓我們回到當初去吧！我不要什麼皇子，不要皇宮，我寧願過窮苦的生活！我眞想回到當初，我一定不會再冒充妳，再冒充格格！我已經嘗到滋味，受到報應了！』

紫薇悲哀的看她，說：

『人生只能往前走，不能往後走，不管多後悔，就是無法「回到當初」！』她思前想後，心痛如絞：『可是……我要我的爾康啊！我要我的東兒啊，我也愛我的皇阿瑪啊！如果「回到當初」，我寧願再重複一遍，寧願再受這樣的痛苦和煎熬……』她的眼淚慢慢的滑下面頰，聲音哽咽：『我也不後悔和爾康的相遇相知，我珍惜和他在一起的每一個時辰……』說著，就忘形的衝到窗邊，對著窗外大喊：『爾康！回來啊！讓我再看你一眼……爾康……你在那裡？』

小燕子看到紫薇這樣，顯然她的哀痛，更勝於自己！她震撼的看著，在各自那椎心的痛楚下，簡直不知該何去何從了。

當紫薇在燭火中找尋爾康，在窗前呼喚爾康，在幽幽谷思念爾康的時候，爾康的身體，已經完全恢復了。穿著一身緬甸的服裝，他看來英姿煥發，像個緬甸的王子。

這天，慕沙決定把爾康帶到戶外，讓他曬曬太陽。她召來她的坐騎，一匹高大的大象。她和爾康，乘坐在象背上，走在充滿異國情調的緬甸花園裡。慕沙帶著滿臉的笑，爾康依然是心事重重，落落寡歡的。慕沙討好的說：

『出來走走，你會不會覺得心情好多了？你看，我們這兒也挺美的，是不是？』

爾康四面察看，希望找到逃走的辦法。他看到花園裡有一群和尚走過。

『嗯，你們的國家，有好多和尚。』

『不是我們的國家，現在，也是你的國家了！』慕沙笑著說：『我們信仰佛教，但是，我們也同時信仰巫術、符咒和占星術。所以我們有巫師，你也可以稱他們為巫醫或者魔法師！他在我們的生活裡，是很重要的人！在你病得很重的時候，我就讓一位巫師幫你喊魂，才把你的魂魄喊回來！』

『原來是巫師把我的魂魄喊回來的，』爾康苦澀的說：『要不然，可能我的魂魄還在紫薇身邊吧！』

他看著她，想著自己『離魂』的經驗，不禁深思起來，問：『你們也相信靈魂嗎？』

『相信極了！每個人都有靈魂，身體只是靈魂居住的地方。靈魂可以離開身體，在外面飄蕩，做自己想做的事。如果靈魂離開太久，人就會死掉，所以要把靈魂叫回來！人在作夢的時候，也是靈魂離開的時候，如果你夢到掉進水裡，醒了之後，記得請巫師作法，用水盆裝滿水，把濕淋淋的靈魂撈出來！要不然就會生病，傷風咳嗽就是因為靈魂濕了！』

爾康震懾了。原來緬甸人相信作夢是魂魄離開了身子，如果眞是這樣，說不定那些和紫薇魂魄相聚的時刻，並不是自己的幻覺。說不定他的魂魄，入鄉隨俗，跟著緬甸人的習俗，走出了自己的身體！他想著，幾乎對這種說法，生出一種敬畏的情緒。

『看樣子，在這一點上，我和你們的國家，有些同化了！我的靈魂也曾經離開身體，也曾經在外面飄蕩……我國也有這種說法，和關於離魂的種種傳奇，其中最有名的，就是「倩女離魂」的故事！我以前不信，現在有些相信了！』他看慕沙，又問：『你們相信靈魂，那麼，靈魂有沒有形狀呢？』

慕沙有些興奮，難得他這樣心平氣和的和她談話，她就有些受寵若驚了。

『有啊！』她知無不言，言無不盡：『靈魂有我們自己的形狀和面目，但是，靈魂會飛，所以，我們也相信靈魂有翅膀。馬來人說，靈魂像鳥，可是，我們緬甸人，相信靈魂是蝴蝶！』

『蝴蝶？靈魂是蝴蝶？』爾康一震，好像看到幽幽谷中，許多蝴蝶在救紫薇。也看到含香病危時，許多蝴蝶圍繞著含香。

慕沙拍拍象背，大象停下。

『我們下來走走！』

象兵趕緊過來，把二人接下地。

這時，那隻大象，抬起鼻子親吻著慕沙的臉頰，又用鼻子拍打她的肩膀，還用鼻子去捲她的脖子，把她勾向自己。慕沙笑著，拍著象鼻子，摸著象耳朵：

『要跟我玩呀？不行不行！』

爾康四面看著，心想，這是一個機會，要不要逃跑？看到花園四周，緬甸侍衛環侍，不禁搖搖頭。知道自己插翅難飛。

慕沙看他眼光四轉，笑著問：

『你在想什麼？如果想要逃走，你就太笨了！你看，四面都是我們的人！那些和尚，都是有功夫的，在悄悄的保護我，也是悄悄的監視你！』

『原來如此！』爾康驚看她：『妳還會讀心術嗎？』

慕沙一笑，笑得非常燦爛迷人。爾康發現，她是非常愛笑的一個姑娘，雖然自己總是給她釘子碰，她還是隨時隨地的笑。只是，翻臉比翻書還快，脾氣一來，拳腳也跟著而來。這種女子，也是天下一奇。他正在胡思亂想，慕沙的大象，發出一聲長鳴，又把鼻子搭在她肩上。

『你們的象，好像比人還重要！』爾康好奇的說。

『當然！象是我們的神。傳說，我們最重要的一條河流，伊洛瓦底江，原來是雨神住的地方，雨神有一頭神象，牠從鼻子裡噴出大量的水，匯聚成伊洛瓦底江。我們才能灌溉農田，才有水喝！我的象也是神象，牠還會表演呢！』

慕沙說著，往草地上一躺，嘴裡喊了一句緬甸話。

只見那頭大象走來，提起巨腳，就踩在慕沙的胸前。爾康一見大驚，急忙撲上前去，用力把她一拉。急呼：

『小心！牠會踩死妳，趕快起來，不要這樣玩，太危險了！』

豈知，大象的腳，只是輕輕的踩在慕沙身上，還在那兒搓來搓去幫她按摩呢！

慕沙卻爲爾康這聲『急呼』所表露的感情，深深震動了。躺在地上，呆呆的看著他。那隻大象，忽然友善的揚起鼻子，在爾康面頰上輕輕的吻了吻。

慕沙見狀大喜，一滾，滾出大象腳下，一躍而起。滿臉發光的對他喊：

『神象就是神象，牠已經向我啓示了，你就是我生命裡的男人，沒錯！而且，你沒辦法賴，你關心我！哈！我們已經不再是敵人了！』

爾康呆了呆，急忙解釋：

『慕沙，我關心妳，就像關心一個朋友……』

慕沙喜悅的笑著，和大象玩著，鬧著，嚷著：

『隨你怎麼說，我瞭解你不瞭解的！你是我的，你逃不掉了！這是你的命運，你成了緬甸人，你是我的……』

爾康震動的看著慕沙，默默不語，心裡在說著：

『我不是妳的，我是紫薇的。這不是我的命運，我的命運早就注定了！我和妳出遊，遷就妳，只是在等兩個月期滿而已。』

他環視四周，美麗的景致，美麗的庭園，花園裡聳立著各種雕塑，繁花如錦，鳥語花香。如果紫薇也在，那該多好！爾康想起了西湖，想起了火燒小船，紫薇和晴兒雙雙跳進西湖裡……那是多久以前的事？是前生？還是前生的前生？

『你在想什麼？』慕沙看了他一眼。

爾康怔了怔，回過神來。

『想以前的事，妳不會喜歡聽的事！』

『那麼你就別說！』她看著他，柔聲問：『你知道緬甸的燈火節嗎？』

『燈火節？不知道！』

『每年的七月十五日，是緬甸的燈火節！到了那一天的晚上，城裡眞是漂亮得不得了，我們會用燈火，把橋上、路上、房子上……全都掛滿了燈，還把燈火，在地上排成各種走道，各種形狀，整個城裡城外，都是一片燈海。然後，我們的姑娘和小伙子，會拿著蠟燭跳舞到天亮。那是我們重要的節日！』

『七月十五，今天已經是六月初，就是下個月！』他盯著她：『那天，我們的兩個月之約，也到期了！』

『正是！所以，我爹已經選了那一晚，給我們兩個舉行盛大的婚禮！』

爾康直跳起來，堅決的喊：

『不行！妳說過，如果到時候我還是不想娶妳，妳就放掉我！』

『時候還沒到，到時候，你會答應的！』她樂觀的說。

『慕沙，這一切都是不對的！你們是一個信佛教的國家，有最和平的百姓，爲什麼要發動戰爭？爲什麼要侵略中國？爲什麼不尊重別人的意志？爲什麼要故佈疑陣俘虜我？妳在戰場上，威風八面，豪氣干雲，確實讓我刮目相看！但是，這樣拘禁我，勉強我的妳，會讓我輕視！妳爲什麼不做一個灑脫的女中豪傑，要做一個眼光狹窄，一意孤行的女人呢？』

慕沙瞪著他，生氣了。

『你喊些什麼，我聽不懂！』

『妳懂！妳的漢語這麼好，妳什麼都懂！就算對我的用詞用字不懂，我的表情我的心態，妳也懂！我是中國人，我一定要回到中國去！』

『你的中國在那裡？你看得到嗎？摸得著嗎？』慕沙大叫：『只有你的靈魂，才飛得回中國去！何況，你已經離不開銀硃粉了，你的中國，有銀硃粉嗎？』

『我的中國會讓我擺脫銀硃粉，我的中國有最好的大夫，我的中國還有我魂牽夢縈的紫薇，只要見到紫薇，我會百病全消！』

慕沙一聽，大怒，掉頭對著那隻大象，用緬甸話喊：

『象兒！幫我教訓他！』

大象一聲長鳴，忽然對爾康衝來。爾康一看情況不對，拔腿就跑。他那兒跑得過大象，只覺得身子被象鼻一捲，整個人就騰空而起。他張著雙手，急呼：

『慕沙！讓牠放我下來！』

慕沙大笑。滿花園的宮女侍衛，也都看著他大笑。他就這樣懸在空中，揮舞著雙手，笑也不是，氣也不是，恨也不是，嘴裡喃喃的嚷著：

『虎落平陽被犬欺！我今天是「虎落平陽被象欺」！』

49

小燕子出走好多天了，宮裡的人，認爲她滿心彆扭，跑到學士府陪紫薇，也是人情之常，都對她採取不聞不問的態度。永琪每天忙著上朝，忙著幫乾隆看奏摺，忙著和傅恆等人討論國事……每天弄到深夜才回景陽宮。回到景陽宮，也不去知畫那兒，把自己關在小燕子的臥室裡，倒頭就睡，生著悶氣。知畫小心翼翼的討好，看他無精打采，落落寡歡，知道他在火頭上，也不敢造次。

對於小燕子不回宮，最著急的人，就是晴兒了。這天，她在朝房外，攔截了永琪，兩人走到御花園的綠蔭深處，四顧無人，她才對他著急的說：

『這麼多天了，你還不趕快去學士府，把小燕子接回來？』

『我不接！』永琪煩躁的說：『她要走，就讓她走吧！妳不知道她嘴裡說的那些話，一句一句都像刀一樣，她說我已經死了！對我又動手又動口，我不會再忍耐她了！那有這樣兇悍的老婆？最讓我生氣的，是她失去了正義感和同情心！知畫生產那天，明明是我撞到知畫，讓她早產，小燕子還口口聲聲說她是裝的！這件事，實在讓我痛心疾首！她就是看知畫不順眼，看綿億不順眼……但是，我已經沒有辦法讓知畫不存在，讓綿億也不存在了！』

原來爲了知畫生產那天，小燕子的一句話，永琪記在心裡，竟然把她看低了！晴兒百感交集，嘆息著說：

『那你就讓小燕子不存在嗎？小燕子會吃醋，正說明她有多麼在乎你！知畫生綿億那天，你只知道知畫痛得死去活來，你知不知道，小燕子的心，也痛得死去活來呢？』

永琪呆了呆，小燕子痛得死去活來？他不禁誠實的說：

『那天知畫徘徊在生死邊緣，我那裡還顧得到小燕子的感覺？』

晴兒責備的、不以為然的凝視他，搖了搖頭，說：

『怪不得小燕子要出走，你眼裡只有知畫，沒有小燕子了！可憐的小燕子，她是多要強的人，為了你，她什麼都忍，她的「小人大貓」，對她眞是不容易！忍了這麼久，最後還是失去了你！我眞為小燕子抱不平！再說，小燕子有沒有冤枉知畫，現在還不能下定論！』她盯著他：『如果我是你，我會去審問一下杜太醫，那晚，有沒有誇張知畫的病情？所謂的生死邊緣，是眞是假？』

『這事，還能假嗎？』永琪驚怔的問。

『為了爭寵，為了爭地位，宮裡什麼都能做假！那晚我也在，杜太醫送走老佛爺的時候，對老佛爺說了「放心」兩個字！然後，這些日子，我也聽到知畫跟老佛爺說了些悄悄話……我認為事有可疑，不止這事可疑，很多事，都非常可疑！』

『還有什麼事？』永琪震動了。

『你自己去想！本來，不管發生什麼事，你都偏著小燕子，為什麼到了今天，她的傷心，你都看不見了？』晴兒看看四周。『我不能和你多說了，我得趕回慈寧宮去！你好好的想一想吧！如果想不通，就去審問杜太醫！』

晴兒說完，掉頭走了。永琪怔在那兒，陷入沉思中。

晴兒走了幾步，又突然回頭。她的眼中，驀然充滿淚水，痛楚的說：

『永琪！我們三對，只剩下你們這一對是團圓的，如果你再放掉小燕子，我對這個殘忍的人生，眞不知道還能相信什麼？』

晴兒說完，走了。剩下永琪怔在那兒，出神了。

片刻之後，永琪回到景陽宮。他沒有進房，在大廳裡走來走去，陷在深思裡。

知畫抱著綿億，笑吟吟的走到他身邊。輕言細語的說：

『永琪，要不要抱一抱綿億？你看，他在笑耶！他睡得那麼熟，可是，他在笑！不知道他的夢裡，有些什麼？會讓他笑得這麼甜？永琪，你認爲這麼小的嬰兒，他有沒有思想？會不會作夢？』

永琪站住，心不在焉的看了綿億一眼。看到綿億那熟睡的、可愛的臉孔，他心中一跳，父愛就油然而生。不由自主的接過嬰兒，他仔細的凝視著。孩子長得好漂亮，像他也像知畫。一代一代的延續，實在是很奇異的事！

『你看，他越長越像你，你的眉毛你的嘴巴，笑起來也像你！』知畫柔聲說。

永琪看著看著，煩躁起來，一嘆說：

『他來人間幹什麼？將來，他的人生，誰知道會怎樣？』

『你說些什麼？他的人生，已經注定是大富大貴了！他是銜著金湯匙出世的！』知畫說著，就依偎著永琪，笑看嬰兒：『遺傳眞是好奇怪的東西，他也有幾分像皇阿瑪。怪不得中國人對於孩子這麼重視，不孝有三，無後爲大！永琪，你總算交差了，不會背上不孝的罪名了！』

一聽到這『不孝有三，無後爲大』，永琪的反感就來了，就是這個罪名，讓小燕子罪該萬死！讓知畫侵佔了小燕子的地位。但是，是誰給了知畫機會呢？是他啊！是這個口口聲聲說，可以拋棄江山，可以什麼都不要，只要小燕子的永琪！他心煩意亂，把孩子往前一送：

『好了，抱走吧！這麼軟軟的身子，我抱起來危危險險的！』

桂嬤嬤就走上前來，接過孩子。

『五阿哥，把小王爺交給我吧，我抱去房裡睡！』

桂嬤嬤抱走了孩子，知畫就凝視著他，體貼的、溫柔的、小心翼翼的說：

『你是不是想著姐姐？如果是，就去接她回來吧！』

永琪瞪著她，忽然臉色一沉，嚴重的說：

『知畫，我要問妳一件事，妳坦白告訴我！』

『是！』看到他神色不善，她緊張起來。

『是妳告訴小燕子，我在新婚之夜，就和妳圓房了？』

知畫不料永琪有此一問，頓時面紅耳赤起來。

『哎呀，孩子都生了，再來追究這種事，不是很多餘嗎？』她微笑的說。

永琪正視著她，神色嚴肅，好像這是一個天大的問題。他再問一遍：

『是妳說的嗎？』

看他如此嚴重，她的笑容頓時不見了。抬起眼睛，她也正視著他，理直氣壯的說：

『是我說的！那天，姐姐忽然談起這件事，ㄚ頭嬤嬤站了一房間，難道我說沒有？讓人告密到老佛爺那兒去，我們那條喜帕，豈不是犯了欺君大罪？我當然說有，反正，肚子裡都有孩子了，還在乎這個嗎？姐姐是江湖俠女，應該不是小心眼的人吧？難道還為了七早八早的事，生氣到今天？那也太小題大作了吧？給大家知道，豈不是讓人笑掉大牙嗎？』

原來她眞的這樣說了！永琪震動著，惱怒著，默然不語，看了她好一會兒。

知畫被看得有些發毛，就嘆了口氣。悲哀的說：

『新婚的事，你必須體諒，我也有我的自尊和驕傲，傳出去，我怎麼做人？何況已經有孩子了，早一天圓房和晚一天圓房，怎麼說都一樣，沒圓房怎麼會有孩子呢？事實勝於雄辯嘛！姐姐生氣的，不是早晚那回事，是綿億這個事實！她眼裡和心裡，都容不下綿億！』

永琪深思的看了她一眼，就背負著手，走到窗前去。他抬頭，看著窗外的天空，眼前，忽然浮起小燕子在南巡時陪乾隆逛花園，唱的一段『蹦蹦戲』：

『張口啐，呸呸呸，狠心的郎君去不回，說我是鬼，我就是鬼，我那個冤家心有不軌！張口啐，呸呸，你要是狠心我也不回，說我不對，我就不對，誰教你無情無義心兒黑！』

永琪心中，狠狠的一抽，痛楚迅速的擴散到四肢百骸。小燕子，小燕子，遠在那個時候，妳就預感了今天？妳知道我終有負妳的一天！妳知道我終有爲了一個女人來冤枉妳的一天？我竟然把妳看低了，把知畫看高了！

知畫悄眼看他，被他眼神中的痛楚，弄得心慌意亂了。他忽然掉頭，眼神變得非常嚴厲。厲聲的問：

『我還有一件事要問妳，妳生綿億那天，是我把妳撞到桌子上去的，還是妳自己去撞桌子的？』

知畫一聽，大驚失色。瞪大了眼睛問：

『這是什麼話？那有人拿生孩子這樣的大事來開玩笑？你怎麼可以這樣含血噴人？我自己去撞桌子？難道我不要命了？也不要孩子了嗎？是誰跟你這樣說的？姐姐嗎？她要冤死我……而你，你也信了嗎？』

永琪一跨步，飛快的來到她身邊，一伸手，就扣住了她的手腕。他緊緊的盯著她，有力的，堅定的說：

『我要一句實話，妳是不是走了一步險棋？妳自己去撞桌子，用生命和孩子來下賭注？你存心要我內疚，要我著急，是不是？』

『你怎麼可以這樣說？不是，不是，當然不是！』她驚喊著，心慌意亂。

『我要一句實話！』永琪厲聲喊，盯著她的眼睛裡，冒著怒火：『再說一次，妳有沒有故意去撞桌子？』

知畫掙扎著，要扯出自己的手腕，眼淚在眼眶中打轉。

『你要屈打成招嗎？好痛！』她淚汪汪。

他沒有被她的眼淚所打動，命令的低吼：

『回答我！聽好，』他從齒縫中迸出他的問題，一個字一個字的迸出：『我，要，一，句，實，話！如果妳說謊，我們的綿億會遭到報應的！』

知畫一聽，報應要到綿億身上，大驚之下，頓時崩潰了。痛喊著：

『要報應就讓我報應，千萬不要說綿億！』她情急的一把抱住他的手腕，哀聲的說：『那晚，我怎麼說，你都不要留在我房裡，你那麼冷漠，我還有什麼辦法？剛好你推了我一把，我心裡想，了不起就是死！我就順水推舟的撞了桌子，我並沒有想到，那樣一撞，孩子眞的撞了出來……永琪，看在我如此「拚命」的份上，看在我爲你生了綿億的份上，你不要生氣！總之，是綿億選了這一天，來到人間……總之，是老天保佑，有驚無險……總之，我也受了好多苦，早就受到報應了！』

原來被小燕子說中了，原來眞是這樣！永琪定定的看著她，眼神冷冽而悲痛，放開了扣住她的手。

他悲切的說：

『妳讓我變成一個不仁不義，沒心沒肝的負心漢！』

知畫看到他這樣的眼神，聽到他這樣的句子，心驚膽戰，身子不由自主的溜下來，跪倒在他腳前，雙手抱住他的腿。她抬頭看著他，淚如雨下：

『永琪，請你想一想，爲我想一想，如果我不是這樣愛你，怎麼會這樣拚命呢？我也很可能一撞就撞死了！』

永琪低頭凝視她，好像不認識她，好像想弄清楚她到底是誰，他顫聲說：

『妳知書達禮，溫柔美麗，純潔高貴……但是，妳讓我害怕！』

說完，他用力的一抽腿，掙開她的手，往門口就走。知畫摔在地上，驚喊著：

『永琪！永琪！你去那裡？』

永琪頭也不回的走了。

知畫不禁伏在地上，痛哭起來。

永琪立刻去了學士府，他要找回他的小燕子。

福晉帶著永琪，直奔紫薇的房間，喊著：

『小燕子，紫薇，妳們看誰來了！是五阿哥啊！』

紫薇和小燕子正在窗前談話，聽到聲音，雙雙回頭。小燕子看到永琪，心裡一跳，餘怒未消，衝口而出：

『你來幹什麼？我不要見你！』

紫薇見到他，卻驚喜而激動，奔上前來，喊著：

『永琪！你來得正好，我有很重要的事要問你！』

永琪顧不得紫薇的問題，眼光凝視著小燕子。他走向她，眼神裡盛滿了著急，盛滿了熱愛，盛滿了歉意，盛滿了祈求。說：

『小燕子……有些事情，我誤會了妳，妳在紫薇這兒，也住了好多天了，氣消了沒有？我承認我有錯，人，都會犯錯……我們不要把時間浪費在嘔氣和分離上，我們應該珍惜能夠相聚的時光，讓我們和好吧！我來接妳回家！』

小燕子猛的一退，激烈的說：

『你不是說，我走了就永遠不要回去嗎？』

永琪苦澀的看著她，後悔已極。

『那是氣話，我收回！』

『你收回？』小燕子憤然大叫：『說出口的話，那裡能夠收回？你收回我不收回！我現在明明白白的告訴你，我不回去！我再也不回去！回去幹什麼？面對一個愛著別的女人的丈夫，一個我必須稱呼為皇阿瑪的仇人！我……』

永琪四看，關於小燕子的身世，連福倫和福晉都不知道，他著急的說：

『噓！妳小聲一點！』

『我為什麼要小聲？』小燕子大聲嚷：『我不在宮裡，我不怕任何人知道！』

『妳也不怕連累伯父伯母嗎？』永琪走近她，拉住她的手，低聲下氣的、柔聲的說：『能不能夠和妳單獨談幾句話？』

小燕子用力一摔手，摔掉了他的拉扯，身子再一退。

『不能！我不會和你單獨在一起，我跟你也沒話可談！當你的心選擇了知畫，你和我就恩斷義絕，一刀兩斷了！我說過，你用八人大轎來抬我，我也不跟你回去……』

福晉趕緊過來，拉住紫薇說：

『紫薇，我們出去！讓五阿哥和小燕子單獨談談！』

小燕子閃電般衝了過來，拉住紫薇喊：

『紫薇，妳不要走！妳做我的見證，我和永琪，不再是夫妻，連朋友都不是！這個人，他一步一步，殺掉了那個原來的我，他是個狠心的人！我再也不要爲他忍氣吞聲……再也不要做他的哈巴狗……』

『小燕子，』福晉勸著：『看在五阿哥親自來接妳的份上，退一步海闊天空嘛！紫薇，我們出去，出去！』

永琪心痛的看著小燕子，千言萬語，不知從何說起。紫薇一直著急的看著永琪，心思不在永琪和小燕子的戰爭上，在爾康的生死上。這時，紫薇再也忍不住，掙開了福晉的手，衝了過來，對永琪急急問：

『我有緊急的事要問你，你們兩個等下再吵架，先回答我一個問題！』她盯著永琪問：『你仔細想一想，你們帶回來的遺體，有沒有可能根本不是爾康？我現在越想越懷疑，除了爾康的服裝和身上的配件，你怎麼確定帶回來的是爾康呢？你不是說，找到他的時候，他已經面目全非了嗎？』

福晉不禁深深一嘆，看著紫薇問：

『妳又看到爾康了嗎？』

『我知道，你們一定說我是日有所思，夜有所夢！一定說我又在胡思亂想！我們就不要討論我看到爾康的事，就算我沒有看到他吧！』紫薇有力的問：『你，肯定你帶回的，是爾康嗎？一點懷疑都沒有嗎？』

永琪一時之間，被問住了，陷進了回憶裡。記起，當爾康的遺體帶到他身邊時，他曾經否認過，他曾經說過：

『不是他！不是爾康……』

永琪呆住了，認眞的思考著。是的，當時他確實懷疑過。

福晉看到永琪在思考，情不自禁也跟著燃起了希望。渴盼的問：

『五阿哥……你是不是想到什麼疑點了？』

『我就是想不出來，這事怎麼都說不通！』永琪嘆了口氣。說：『如果爾康沒有死，他爲什麼把自己的衣服，穿在別人身上？還把自己的佩劍，同心護身符，玉珮，靴子，連襪子、貼身的裡衣通通換到別人身上，然後自己消失掉？這太奇怪了吧？』

『你想想看，在戰場，有沒有碰到什麼奇怪的事？那怕是有些不合理，也沒關係，有沒有碰到有神祕力量的人？有特異功能的人？就像含香會招蝴蝶那種？』紫薇迫切的問。

『沒有啊！我們除了行軍，就是打仗！每天都生活在刀光劍影裡！那裡有機會碰到奇人奇事呢？』

紫薇失望極了，心灰意冷的說：

『好吧，我把房間讓給你們兩個，要吵要鬧，隨你們去！我去照顧東兒！』

『紫薇……妳不要走！』小燕子喊。

紫薇和福晉，已經離去了，關上了房門。

永琪一看，屋裡只剩下了自己和小燕子，就一衝上前，把她一把抱住。熱情的、悔恨的、一疊連聲的說：

『小燕子，我錯了，我不好，我對不起妳，都是我的錯！妳離開的這些天，我想了好多，我也問了知畫，許多事都明白了！包括圓房那件事……我從來沒有騙過妳，是知畫在耍手段……妳原諒我！我眞的喜歡妳，愛妳，要妳！』

永琪這樣一說，小燕子心裡一熱，淚水就不受控制的奪眶而出，頓時淚濕衣襟。但是，她仍然高昂著頭，意志堅決的說：

『沒用了！你明白得太晚了！我原諒過你幾千幾萬次，我總覺得，我的出身和一切，配不上你，處處遷就你！爲了你去苦背成語大全，爲了你去唸唐詩，爲了你把殺父仇人，當成阿瑪，爲了你，拚命改變自己……這一切，當你愛上知畫的時候，就全體沒有意義了……』

『我沒有「愛上」知畫，只是「可憐」她而已。』他急忙打斷。

小燕子越想越委屈，越想越心痛，悽然而堅定的說：

『你有！你讓她有了孩子，你守候在她床邊，你相信她的話更勝於相信我，你讓她名正言順的凌駕在我頭上，你體會不到我的感覺，疏忽我，冷落我……你有！事實就是事實，你「可憐」她到這個地步，我也決定不要你了！』

『不是的！』他急得額上冒出了汗珠：『不是的！我們之間有誤會……』

『是你讓誤會存在的！如果像以前一樣，我們之間就不會有誤會！因爲你的心有了別人，才會讓誤會存在！』

『那麼，我們現在把誤會解除……』他的雙臂，情不自禁的抱緊她。

她用力一推，把他推開，堅決的說：

『你所有的解釋和努力都沒有用了！我不再愛你了！』

我不再愛你了！這是多麼嚴重的宣告！如果她眞的關上了她心中那道門，他就再也走不進去了！他震動的看她，這個從小獨立，混在江湖中長大的姑娘，有她獨立的人格，叛逆的個性，強烈的是非觀，還有一顆大而化之，卻炙熱如火的心！他那麼瞭解她，知道哀莫大於心死，如果她眞的停止愛他，他就眞正的失去她，再也無法挽回了。他凝視著她，被她這句話打倒了。他啞聲說：

『妳口是心非！妳只是生氣而已，妳的心裡不可能沒有我！』

『那是你一廂情願的想法！我的心裡已經沒有你，你帶給我的都是痛苦，我最恨過痛苦的生活，我要找回我的笑，我把你開除了！』

他瞭解到她不單是說氣話，而是認眞思考過，就冷汗涔涔了。他不知道他還能怎樣做？在他『皇子』的生涯裡，本來連『認錯』兩個字都沒有！他嘆口氣，說：

『我並不熟悉認錯和道歉，爲了妳，我都做了！我把自尊和驕傲都踩在腳底下，因爲我渴望得到妳的諒解，渴望回到我們以前的生活，妳，眞的不再愛我？不再給我機會了？』

『是！我不再愛你，也不再給你機會了！』她昂著頭，傲然的說。心想，小燕子要頭一顆，要命一條，就是不能在知畫的陰影下當乞兒！

永琪睜大眼睛，痛楚的凝視著驕傲的小燕子。兩人沉默著，空氣緊繃著。

這時，外面傳來一陣喧嚷和驚呼聲。接著，房門被衝開了，紫薇衝了進來，驚喜的大喊：

『永琪！小燕子……趕快來，你們一定不會相信，有個「百夷人」來了！』

小燕子和永琪大驚，兩人忘了吵架，同時喊出：

『什麼？百夷人？』

三人就震驚的，狂喜的奔進大廳。

進了大廳，小燕子一眼看到簫劍，如玉樹臨風般站在那兒。福倫和福晉緊張的，興奮的站在一旁。福晉對丫頭們急急的喊：

『你們都下去！有事我會叫你們！』

『是！』

秀珠帶著眾丫頭出房去。

『哥！』小燕子悲喜交集的驚呼了一聲，就撲上前去，抓住了簫劍的手，一疊連聲的喊。『哥！哥！哥……』眼淚奪眶而出。

福晉和福倫，趕緊把門窗都緊緊的關上。

簫劍緊握著小燕子的手，眼睛也是濕潤的，上上下下打量她。

『小燕子，怎麼變得這麼瘦這麼憔悴呢？』簫劍問。

小燕子心中一酸，幾千幾萬句話想告訴簫劍，告訴這個在世上唯一的親人，只是，那麼多的事，那麼多的委屈，不知從何說起。

『自從永琪帶了爾康的遺體回來……我們還會有好日子嗎？』她掉著眼淚說：『什麼叫做「笑」，我都不知道了！這幾個月來，我幾乎沒有笑過！每天都在掉眼淚！』她掏出帕子，擦不乾淚水。

簫劍滿眼的震動和憐惜。

永琪生怕小燕子說出他們間的決裂，走過來，用力的拍著簫劍的肩膀。困惑而驚訝的說：

『你怎麼會突然回到北京來？真是神龍見首不見尾，變化多端！』

簫劍抬眼看著眾人，眼神變得嚴肅而鄭重。說：

『紫薇，伯父，伯母……我有一個驚人的消息要帶給你們！但是，希望你們不要太興奮，因爲，我還沒有完全的把握，只是推測而已！』

紫薇睜大眼睛，急迫的問：

『是什麼？是什麼？跟爾康有關？』

『對！跟爾康有關！』簫劍有力的說：『我想，爾康沒有死！』

頓時，房中眾人大震，各種聲音同時響起。紫薇發出一聲喜極的驚喊：

『我就知道！簫劍……如果你帶了這個消息來，你不是人，你是神啊……』

『簫、簫、簫劍！趕快說，趕快說……』福晉驚得口齒不清了。

『你有什麼根據？』福倫親自搬了一張椅子給簫劍。『坐下說，坐下說！』

『怎麼可能？』永琪喊：『簫劍，當初不是我們親自給爾康收屍的嗎？』

『你們不要吵，讓我哥說清楚！哥，到底是怎麼回事？』小燕子喊。

福倫就舉手說：

『大家都不要說話，讓簫劍說！』

眾人都安靜了，個個仰著頭，渴盼的看著簫劍，像是看著一個神祇。簫劍環視大家，沉穩的說：

『當初，我和永琪在雲南分手，就是覺得事有可疑。我留在雲南，爲了想查出事情的眞相。永琪，你記得嗎？當爾康的屍體被劉德成找到，放在我們面前的時候，你說了兩句話，你說「不是他，不是爾康！」可是，事實擺在我們面前，讓我們不能不信！因爲不可能有人爲爾康換衣服，掉包一個假爾康給我們，沒有這個理由！可是，你這兩句話，一直在我腦海裡響著。後來，我忽然想到一個可能性……』

簫劍停住了，看著紫薇。『紫薇，不管發生了什麼事，妳都希望爾康活著，是不是？』

紫薇熱烈的、堅決的說：

『是！趕快說吧！沒有打擊會比爾康的死更大！』

簫劍就看著永琪說：

『永琪，你記得我們和緬甸交手時，那個緬甸王子慕沙嗎？』

『當然！我怎麼會忘掉他？這事跟他有關嗎？』

『是！有一次，我和爾康談過，都覺得這個王子怪怪的，說話行動，有些不男不女。爾康跟他，幾次正面交手，那個王子，也幾次死到臨頭，被爾康放了一馬，記得嗎？』

『當然記得，還記得他射了爾康毒針，又留下解藥救爾康的事！』

『就是這樣，』簫劍深深點頭說：『我把所有的事，仔細一想，越想越可疑。所以我沒有跟你回北京，我化裝成緬甸人，溜進了緬甸境內去打聽……打聽的結果，緬甸根本沒有一個王子名叫慕沙，卻有一位八公主，名字叫慕沙！是猛白最心愛的女兒，經常女扮男裝，跟著猛白東征西討！』

眾人大震。紫薇的急急的問：

『你的意思是說，這位八公主俘虜了爾康？把爾康的衣服配件換到別人身上，故佈疑陣，讓大家都以為爾康死了？』

『有這個可能！所以，我在三江城裡，待了三個月之久，守在緬甸宮殿外面，希望找到一些線索，卻一直沒有在緬甸看到過爾康。我的緬甸話又不靈光，生怕洩露行藏，不敢久待，但是，我買通了一個緬甸侍衛，得到了一個消息，八公主慕沙確實帶回一個身受重傷的人，名叫「天馬」，救了幾個月，還在昏迷中。天馬，這不是爾康的名字，可是，戰場上，慕沙都喊爾康駙馬！開罵時，叫他死馬！』

簫劍說到這兒，眾人面面相覷。紫薇就深吸口氣，堅信的說：

『那是他！沒錯！他已經托夢給我，說他還活著，說他生不如死，我現在明白了！我去收拾東西……阿瑪，額娘，請你們照顧東兒，我要去緬甸找爾康！』

『不忙不忙……』永琪看簫劍，問：『可是，這只是一個推斷，你始終沒有確定的消息，說那人是爾康，對不對？』

『我想，現在除非見到爾康本人，沒有任何人可以確定那是不是爾康。我的故事還沒說完，我當時已經引起緬甸皇宮的注意，不敢在那兒繼續留下去。我回到雲南大理，找了一個精通緬甸話的朋友，在一個月以後，第二次溜進緬甸。這次，總算得到一些線索，那個天馬，確實是一位大清的將軍！你們想，大清的將軍，除了爾康還有誰？而且，這個天馬，已經被八公主救活了！』

簫劍說完，大家你看我，我看你，興奮得無以復加。

紫薇衝到簫劍身邊去，對他倒身就拜。

『簫劍啊……我謝謝你，謝謝你……爾康和我，前世修來的福分，才有你這種肝膽相照的朋友……我要給你磕個頭……』說著，就跪了下去。

簫劍大驚，慌忙一把拉起紫薇。說：

『千萬不要這樣！我很抱歉，本來想帶著朋友，去把爾康救出來，可是，我的朋友都不認識爾康，緬甸皇宮又戒備森嚴，守了一個月，生怕耽誤太久，把營救的機會都錯過了，這才決定快馬加鞭，趕到北京來！想和你們大家，研究一個救人的方案！但是，萬一我錯了，那個人不是爾康，希望你們不要太失望！』

『是爾康！是爾康！一定是爾康！』紫薇激動得一塌糊塗，抓住福晉的手，搖著：『額娘啊！妳現在信我了吧？爾康沒有死，我說了幾百遍，都沒有人相信我！』忽然看簫劍，問：『那個緬甸皇宮，是不是有一個名字叫「阿瓦」？』

『阿瓦？』簫劍一怔：『那是三江城的緬甸名字！妳怎麼知道？』

紫薇眼中立即充淚了，震懾的說：

『我說了你們也不會相信，是爾康在夢裡告訴我的！』

大家全部看著紫薇，此時，沒有人不信她了，個個臉上，都帶著敬畏的神情。

半晌，小燕子才興奮的嚷：

『我們趕快準備一下，帶一隊兵，打到緬甸去！救出爾康！』

永琪也積極起來，說：

『我得回宮去，把這件事稟告皇阿瑪！恐怕和緬甸的戰爭，又要開始了！』

『五阿哥不要急，這事要徹底想一想！』福倫在震動驚喜之餘，還保持著理智，分析的說：『帶兵到緬甸，要打到他們的都城去救人，恐怕不是這麼容易！只要我們這兒一發兵，緬甸就會得到消息，爾康在他們手裡，他們會殺爾康來洩恨！』

『伯父說的很對！』簫劍點頭：『我覺得，最好派一隊大內高手，認得爾康的人，大家喬裝打扮成緬甸人，混進三江城，想辦法進宮救人！不管怎樣，我們要好好的計畫一下！』

『但是，我們這樣研究計畫，再路遠迢迢的趕到緬甸，要浪費多少時間？他會不會在這個時間裡遇害呢？』紫薇好著急，恨不得插翅飛到緬甸去。

『他不會遇害，因爲……』簫劍看著紫薇，噤住了。

『因爲什麼？因爲什麼？』大家七嘴八舌的急急追問。

『因爲……那個八公主喜歡他，要逼他結婚！整個三江城，都在傳說婚禮的事！他們不久就要結婚了！』

紫薇一震，雖然聽到有個『八公主』，心裡已經有數，仍然震動已極的呆住了。

大家都驚怔著，室內有片刻的寧靜。

忽然，紫薇打了個寒顫，緊張的問：

『如果……爾康認死扣，誓守他和我之間的諾言，抵死不從呢？』

大家被紫薇一句話提醒了，人人心懷恐懼。紫薇和爾康的故事，是大家都深知的，他們那『山無稜，天地合，才敢與君絕！』的誓言，人人會背。爾康在這一點上，是認死扣的，他確實可能寧死不屈！

『你們繼續討論，我要去做一件很傻的事！』紫薇說，就匆匆跑進房去。

紫薇進了房間，就急急忙忙的點蠟燭。房裡，到處都是燭台，她把所有的蠟燭都點燃，一面點蠟燭，一面虔誠的喃喃祝禱：

『爾康，希望我的思想，能夠一直傳到你的身邊。既然你的意志和靈魂，可以穿越生死和時空，好幾次跟我相會。那麼，我的呼喚和叮嚀，一定也能到達你的耳邊！請你再一次，穿過時空，來和我溝通……』

紫薇點燃了滿室的蠟燭，就走到窗前，打開窗子。對窗外喊：

『爾康……不管你在那裡，請你爲我活著！只要你活著，我什麼都可以容忍！我不在乎和別的女人分享你，我不要你誓守我們的諾言，我永遠瞭解你的心……請你爲我忍辱偷生，隨機應變！爾康……你聽到了嗎？』

室內，燭火熒熒，窗外，皓月當空。

紫薇等待著，四周靜悄悄，沒有任何人影出現。

紫薇虔誠默禱，再度對著天空，發出心靈深處的呼喚：

『爾康……不要灰心，不要放棄，請爲我活著！我很快就來了，等我，等我，等我……』

紫薇的聲音，穿透夜空，直入雲霄。

同一時間，爾康正在緬甸皇宮的宴會廳裡，『享受』著猛白和慕沙的『款待』。

緬甸樂隊在奏著節奏強烈的音樂，許多緬甸姑娘和青年，一男一女爲一組，正在熱熱鬧鬧的跳著緬甸熱舞。

慕沙、爾康、猛白、和許多賓客都坐在一張長桌子後面。桌上堆滿了山珍海味，宮女們還川流不息的上菜斟酒。舞蹈者就在桌前跳舞，極盡聲色之娛。

慕沙和爾康坐在一起，爾康臉上的刀傷已經淡了，精神也恢復很多，但是，神情寥落，強顏歡笑。慕沙卻是興高采烈的。

舞蹈者跳到慕沙和爾康面前，賣力的表演。賓客們掌聲、笑聲、喝采聲不斷。

慕沙忍不住拉著爾康的手，興致勃勃的說：

『我們去跳舞！』

『我不會跳舞！中國沒有這種舞蹈，男人也不和女人一起跳舞！』

『這不是中國！我跟你說了幾百遍，你是緬甸人，忘了你的中國吧！』慕沙喊。

『我不可能忘掉我是中國人，就像妳不可能忘掉妳是緬甸人一樣！』

『算了算了，忘不掉就忘不掉吧！』慕沙妥協的說，撒嬌的看他：『兩個月還沒期滿，說好的，這兩個月你都依我！我想跳舞，我們來跳舞！』

猛白看過來，對爾康大聲說：

『天馬！慕沙要你跳舞，你就起來跳舞！知道嗎？』

爾康臉色猛然一沉，對猛白惱怒的說：

『你少命令我！我又不是你的部下！』

『你那有資格當我的部下？你是我的俘虜！你懂得「俘虜」是什麼嗎？在緬甸，俘虜就是「奴隸」！』猛白吼著。

『那麼，你碰到了一個永不屈服的俘虜，永不會變成奴隸的俘虜！』爾康背脊一挺，義正辭嚴：『你們唱歌跳舞，威脅利誘都沒用，最好把我放了！』

猛白一拍桌子，跳了起來。

『混帳東西！你找死……』

慕沙也跳了起來，急喊：

『爹！你又來了！這是我的宴會，你不要破壞我的興致！』

『是我破壞妳的興致？還是這個「死馬」在破壞妳的興致？』猛白指著爾康怪叫：『妳看他那副要死不活的樣子，對妳這個宴會那有一點興趣？』

慕沙就仔細的看爾康。問：

『這樣的舞蹈，這樣的燈光，這樣的宴會……你真的一點興趣都沒有嗎？』

『如果我不是「俘虜」，或者我會有興趣！』

『你不要把我爹的話放在心上，你看看這個排場，那有一個「俘虜」會有這種享受？好吧！你不想跳舞，就不要跳舞，喝酒吧！』

慕沙倒了一杯酒，送到爾康唇邊。他退了退說：

『我拚命想恢復武功，我想，我最好不要喝酒！』

慕沙臉色一變，有些沉不住氣了，大聲說：

『我們的條件，你要不要遵守？如果你不遵守，我永遠不會放掉你！等到我對你失去耐心的時候，你就會終身在緬甸的苦牢裡度過，你最好想想清楚！不要太不給我面子！我親手給你斟酒，難道你還不喝？』

爾康只得勉爲其難的喝了那杯酒。心想，他怎麼會弄成這樣？現在武功全部消失，在這銅牆鐵壁裡，想要脫身，實在是難上加難！如果他還想回到北京，除了忍，還是忍！慕沙又把食物送到他唇邊，他只得吃下。舞者跳到他面前，鼓聲、音樂聲囂張的響著。

忽然間，在這強烈的音樂中，夾雜著一聲穿山越雲的呼喚：

『爾康……請你爲我活著……我很快就來了，等我等我等我……』

爾康陡然一震，立刻跳起身子。

『你要幹什麼？』慕沙一驚。

『妳聽到了嗎？』爾康急切的問。

『聽到什麼？』慕沙莫名其妙。

『紫薇！是紫薇的聲音……』

爾康轉身，急急衝出了大廳。慕沙趕緊跳起身子，跟著跑了出去。

爾康衝到花園裡，仰首向天，四面找尋。緬甸皇宮巍峨聳立，四周是暖暖的風，靜靜的夜，那兒有紫薇的聲音？那兒有紫薇的影子？但是，剛剛那聲呼喚，如此清晰，好像就在耳邊。

『紫薇！紫薇！妳的靈魂也會離開身體，到這兒來嗎？』他喃喃自語。

慕沙追了過來，不可思議的看著他。生氣的喊：

『你是瘋子嗎？好好的舞蹈不看，跑到花園裡來鬼叫些什麼？』

爾康再看，但見樹影參差，園中豎立著許多石雕，有的是大象，有的是飛鳥，還有許多神話人物，暗影幢幢中，絕對沒有紫薇！人家說，日有所思，夜有所夢，他已經隨時隨地，耳有所聞，眼有所見。大概，他快要瘋了！他悽然一嘆，抬眼看慕沙，這個陪伴他度過生死的女子，現在是他唯一可以傾訴的對象。他就『傾訴』起來：

『慕沙，妳一定不會相信，我常常看到紫薇，有時，我會夢到和她在一起，我會聽到她的聲音。明知這是不可能的，我還是會覺得像眞的一樣！有一次，我看到她在幽幽谷，從懸崖上跳下去，我來不及去救她，嚇得魂飛魄散，可是，有許多蝴蝶飛去救她……大概是含香的蝴蝶，讓我有這樣瘋狂的幻想吧！說不定，是你們所謂的靈魂在救她吧！我還看到她拒絕東兒，讓我難過極了，我責備她，想盡辦法要喚醒她……』他用手抹了抹臉。『我想，我眞的瘋了，我被困在這兒，什麼都不能做，只能胡思亂想！慕沙，我知道妳眞心的喜歡我，在我心底，也被妳這種喜歡深深感動著，但是，我現在已經有點瘋，等到我完全瘋了，我對妳還有什麼意義？』

慕沙深深的看著他。

『你在說些什麼，我沒有完全聽明白！但是，我知道，你一直在想你的紫薇，我答應過你的話，我不會賴！走吧，我們回到大廳去，把酒席吃完！到了七月十四日，你還是爲你的紫薇這樣瘋瘋癲癲，我一定放掉你！』

爾康無奈的點頭，只得跟著慕沙回到大廳去。大廳中依舊熱鬧非凡，他們回到座位。慕沙笑著為爾康斟酒，他舉起杯子，一飲而盡。眼前，是緬甸舞孃扭動的身子。耳邊，是慕沙討好的笑聲。算了，今朝有酒今朝醉，醉裡是另一種乾坤，那個乾坤裡，說不定有紫薇！他酒到杯乾，來者不拒，終於大醉。

深夜的時候，喝得大醉的爾康被蘭花桂花架進臥房來。慕沙也帶著酒意，跟在後面。爾康醉醺醺的唱著歌：

『當山峰沒有稜角的時候，當河水不再流，當時間停住，日夜不分，當天地萬物，化為虛有，我還是不能和你分手，不能和你分手……』

宮女們把爾康放上床，為他脫掉鞋子，外衣等。

『好渴……』爾康掙扎著，要下床找水喝。

慕沙拿了一杯水和一包藥粉過來，笑著說：

『讓我來服侍你！這兒有水……順便把這包銀硃粉吃了！要不然，等會兒又會發抖抽筋！』

宮女們扶起爾康，慕沙就給他吃藥喝水。

爾康吃完藥，喝了水，撐持著坐在床上，醉醺醺的看著慕沙笑。

『妳知道嗎？中國有兩句詩寫得很好！「醉臥沙場君莫笑，古來征戰幾人回」？這正是我的寫照！妳知道紫薇是個才女，對中國的詩詞，都能倒背如流……她現在會背什麼詩？「上窮碧落下黃泉，兩處茫茫皆不見」嗎？』

『好了好了，別談你的紫薇，我聽都聽得煩死了！如果你那麼想紫薇，就把我當成你的紫薇吧，我不在乎！』

慕沙對兩個宮女揮揮手，宮女識相的退出了房間。她緋紅著臉，開始寬衣解帶。她喝了很多酒，已經半醉了。

『來，我是你的紫薇！你在中國叫什麼名字？到了這種時刻，她會怎麼做？』她低聲問，褪去衣服，半裸著，眼光如醉的看著他。

爾康坐在床上，醉眼看慕沙，慕沙巧笑倩兮的臉孔，像水霧中的影子，搖曳著，重疊著，變幻著。無數紫薇的臉孔蓋了過來，紫薇的笑，紫薇的淚，紫薇的深情凝視，紫薇的殷勤囑咐……一張張紫薇的臉孔，取代了慕沙的臉。爾康驚疑的看著，不相信的問：

『紫薇……紫薇？』他伸手去勾慕沙的脖子：『是妳嗎？是嗎？』他渴求的低語：『我又陷在這樣瘋狂的夢裡了！怎麼辦？紫薇……』

紫薇的臉孔，柔情萬縷的，醉意醺然的說：

『是！我是紫薇……我是紫薇……你的紫薇……』

『我不相信啊……紫薇……』

爾康昏亂的、狂喜的、熱烈的吻住紫薇，實際上是吻住了慕沙。慕沙緊緊的環抱住他的腰，炙熱的反應著他那渴切的吻。

紫薇，想妳，愛妳，思念妳！多久沒有擁抱過妳？百年，千年，幾萬年？紫薇，抱緊我，再抱緊我……他忽然覺得有些不對勁，那不是紫薇的唇，不是紫薇的手臂，不是紫薇的纏綿……他猛然一睜眼。他看到的，是另外一張臉孔！他大震，酒醒了一半，推開慕沙，直跳起來，驚喊出聲：

『妳不是紫薇！妳是慕沙！』

慕沙睜大眼睛，凝視著他。甜甜的笑著說：

『我不在乎當你的紫薇……』

爾康跳下床，踉蹌著、跌跌撞撞的退開。喊著：

『我在乎！請妳趕快離開這兒，不要讓我把妳當成紫薇的替身，那樣，是對紫薇的不公平，是對我的不公平，也是對妳的不公平！離開我！』

慕沙逼近他，再用手去勾他的脖子。柔聲說：

『我這樣低聲下氣，連冒充的事都幹了，你還是不要我嗎？』

爾康退到牆邊，已經退無可退，他用力把她的手腕拉了下來。

『請妳不要這樣！在我心裡，紫薇真的無可取代，她沒有替身，她是唯一的！我即使醉得胡裡胡塗，吃藥吃得昏昏沉沉，眼前全是幻影……但是，只要一接觸，她的一切，仍然清晰明瞭，她是任何人都冒充不了的！慕沙，請妳原諒我！』

慕沙放開了他，眼裡的柔情，逐漸被怒火所取代。她這樣被拒，實在太沒面子了。越想越氣，頓時怒發如狂，大喊：

『你這匹死馬！病馬！醉馬！瘋馬！你氣死我了！如果我得不到你，我也不會讓那個紫薇得到你！你走著瞧！』

慕沙匆匆忙忙，穿上衣服，揚聲大喊：

『來人呀！來人呀！』

侍衛乒乒乓乓的衝了進來。慕沙指著爾康命令著：

『給我把他關到地牢裡去！』

侍衛們衝上前來，七手八腳來抓他。爾康掄拳就打，架式不錯，苦於失去武功，雖然拚死力戰，仍然幾下子就被制伏了。侍衛們就拖著他出門去。

從天堂到地獄，其實只有幾步路。

厚重的牢門一開，爾康被丟進去。他的身子，從一段陡峭的石階上，一路滾落下去，跌落在一堆軟軟的東西上，那些東西吱吱叫著，四散奔開。他定睛一看，居然是許多老鼠。他趕緊站起身來，只見四周陰森森，暗沉沉。牆上，有著鐵鍊和刑具。牆角，插著一支火把，是地牢裡唯一的光源。

侍衛衝過來推他打他，用緬甸話，吼著罵著。這時，猛白帶著侍衛隊，拿著火把，大步走了進來。叫著說：

『哈！慕沙總算想通了，把你關到這裡來！看樣子，宴會歌舞和皇宮，你都配不上，你只配住地牢！你這匹死馬，又臭又硬，如果你再不知好歹，今天你的死期就到了！』對侍衛喊：『把他用鐵鍊綁起來！』

幾個侍衛，就拉起爾康。爾康雖然拚命抵抗，仍然徒勞無功，終於雙手高舉，被綁在牆上的鐵鍊上。

『給我一根鞭子！』猛白喊。

侍衛遞來一根長長的鞭子。

猛白拿著鞭子，惡狠狠的看著爾康，大聲的問：

『下個月的燈火節，你到底要不要娶慕沙？』

爾康高高的抬著頭，悲憤而堅決的說：

『頭可斷，血可流，志不可移！』

『聽不懂！再講一次！』

『不要！』爾康吼了出來。

叭的一聲，鞭子用力的抽在爾康身上，立刻帶起一片衣服的碎片。他的身子一挺，咬牙忍著。

『再問一次，你要不要娶慕沙？如果不要，我就活活把你打死！』

『你們是怎麼一回事？』爾康悲憤的喊：『你也是一個堂堂緬甸王，慕沙是一位緬甸公主，那裡有「威逼成親」這種事？你們是佛教徒，佛教是不殺生的，你們卻如此殘暴，不怕遭到天譴嗎？你們……』

爾康話沒說完，猛白手裡的鞭子，一陣劈哩叭啦，抽得他眼冒金星。他身上的衣服，抽成碎片，片片飛去。鞭子在皮膚上留下道道血痕，他痛得七葷八素，額上冒出汗珠。

這時，慕沙匆匆進來。看到這樣，就急忙喊：

『爹，讓我來問他！』就盯著爾康問：『有溫暖的房間，有舒服的床，還有漂亮的丫頭侍候著，那麼好的日子你不過，一定要吃這種苦，你有病嗎？』

爾康渾身都痛，心也痛，到了這種時候，豁出去了。慘然大笑，說：

『是！我有病，住那樣的房子，睡那樣的床，我卻付不起房租！』

『難道，我把你辛辛苦苦的救活，你也沒有一點感動嗎？』慕沙困惑的問。

『我很感動，也很感激。但是……我不能因此而做違背良心的事！』

『不要跟他囉嗦了，我來教訓他！』猛白推開慕沙。

猛白的鞭子，又一陣劈哩叭啦的猛抽。鞭鞭有力，毫不留情，打得爾康的身子不斷抽動，胸前背上，到處血痕斑斑。他咬牙忍著，不哼也不叫，猛白越打越氣。

『你要不要結婚？要不要？要不要？』他一面問，一面狠狠的抽著。

『不要！不要！不要！不要……』爾康喊著。

『拿一桶鹽水來！』猛白大喊。

一個侍衛，拿了一桶鹽水過來。對著爾康一潑。什麼叫作『痛』，他這才領教了。那些傷口，一接觸到鹽水，立刻痛入骨髓。就算他是鐵漢，這時也忍不住了，發出一聲慘叫：

『啊……慕沙，這種談婚事的方法，實在慘無人道！』

慕沙看著，臉上浮起不忍之色。

『你服了嗎？要不要準時結婚？你說！』猛白再問。

『如果我「屈打成親」，我活著，無法見紫薇於人間，死了，無法見紫薇於天上！對不起，我就是做不到！』

猛白大怒，劈哩叭啦，又是一陣猛抽。爾康身上皮開肉綻，臉上也挨了兩下。

『爹！』慕沙急呼：『不要打在臉上，臉打花了，又要耽誤婚期了！』

猛白停下鞭子，氣喘吁吁的，回頭瞪著慕沙，不可思議的問：

『妳還沒對這小子死心嗎？人家不要妳呀！打死了都不要妳呀！』

慕沙臉一紅，實在有氣。咬牙說：

『不用打了！只要不給他吃銀硃粉，看他能夠撐幾天！爹，咱們走！讓他死在這裡！』對侍衛喊：

『放他下來，不要給他東西吃！』

侍衛放下鐵鍊，一陣『欽欽哐哐』，爾康站立不住，癱倒在地。

慕沙對他恨恨的說：

『我明天再來看你！希望你明天還活著！』

父女二人，再也不看他，兩人轉身大步而去，牢門重重的拉了起來。

爾康渾身都是血痕，蜷縮著身子，痛楚的呻吟著。陪伴著他的，是無邊的黑暗，無盡的思念，還有那些四竄的老鼠。此時此刻，他心裡竟然浮起小燕子的詩句：『走進一間房，四面都是牆，抬頭見老鼠，低頭見蟑螂！』他苦澀的笑了。小燕子，妳的詩毫無詩意，卻這麼寫實！想到小燕子，種種往事，如在目前。唉！紫薇、東兒、小燕子、永琪、簫劍、晴兒、阿瑪、額娘、皇阿瑪……你們都在做什麼呢？今生今世，還能再見嗎？

50

爾康完全沒有想到，他『活著』的『喜訊』，已經被簫劍傳回了北京，讓整個學士府歡喜如狂。他也不知道，在他和老鼠爲伴的此夜，紫薇、小燕子、永琪、簫劍、福倫、福晉等人，都徹夜不眠，討論又討論，該怎樣去營救他。

當黎明染白了窗子，永琪看看窗外，站起身來，積極的說：

『天都亮了，事不宜遲，我先回宮，把整個事情稟告皇阿瑪，研究一下該帶那些人去營救爾康？』他轉頭看著小燕子說：『小燕子，在這個節骨眼，我們就不要鬧彆扭了，跟我一起回去吧！』

小燕子一聽，心裡的委屈，又排山倒海般的湧來。她立即從爾康的喜訊上，跌回到自己的悲劇裡，臉色僵住了。

『我不回去！我要留在這兒，我還有好多話，要告訴我哥！』她看著簫劍，眼圈脹紅了，說：『哥！永琪他欺侮我，知畫現在生了兒子，比我神氣一百倍！她是正福晉，我是側福晉……永琪還處處偏袒她，所以，我已經和永琪一刀兩斷了！』

簫劍聽了，心中猛的一抽。這麼久以來，壓下內心的深仇大恨，只爲了成全小燕子的婚姻，如果落得這樣下場，所有的犧牲和忍耐，都成了虛話！他震驚而心痛，盯著永琪問：

『是嗎？』

『簫劍，你不要誤會，』永琪尷尬的回答：『我和知畫的事，你也瞭解，當初是多少無可奈何堆砌出來的……我承認我有錯，千不該萬不該，就是不該讓知畫懷孕！小燕子確實受了許多委屈，可是，我也有很多委屈……』

紫薇實在忍不住了，站起身，阻止的喊：

『小燕子，事有輕重緩急，妳和永琪的戰爭，能不能暫時停止？現在，我們不能再分裂了，我們要團結一致，去緬甸救爾康！越早動身越好，沒有時間再耽誤了！我恨不得飛到緬甸去，你們還在這兒談知畫……皇天菩薩啊！』

『紫薇說得對，大家趕快進宮吧！我跟你們一起去面見皇上！這趟遠行，我說什麼都要一起去！』福倫接口說。

『老爺……你要親自去嗎？那……我可不可以也去？』福晉跟著問。

『伯父，伯母，你們還是在北京等消息吧！』簫劍急忙說：『無論如何，我並沒有確實的證據，說那個人就是爾康！說不定，大家白忙一場！我看，連紫薇和小燕子，都不要去，我們要快馬加鞭，連夜趕路，男人比較好辦事！』

紫薇堅決的，激動的嚷：

『我是一定要去的，不管找不找得到爾康，我非去不可！你們沒有任何辦法阻止我！我也可以快馬加鞭，連夜趕路！我現在騎馬騎得不錯，我心裡這麼急，說不定跑得比你們都快！』

『我也一定要去的，我和紫薇作伴，我好歹也有一些武功，可以保護紫薇！』小燕子也激動的嚷：

『而且，救了爾康以後，我和哥就可以留在大理，不用再回北京了！』

不用再回北京了？這是什麼話？永琪震動的看小燕子。

『妳還是沒有原諒我？』

紫薇跳起身子，站在兩個人中間。急促的說：

『不許吵！不許吵！永琪，我們一起去找爾康，在這一路上，你有的是機會和時間，向小燕子證明你的心！現在，我們把全部的力量，都集中在救爾康的行動上吧！』

小燕子聽紫薇說得有理，不禁沉默了。簫劍看來看去，見永琪的眼光，一直帶著求恕和深情，默默的看著小燕子。他憑本能，知道小燕子和永琪之間，不是決裂，而是小倆口在鬧彆扭。與其沒弄清楚眞相來過問，不如先裝聾作啞。何況，他還有一件重大的心事要解決……他走到小燕子面前，用渴盼的眼神，看著她，說：

『小燕子，妳先跟永琪回宮，不許吵架了！我還有事，需要妳幫忙……不管妳用什麼方法，妳要讓我跟晴兒見一面！』

小燕子、紫薇同時驚悟，大家都只想到自己，誰都沒有想到晴兒！

『晴兒！我被爾康的事弄得太激動了，都忘了晴兒！』小燕子喊。

『小燕子，阿瑪，永琪……我們一起進宮吧！』紫薇說：『一路上，再研究一下，怎麼跟皇阿瑪說！簫劍是不能洩露行藏的，我們又沒證據說爾康活著，永琪現在身分不同，每天參與國家大事，不知道皇阿瑪會不會答應永琪跟我們一起走？至於晴兒……』她看著簫劍，承諾著：『我負責親自把她接到學士府來！你等我的消息！』她看了自己一下，她身上，還穿著白衣：『我得去換件衣服，我不要再爲爾康穿素衣了！』她匆匆跑進房去換衣服了。

於是，一清早，福倫就帶著永琪、小燕子、紫薇趕到乾清宮，在書房中見到了乾隆。

『臣福倫叩見皇上，有緊急的事和皇上談！』

乾隆看到他們幾個一起來，十分納悶。

『發生什麼事情了？』

『皇阿瑪！』紫薇向前一步，急急說：『我們剛剛得到一個消息，爾康說不定沒有死，他被緬甸王猛白俘虜，帶到緬甸去了！』

乾隆大震，一驚而起。

『你們怎麼知道？誰說的？』

他們早已研究過這個問題的答案，永琪馬上回答：

『當初，我們和猛白作戰的時候，曾經請一個「百夷人」當軍師，幫了我們很大的忙，是這個百夷人帶來的消息！』

『百夷人！』乾隆立刻想了起來：『朕聽傅恆說過這個人，據說是個奇人，功夫第一流，智慧也第一流，是個智勇雙全的人物！』

『是！』永琪點頭：『就是他帶來了這項消息，是不是事實，還不知道！我現在非常著急，大家商量了一下，不能爲了一個沒有證實的消息，對猛白交兵。紫薇堅持要親自去緬甸找尋爾康，小燕子堅持和紫薇一起去！我是識途老馬，當然義不容辭！我想帶二十個大內高手同行，一起潛入緬甸！因爲，只有大內高手，認識爾康！』

乾隆震驚的看著眾人，皺眉說：

『永琪，你現在是榮親王，也是朕最大的幫手，你去了，誰來幫我？小燕子貴爲福晉，也不方便拋頭露面，紫薇是格格，千里迢迢去緬甸……這事，實在不妥！』

小燕子一聽，大急，往前一衝，嚷著：

『什麼福晉不福晉，知畫才是福晉，我什麼都不是！我沒有什麼高貴，也沒有什麼不方便，我要去緬甸救爾康，皇阿瑪可以不在乎爾康，但是，我們不能不在乎！我一定要去救爾康！』

乾隆被小燕子一陣搶白，氣不打一處來。瞪著小燕子，大聲說：

『妳這是什麼態度？誰說朕不在乎爾康，爾康是我的半子，是紫薇的丈夫，是朕最寵愛的臣子，朕當然在乎他！聽到他可能還活著，朕也很興奮。但是，事情總要弄清楚，派人去救他可以，你們幾個不許去！那有皇室女眷，溜到緬甸去的道理？萬一事機不密，被活捉了，兩國不想交兵也得交兵，那才是朕的大問題！不許去！』

紫薇對著乾隆，就噗通一跪。悲聲的喊：

『皇阿瑪！不管您許不許，我是一定要去的！得到爾康可能還活著的消息，我已經欣喜如狂，恨不得立刻飛到緬甸去。我一定不會洩露自己的身分，不會引起兩國交兵，如果被捉，我就自尋了斷！假若您不許我去，我溜也要溜去，逃也要逃去！我非去不可！』

『我也是我也是！非去不可！』小燕子接口。

『皇阿瑪！我向您保證，我會非常小心，我們打扮成商人，就像以前浪跡天涯一樣！請皇阿瑪答應我們，時間已經非常緊急，多耽擱一天，爾康就多一天的危險，我帶高遠高達他們去！有大內高手保護，我們怎麼會被活捉呢？』永琪懇求著。

福倫急忙往前一步。拱手喊著：

『皇上！如果您擔心五阿哥他們的安全，那麼，讓臣潛入緬甸去救爾康，把高遠高達派給臣！』

『阿瑪最近身子不好，常常犯頭暈，不能長途跋涉！何況額娘和東兒，也需要阿瑪留在家裡照顧……皇阿瑪，您不要猶豫了，讓我們去吧！』紫薇再懇求。

乾隆皺著眉頭深思著，越想越可疑，忽然說：

『這事聽起來很奇怪！爾康已經葬了，隔了好幾個月，忽然有人來，說是可能沒死，要驚動朕的兒女，路遠迢迢的去緬甸冒險，恐怕其中有詐！』頭一抬，大聲吩咐：『福倫，趕緊把「百夷人」傳來，讓朕親自盤問一下！』

乾隆這話一出口，大家全部變色。

『你要見百夷人？』小燕子衝口而出。

『是！朕要見見這位「奇人」！』

『他……他早就走了！』小燕子又衝口而出。

『走了？』乾隆驚愕的瞪大了眼睛。

『是呀！走了！他來報信，報完信，他就走了！』

乾隆狐疑的看著大家，不解的問：

『你們也不仔細盤問一下，就把他放走了？然後集體要去緬甸找爾康？朕越聽越奇怪！你們不覺得奇怪嗎？這之間一定有問題！』

福倫好著急。悲聲喊：

『皇上！不管怎樣，臣父子情深，一定要弄個水落石出！』

『朕也要弄個水落石出！福倫，傳傅恆，朕要和傅恆談一談，你們關心則亂，沒有一個人有理智！如果爾康還活著，已經陷在緬甸這麼久，也不在乎這幾天，等到朕弄清楚了再說！』

『皇阿瑪！沒有時間讓您慢慢弄清楚，我等不及了，要馬上動身！』紫薇嚷著。

『我們在這兒耽誤時間，爾康說不定正在水深火熱裡！』小燕子嚷著。

『皇阿瑪，不要猶豫了，』永琪也嚷著：『我保證沒有問題，不會有詐！我會非常小心的保護大家，讓這次的行動，完滿達成！如果能夠營救爾康，也等於是我的再生！皇阿瑪，你不瞭解，爾康的死，不止帶走了紫薇一部份的生命，也帶走了我一部份的生命！這次的營救行動，對我們大家，都太重要了……』

大家你一言，我一語，個個激動萬分。乾隆一拍桌子，正色的說：

『都不要說了，永琪，萬一這是緬甸設下的圈套，你也要帶著紫薇和小燕子，去緬甸送死嗎？你是朕最重視的阿哥，身分多麼重要，朕不許你冒險！你們先下去，讓朕和傅恆談過了再說！』

大家面面相覷，知道乾隆疑心大起，怎麼都聽不進去，顯然請旨救人這條路走不通了。彼此交換了眼神，大家就請安告退。

離開了乾清宮，大家都向景陽宮走去。個個神色凝重。

『怎麼辦嘛！皇阿瑪一個字都不相信！除非我們變一個百夷人出來！』

『噓！進去再說！』

小鄧子、小卓子迎了出來，看到小燕子回來了，發出喜悅的驚喊：

『五阿哥，你把兩位格格和福大人都請來了！小鄧子叩見五阿哥，紫薇格格，還珠格格和福大人！』

『謝天謝地。天靈靈，地靈靈……看到兩位格格在一起，五阿哥也在一起，小鄧子打心裡歡喜啊！』

大家就在小鄧子、小卓子簇擁下進房。明月、彩霞喜悅的迎過來，忙著端椅子，倒茶倒水。兩個宮女就急忙問：

『哎呀！兩位格格，這麼早，吃過早飯了嗎？』

『一定還沒吃過，我去準備點心。』

紫薇一把拉住彩霞。說：

『妳不要準備點心了，趕快去慈寧宮，告訴晴格格，我進宮了，讓她馬上到這兒來！要緊要緊！』

『我馬上去！』彩霞說著，就奔出門外。

這時，知畫聽到聲音，急匆匆的帶著珍兒、翠兒迎了出來。看到福倫和紫薇都來了，不禁一呆。趕緊招呼著：

『福大人好！紫薇姐姐好！知畫給你們請安啦！』就請下安去。

『福晉不要客氣！是我該給福晉請安！』福倫趕緊還禮。

『說那兒話？福大人太見外了！』知畫就祈求似的看向永琪，說：『把姐姐接回來就好了，你也不生氣了吧？家和萬事興，是不是？』

永琪瞪了知畫一眼，眼神是冷漠的。

『妳知道「家和萬事興」就好了！』他冷冰冰的說。

知畫被永琪的冷漠打倒了，心裡一怨，就再也沉不住氣了。她笑看小燕子，語氣立刻尖銳起來：

『知畫給姐姐請安！我以爲姐姐永遠不回來了！正想稟告老佛爺，用八人大轎，去抬姐姐呢！』

永琪一聽，不禁怒視知畫。大家都在緊張時刻，那裡有心思理知畫，小燕子的心，被救爾康的事佔據著，正在心煩意亂，見到知畫，已經一肚子氣。再聽知畫說話尖酸，夾槍帶棒，更氣。忍不住眼睛一瞪，嚷著說：

『妳巴不得我永遠不要回來吧！我偏偏回來了，怎樣？』

『我那敢怎麼樣？』知畫微笑起來，從容的說：『姐姐愛走就走，愛回來就回來唄！反正姐姐不像我這麼忙，綿億見不到我就哭，弄得我那裡都不能去！』

小燕子果然大被刺激，瞪著知畫，尖聲說：

『我知道妳生了兒子，妳好了不起！妳好偉大！妳比我能幹！行了嗎？』

紫薇拉著小燕子，搖著她，喊：

『小燕子，我心裡好急，妳還在這兒吵架！』

『都是我不對！姐姐別生氣啦！』知畫急忙說，再看永琪，小心翼翼的：『永琪……我去把綿億抱出來，見見紫薇姑姑和福爺爺……』

永琪立刻把知畫一攔，沒好氣的說：

『不用了！我們很忙，沒時間抱孩子，不用獻寶了！』他回頭看著眾人：『伯父，紫薇，小燕子，我們到書房去談！』他再瞪著知畫，嚴厲的說：『知畫！我們有大事要商量，妳待在妳的房裡就好！告訴妳那幾個奴才，不許偷聽，不許偷看，誰要去老佛爺那兒打小報告，我就板子侍候！』

永琪聲色俱厲，這『大事』顯然把她排除在外。知畫大受打擊，聲音顫抖著：

『永琪……你居然這樣對我？』

『是！我已經認清楚妳了，希望妳也認清楚自己！』永琪正視著她，眼裡沒有絲毫感情。

知畫被這樣的眼光，這樣的語氣徹底打倒了，她退了一步，倉皇失色。

這時，晴兒和彩霞匆匆跑進。晴兒看著大家，喘息的喊著：

『紫薇！小燕子！伯父……』

紫薇急忙拉住她，興奮的說：

『走！我們去書房談！』

紫薇拉著晴兒衝進書房，永琪帶著福倫、小燕子也急急走進去。書房的房門，立刻『砰』的一聲闔上了。永琪再走到窗前去，把每一扇窗子都關上。

紫薇看看房門窗子都關緊了，就拉著晴兒的手，急急的說：

『晴兒，有個人來北京了，現在正在我家，等著要見妳！』

晴兒的呼吸立刻急促起來，屏息問：

『是誰？』

小燕子奔了過來，興奮的看著晴兒，低喊著說：

『還有誰？百夷人呀！』

『他來了？』晴兒的心狂跳，眼睛閃亮：『眞的？他現在在學士府？』

小燕子和紫薇都拚命點頭。晴兒的手，壓在胸口，好像那顆心就快跳出來了。她睜大眼睛，開始語無倫次：

『他？他怎麼來了？那……我……我要怎麼辦？我……我……』

『我等下就去慈寧宮，親自跟老佛爺說，就說我要接妳去學士府陪陪我！』

『那麼，就趕快去吧！馬上就去吧！』晴兒一把拉住紫薇，此時此刻，連害羞也不見了，發過的重誓也忘了，她迫切的，急促的喊著。

『不忙，我們還有大事要商量！』紫薇說，也語無倫次：『都是那個偉大的「百夷人」！他帶了一個消息來……我們要去雲南，不是雲南，是緬甸，但是，皇阿瑪不許我們去，我們得研究一個辦法……

晴兒，妳知道嗎？爾康沒有死！』

紫薇說得亂七八糟，資訊一下子太多，晴兒簡直無法接受，睜大眼睛看著眾人。

『爾康沒有死？怎麼會？我們不是把他葬了嗎？』

『我們葬錯了人！』小燕子喊：『原來這麼久以來，我哥都待在緬甸的三江城，在那兒找尋爾康！他真是天下最好的人，真是最有俠義心腸的人，真是最好的哥哥呀！』

永琪急忙打岔：

『好了好了，這個經過慢慢說吧！先研究目前要怎麼辦？』

『五阿哥！』福倫已經深思過了，說：『皇上說得對，你地位尊貴，不能隨便冒險！這件事，就由我們學士府來辦吧！我馬上回去，調集我的親信，帶著紫薇和百夷人，我們不等皇上了，立刻出發！我們的人手，當然沒有大內高手的武功，可是，也是數一數二的好手，又都認得爾康！五阿哥和還珠格格，就留在宮裡等消息吧！』

小燕子衝了過來，激動的嚷著：

『我一定、一定、一定要去！你們誰也攔不住我！紫薇，我和妳結拜的時候，就發過誓的，有福同享，有難同當！連星星月亮蟋蟀蒼蠅螞蟻都聽到過我的誓言，我無論如何都要陪妳去！』她抬頭看著永琪：『你留在宮裡當榮親王吧，我不當福晉，也不當還珠格格了！』

『你們都聽我說！』永琪臉色一正：『大家行動一致！你們去，我也去！就是紫薇在皇阿瑪面前說的那句話，皇阿瑪允許，我們名正言順的去！皇阿瑪不許，我們溜也要溜去，逃也要逃去！反正我們去定了！』他看著福倫和紫薇，義無反顧，堅定不移的：『伯父，紫薇，你們帶著晴兒，先回學士府去！你們去準備車車馬馬和行李，我去找高遠高達他們，能帶多少人，我就帶多少人！明晚在學士府集合，先開一個救人會議，不見不散！』

紫薇又是激動，又是緊張，又是感動。對永琪喊著：

『永琪！你也是天下最好的人，最有俠義心腸的人，你也是天下最好的哥哥啊！我知道，在理智上，我不該違背皇阿瑪的命令，拖著你同行，但是，我現在什麼理智都沒有了！你武功好，那些大內高手，又聽你的話，我們需要你！』

『我聽得糊裡糊塗……』晴兒跟著緊張。『你們要集體去緬甸救爾康嗎？如果皇上不允許，你們就準備不告而別嗎？』

『正是這樣！』永琪堅定的說。

小燕子就一把拉住晴兒的手，懇切的說：

『妳也加入一個！跟我們一起走！我哥已經老大不小，妳也不再年輕，還有多少年可以耽誤？如果妳愛我哥，就再也不要離開他！這是一個機會，我們再來一次浪跡天涯吧！』

晴兒震動的看著小燕子，狂跳的心已如萬馬奔騰，直奔向簫劍的身邊。這個深宮，怎鎖得住如此不羈的心？

一個時辰以後，晴兒已經到了學士府，在紫薇的房間裡，她終於見到她魂牽夢縈的簫劍！當房門一開，她乍見簫劍那一剎那，她的思想就全部停頓了，她痴痴的站在那兒，整個人都傻住了。簫劍也目不轉睛的盯著她，也是一動也不動。

紫薇看看兩人，眼中漾著淚。說：

『你們一定有千言萬語要說，你們就慢慢的說吧！我去和阿瑪額娘，準備行裝，討論細節！吃飯的時候，再來叫你們！』說完，就匆匆的轉身出門去，關上了房門。

門裡，剩下了簫劍和晴兒，兩人痴痴對看。半晌，簫劍大步一邁，衝上前來，把晴兒緊緊的、緊緊的抱在懷中。一疊連聲的低喊：

『晴兒！晴兒！晴兒！晴兒！晴兒……』

晴兒的淚，隨著簫劍的聲聲呼喚，奪眶而出。她啜泣著說：

『沒想到今生還能見到你，沒想到還能靠在你懷裡，聽你喊我的名字……』

晴兒話沒說完，簫劍一俯頭，炙熱的吻住了她。兩人緊緊的擁吻著，吻得纏綿悱惻，蕩氣迴腸。

一吻既終，簫劍抬頭看她，只見晶瑩的淚珠，掛在她的臉頰上。他心中一痛，握住她的雙手，深深的凝視她。

『認識妳以來，這好像是我們的慣例，必須熬過許多朝思暮想的日子，才能見上一面，讓我每次見到妳，都有再世爲人的感覺。也讓我每次離開妳，都心驚膽戰！這種生活，我們難道沒有辦法解決嗎？』

晴兒痴痴的凝視他，答非所問的：

『你怎麼不去爲自己物色一個好女人？爲什麼還要等我？你怎麼不找一個雲南女孩，或者是百夷女孩？你……』

簫劍一聽，放開她，轉身就走到窗前去。晴兒看著他的背影，害怕了。

『怎麼啦？我……』她小小聲的問：『說錯話了？你生氣了？』

他驀然掉轉身子，看著她。

『生氣？當然生氣！好不容易才見一面，妳問我的，居然是這種莫名其妙的話！妳知道分開的這些日子，我是怎麼挨過來的？我有沒有一見面就問妳，怎麼不去嫁一位王爺，一位阿哥？』

晴兒奔過來，一把抱住他的腰，就痛悔的喊：

『我懂了，我明白了！簫劍啊……我不管了，遭天譴也好，應毒誓也好，遭報應也好，我什麼都不管了……現在，你已經脫離了老佛爺的追捕，既然大家都要去緬甸，我豁出去了！請你帶我一起走！我承認，沒有你的日子，對我而言，每一天都是苦刑，我不要再過那種日子……我承認，沒有你，我簡直活不下去！』

簫劍喜極的呼出一口氣來，聽著晴兒這樣坦白的招供，他感動至深，虔誠的說：

『是！我們好好的計畫……這次的行動，不止要救爾康，救紫薇，還要救妳，救我，說不定還要救永琪和小燕子！』

晴兒深深點頭，兩人再度緊擁著。

援救行動，馬不停蹄的展開，景陽宮裡，一種前所未有的緊張氣息，在悄悄的彌漫著。知畫的每根神經都緊繃著，覺得所有的事都不對勁。

晴兒從學士府回宮，立刻收拾了一些行李和細軟，來到景陽宮，進了小燕子的房間，把一個包袱交給小燕子。

『這是我的行李，我只帶了幾件便裝，那些宮裡的服裝，大概出了門都穿不著，我就不帶了！永琪呢？』

『還在和高遠高達他們商量。要大家違旨出門，每個人都有顧忌，也不知道能夠招集到多少人？』小燕子盯著晴兒。『我哥怎麼說？』

『他說，三天之內，一定要出發！或者，我不應該在這個救人的節骨眼裡，參加一份，我好怕我會拖累大家！老佛爺發現我失蹤了，一定會把一切都全盤托出，會不會又引起一場追捕行動呢？』

『不管了！豁出去了！每天都顧忌這個，顧忌那個，什麼事都做不了！就算老佛爺要追捕，皇阿瑪也會考慮到我們大家，是爲救爾康而行動的，對我們睜一隻眼，閉一隻眼吧！』

兩位格格在門裡密談，門外的知畫，用耳朵貼著門，緊張的聽著，滿臉驚疑之色。忽然外面一陣門響，永琪大步走來。知畫一驚，趕緊繞到屋後的窗外去，在那兒，早有桂嬤嬤戳破窗紙，留下的小洞，她就隱身在走廊的柱子後面偷看。

『格格在那兒？』永琪問彩霞。

『在房裡和晴格格說話！』

永琪推開臥室的門，急步走了進去。晴兒和小燕子，一驚抬頭。

『怎樣怎樣？』小燕子急忙問。

『我招募了二十個人，大家聽說要去救爾康，個個摩拳擦掌，搶著參加！什麼違旨不違旨的，誰也顧不著！已經約好了，明天傍晚，大家在學士府集合！先開一個準備會議，三天之後，一早就出發！』

小燕子和晴兒，喜悅的相對一視。晴兒就緊張的說：

『那麼……我趕快去慈寧宮，守著老佛爺，免得她起疑心！明天我再過來！』

小燕子和永琪點頭，晴兒就急匆匆的出門去了。

屋裡剩下永琪和小燕子。永琪就一步上前，握住她的手。正色的說：

『不要再跟我生氣了，我們現在救爾康要緊！如果一路上，妳都在生氣，我顧此失彼，還能專心救人嗎？讓我們帶著希望上路，不要帶著煩惱上路，好不好？』

『可是，我就是很難過呀！』小燕子眼圈一紅，委屈極了：『你看，今天一進門，知畫就夾槍帶棒，把我給損了一頓……我怎麼這樣沒出息，才說過不回來，又回來了！』她跺腳，臉色一板：『我跟你說清楚，我不是爲了你而回來的，我是爲了救爾康而回來的！我們兩個，還是橋歸橋，路歸路……』

永琪把她一抱，擁住她說：

『誰跟妳橋歸橋，路歸路？我們這條路上，偏偏就是橋多，一段路，一段橋，全都連在一起了，分也分不開！』

小燕子用力去推他。

『我不跟你耍嘴皮子！』

永琪把她抱得緊緊的，不肯放開她。盯著她，眞摯的，誠懇的說：

『聽我說！自從知畫進門，我們兩個的日子都不好受，可是，我沒騙過妳！從來沒有騙過妳！我以前跟妳說的話，關於圓房那些，都是眞的！知畫一步一步，讓我掉進陷阱，現在想來，她是我的一場惡夢！爲了她，我確實冤枉了妳，我讓妳痛苦傷心，讓妳飽受折磨，讓妳有苦說不出，是我的錯！原諒我！但是，在妳傷心的時候，我一定比妳更難過。有的時候，妳想到什麼說什麼，也冤枉了我！不管怎樣，我全部承擔，只要妳不生氣！我還是當初的永琪，我的心裡只有妳！』

小燕子凝視他，永琪這樣一篇話，融化了她所有的恨，眼淚終於掉了下來。

『你是眞心的嗎？還是唬弄我？』

『我怎麼唬弄妳？如果心裡沒有妳，我這麼左一次右一次的道歉認錯，妳認爲我在做什麼？我從小到大，就算對皇阿瑪，也沒有這麼遷就過，妳還要我低聲下氣到什麼程度？妳常常說，我用「阿哥」的身分來壓妳，事實上，我在妳面前，從來沒有「阿哥」的架式，每次妳一生氣，我就心慌意亂，完全忘記自己是「阿哥」！』他深深切切的凝視她，看進她的眼睛深處去，輕聲問：『妳眞的已經不愛我了嗎？

不再給我機會了嗎？在學士府，當妳這樣說的時候，眞的像用一把刀，插進我的心裡！』

小燕子聽著，感動已極，淚珠不停的掉。永琪心痛的看著她，再也忍不住，俯頭想吻她。她忽然想到什麼，又推開他。

『可是……那個知畫，她會永遠站在我們中間！』

『不會了！』他堅決的說：『等我們從雲南回來，我再解決她！妳給我一點時間！問題總要一個一個解決，是不是？』

小燕子抬頭看著他，眼裡已是柔情萬縷。他就俯頭吻去她的淚，再吻住她的唇。她融化在他的柔情裡，情不自禁用手緊緊的抱住他的腰，誤會冰釋，熱情奔放，她全心全意反應著他的深情。

窗外，知畫像一座石頭雕像般站在那兒，臉色慘白，神情冷冽。

51

北京已經展開援救行動，在緬甸的爾康卻渾然不知，正在地牢裡苦苦掙扎，陷在無以名狀的痛苦裡。

地牢裡陰暗潮濕，他蜷縮在地上，滿身血痕，渾身顫抖。身上的傷，痛楚還小，最受不了的是，在他的血脈裡，那幾千幾萬隻螞蟻，在鑽動，在啃噬著他每一根骨頭。他全心渴盼著一樣東西，那東西的名字叫作『銀硃粉』，只有這樣東西，才能結束這種無法忍耐的痛苦！他喃喃的自語著：

『老天……請停止這種折磨吧！我到底做錯了什麼，要受這種苦？』他四面看，越抖越兇，眼神逐漸昏亂起來，喊著：『銀硃粉！銀硃粉……請給我一點銀硃粉！慕沙！妳在那裡？趕快給我一些銀硃粉！』

一個侍衛打開牢門，走了進來，對著他一陣亂踢。用緬甸話大罵：

『鬼叫什麼？銀硃粉？你這個死囚，也配吃銀硃粉？不要叫！』

爾康瞪著那隻對他狠狠踢踹的腳。忽然間，一把抱住那隻腳，把侍衛拖下地來。他就整個身子撲了上去，用雙手掐住侍衛的脖子。

變生倉卒，侍衛毫無準備，大驚失色，拚命掙扎。

爾康掐緊了侍衛的脖子，咬牙說：

『中國有句成語，「百足之蟲，死而不僵」！你不要欺人太甚，我臨死，也要找一個緬甸人來洩恨！』

爾康死命用力，侍衛又踹腳，又掙扎，喉中咯咯有聲。侍衛踹到地上的食碗，一陣『欽欽哐哐』，驚動了其他的侍衛。轉眼間，大批緬甸兵，聞聲而至，見狀大驚。用緬甸話，七嘴八舌大喊：

『不得了！這個死馬，居然還想殺人！』

『斃了他！』一個侍衛舞著大刀殺進去。

『不要殺他！當心八公主殺你！』另一個喊。

大家奔進來，對著爾康一陣拳打腳踢，救出了那個侍衛。不敢殺天馬，卻敢打天馬，他們把爾康從地上拉了起來，這個一拳，那個一掌，打得他的身子，東倒西歪。爾康還想反擊，身體中，一陣痙攣發作，整個人就縮成了一團。

『銀硃粉……銀硃粉……』他喊著，用牙齒緊咬住嘴唇，仍然不能停止顫抖，身子向地上癱去。『慕沙！慕沙……慕沙……』

侍衛們停下手，看著在地上蜷縮顫抖的爾康。

『他快死了，趕快去告訴八公主！』一個侍衛喊，飛奔而去。

爾康覺得那些小螞蟻，已經鑽進了他的腦袋，正在啃他的腦子。痛，痛，痛……他無法停止這份痛，也無法停止顫抖和痙攣。苦到極點，他抱著身子，自語：

『我來背什麼，我不能想銀硃粉，我要想一點別的……』就胡亂的唸著：『天將降大任於斯人也，必先苦其心志，勞其筋骨，餓其體膚，空乏其身，行拂亂其所為，所以動心忍性，增益其所不能……』

一陣痙攣，冷汗涔涔，背不下去了，他痛苦的呻吟，輾轉低呼：『紫薇，我恐怕必須早走一步，我再也撐不下去了……』

這時，慕沙急匆匆的趕了過來。她衝進牢門，蹲下身子看著他。手裡握著一包銀硃粉，在他的鼻子前面晃了晃，說：

『想吃銀硃粉嗎？』

爾康一見慕沙，就像看到救星一般，伸手死命攥住了她的衣襬。

『救我救我！銀硃粉……銀硃粉！』

『你是鐵人，不是嗎？你的決心像鐵，不是嗎？』

爾康痛苦已極，悲切的喊：

『我不是鐵人，只是一個廢物而已！給我銀硃粉，求妳給我銀硃粉……』

慕沙把銀硃粉放在距離他一段路的地上，他就沒命的爬向銀硃粉。好不容易爬到前面，他饑渴的伸手一撈，慕沙已閃電般將銀硃粉搶去。他頓時要發狂了，用手捶著地，他痛喊出聲：

『慕沙！殺了我！給我一刀！我求妳！』

『我不要殺你，如果沒有銀硃粉，你要死，也要拖上好幾天，你就慢慢的拖吧！』慕沙拿著銀硃粉，又在他鼻子前面晃。『我只要你一句話，馬上給你吃銀硃粉。你要不要和我成親？』

爾康哀懇的看著她。顫聲說：

『來生，願意爲妳做牛做馬，今生，請妳成全我做爾康。』

『你的意思是，你寧願死，也不要屈服，是不是？』

『慕沙……妳發發慈悲吧！』

慕沙一唬的站起身來，毅然決然的說：

『那麼，你繼續去發抖抽筋吧！我走了！』

慕沙握著銀硃粉，頭也不回的走了。爾康狂喊著：

『慕沙……不要走……慕沙……請給我一包銀硃粉……哎喲……我吃不消了，我實在吃不消了，慕沙……慕沙……』

慕沙早已走得不見蹤影。

爾康抱著身子，整個人蜷縮成一團。

時間不知道過去了多久，他在椎心蝕骨的痛楚中，生平第一次想到結束自己，想到死亡。如果沒有銀硃粉，他寧願死！銀硃粉，銀硃粉，銀硃粉……這三個字，把紫薇的名字都蓋住了，遮住了。他全心最最渴望的，是一包銀硃粉！他迷糊的想著：

『痛苦到了一個最極限，人就會失去知覺吧？此時此刻，失去知覺對我就是一種恩惠了！我願意用我的生命，換一包銀硃粉！我現在什麼慾望都沒有，只有銀硃粉！』他看著虛空，冒著冷汗，他喃喃自語：『紫薇，妳相信嗎？我會弄得這麼狼狽，這麼走投無路……』話沒說完，又是一陣抽搐，他放聲大叫了：『慕沙，給我一包銀硃粉吧！』

沒有人理他。他呻吟著：

『誰能救救我，誰能給我一包銀硃粉，誰能結束這種痛苦？』

他四面看，看到地上裝食物的大碗。他爬到那個大碗前，拿起碗，用力一敲，大碗碎裂成好幾片。他拿起一片，看到磁片銳利的切口。

『結束吧！結束吧……沒有人會救我……沒有人會幫我……這種痛苦，是無了無休的，結束吧……

結束吧……』

他爬到屋角，撐持著坐起來，背靠著牆。他顫抖的手，把碎片按在自己的頸項上。從小習武，讓他瞭解命脈之所在，只要割斷那條血管，所有的痛楚就都結束了。

『生不如死！死吧！死！死……死……紫薇，來生再見了！』

爾康的手正要用力，空中傳來一聲摧心裂肺的呼喚：

『爾康……不要……不要……』

爾康急切的循聲看去。一眼看到紫薇，正向著他飛奔而至，狂喊著：

『爾康……不要……不要……我來了！』

爾康大震，掙扎著站起，手裡的碎片落地。他瞠目結舌的看著紫薇。

紫薇奔到他面前，把他一把抱住。痛喊著：

『爾康，當我在幽幽谷要跳崖的時候，你責備我，說你恨我，恨那個不珍惜生命的我！現在，你怎麼可以做同樣的事呢？爲我活著！不管你活得多麼痛苦，爲我忍著！人間，沒有比天人永隔更痛苦的事，你不能死！我們還年輕，熬過了這次的痛苦，我們還有數不清的甜蜜日子！知道嗎？知道嗎？』

爾康顫抖著，喜極而泣了，緊擁著她。

『是！是！我錯了，再也不會做那樣懦弱的事……紫薇……』他抱緊她，渴切的看她。『我沒喝酒，我沒醉，甚至沒吃銀硃粉，妳不是我的幻覺吧？』

『我在這兒啊！』紫薇凝視他，眼裡遍是憐惜和深情，叮囑的：『爲了活著，你什麼都可以答應，不要抗拒了，娶了慕沙吧！娶了慕沙，我們還有機會再見呀，知道嗎？』

『不不不……』他掙扎著說：『我不要，我不要，我知道心無二志到天長地久，是一個神話，但是，讓我們維持這段神話吧！不要勉強我！』

『你活著，才能跟我天長地久！不管你是不是別人的丈夫，我要你這顆心！我知道你「心無二志」，就夠了！何必去計較你的人呢？沒有銀硃粉，你不能活，娶了慕沙吧！我要活著的你呀，因爲我在人間呀！』

紫薇說完，推開他，身子往後退。爾康大驚，飛撲過來抓她，狂喊著：

『紫薇……妳去那裡？妳不要走！』

爾康砰然一聲，跌落在地，抬頭一看，室內陰風慘慘，那兒有紫薇的影子？一切只是他的幻覺，他大痛，狂喊：

『紫薇……紫薇……』他喊不回紫薇，坐了起來，絕望的抱住頭，悽楚的說：『我明白了！妳只是我的幻影，是我太渴望銀硃粉了，生出的幻影，我已經瘋了，爲了一包銀硃粉，我幻想是妳要我娶慕沙……不不，紫薇，我寧可沒有銀硃粉而死，不能辜負我們這段情！儘管獨一無二的感情是個神話，我要這個神話！要定了！要定了……』

門外，一陣腳步聲，慕沙帶著幾個侍衛走來。慕沙喊著：

『你狼嚎鬼叫些什麼？一個人關一間牢房，還能吵成這樣！你實在太有本領了！』

爾康急撲到門邊，渴望的喊：

『慕沙，給我一包銀硃粉……求求妳，求求妳！』

鐵門拉開，慕沙走了進來。手裡，揚著一包銀硃粉。

『銀硃粉，可以啊！就在我手裡啊！』

爾康撲過來，雙手去抓那包銀硃粉，慕沙身子靈活的一閃，他撲了一空，跌跌撞撞的撞上鐵門，再摔落地，好生悽慘。

『你要娶我了嗎？』

爾康顫抖著說：

『要，要，不要，要，不要……』

慕沙大聲問：

『到底是要還是不要？』

爾康虛弱已極的妥協了，聲音沉痛低喃，有如呻吟：

『要，要，要……』

『拿水來！』慕沙勝利的喊。

侍衛端了一碗水來。

爾康一把搶過那包銀硃粉，迫不及待的倒進嘴裡，再狼吞虎嚥的喝著水。喝完了，身子一軟，就乏力的倒了下去。慕沙給了侍衛們一個眼光，大家就架起爾康，帶回寢宮去。

爾康這一覺，睡得昏天黑地。直到天亮時分，才悠悠醒轉。他睜開眼睛，一下子跳起身子。

『我在那兒？』他迷糊的問，身上的鞭痕劇痛著。『哎喲，好痛！』他看看自己，穿著一件乾淨的衣服，那件在地牢裡弄得支離破碎的衣裳已經換掉了。

慕沙笑嘻嘻走了過來。說：

『你渾身都是傷，昨晚抬過來的時候，你睡著了，所以只給你上了藥，大夫說，讓你睡一覺比吃藥好，所以也沒好好治！現在，你醒了，應該趕快清洗一下，你髒得像一隻老鼠！我讓蘭花桂花侍候你洗澡洗頭，洗完了，我再給你上藥。蘭花，桂花！侍候著！』

蘭花桂花應著，過來攙扶他。他驚怔的看慕沙，非常困惑，地牢裡接受銀硃粉的一幕，在他腦海中，幾乎沒有留下記憶。他納悶的問：

『妳爲什麼放了我？』

『你答應成親，我當然放了你！』慕沙笑得好開心：『燈火節那天，你就是我的新郎倌了！我必須在這些日子裡，把你弄得像個人樣！現在的你，簡直像個鬼！』

爾康大吃一驚，瞪大了眼睛：

『我答應了娶妳？我答應了？』他不信的：『我不會！』

『怎麼不會？你親口答應的！』慕沙也張大眼睛，不信的看他：『你總不會想賴帳吧？』

『我什麼時候答應的？我眞的答應了妳？』

『是呀！要不然怎麼會給你銀硃粉呢？你可別吃完了銀硃粉，就不認帳啊！如果你不認帳，只好回到那個苦牢裡去，繼續過沒有銀硃粉的生活！』

爾康怔忡著，回憶著，模糊的記憶逐漸清晰，他頓時冷汗涔涔了。

『是……我答應了妳……爲了那包銀硃粉，我答應了……』他抱著頭，痛恨的捶著自己的腦袋。『我，已經落魄到這個地步，墮落到這個地步，我還是個「人」嗎？』他掙扎著站起身子，跌跌衝衝的衝到鏡子前面，凝視鏡子中的自己。

鏡子中，一張瘦削的臉，臉上有鞭痕刀疤，披散的頭髮，長短不齊的掛在臉上，其中有一撮已經白了。失神的眼睛裡佈滿血絲，嘴角有著瘀青……這張臉孔，說有多醜就有多醜，說有多狼狽，就有多狼狽！他被鏡子裡的自己徹底的打敗了。

『這是我嗎？是福爾康嗎？這不是我……會屈服在一包銀硃粉底下，就忘掉紫薇，忘掉自己的誓言，答應去娶別的女人，那怎麼可能是我？爾康已經死了……』他用袖子擦了一下額上的冷汗，驚懼的說：『還好，還好……紫薇沒有看到這樣落魄的我，還好還好……爾康死了，葬了……』他瞪著鏡中的自己。『你該慶幸，阿瑪額娘紫薇永琪小燕子……他們，沒有人知道，你淪落到這個地步！』

慕沙走了過來，瞪著鏡子裡的他。

『你又在發什麼瘋？自言自語，說個不停！』她安慰的拍拍他，柔聲說：『你現在很醜，沒關係，過幾天就會好看得多！快去洗澡吧！我眞倒楣，整天要照顧你！』說著，又對他勝利的一笑：『你現在知道了吧？離開了銀硃粉，你是一點辦法都沒有的！』

爾康回瞪著她，心灰意冷的說：

『我答應娶的，不是妳，而是銀硃粉！對於這點，妳完全不在乎嗎？』

慕沙一聽，笑容頓時消失無蹤，眼裡閃著怒火。

爾康慘然的看著她，用極度悲哀和蕭索的語氣，繼續說：

『我娶的，是銀硃粉，妳嫁的，是「行屍走肉」！如果我們眞的成了親，是天下最悲哀的夫妻！我唯一感激妳的是，妳讓我的親人，都相信我死了！因爲，我是眞眞正正的死了！』他說完，就在蘭花桂花的攙扶下，去洗澡了。

慕沙呆呆的站在那兒，想著爾康的話，第一次，挫敗感把她緊緊的攫住了。

同一時間，學士府在十萬火急的準備行裝。院子裡停著兩輛馬車，紫薇、簫劍、福倫、福晉帶著秀珠丫頭家丁，忙著把行李乾糧等物品，搬上馬車。紫薇眞是心急如焚，迫不及待，一面搬著東西，一面著急的問簫劍：

『爲什麼還要等兩天再出發？我覺得，今天就可以出發了，我們早走一天，不是就可以早見到爾康一天嗎？』

簫劍有些擔憂的說：

『紫薇，妳不要抱太大的希望好不好？這樣，我的負擔很大，萬一……』

『我知道我知道，只要跑一趟緬甸，不管結果如何，我都認了！』

福倫看看馬車和行裝配備，說：

『我們這樣二十幾個人，又是車，又是馬，會不會太引人注意了？』

『到了雲南境內，我有幾個朋友在那兒接應我們，他們準備了緬甸的服裝，到時候大家換上！』簫劍胸有成竹的說：『這滿人的頭髮，是最大的問題，還好，緬甸的男人，都用一種頭巾包住頭髮，叫做「崗包」，正好可以把大家的辮子藏起來！我帶了幾頂過來，等到晚上，高遠高達他們來了，大家先練習用「崗包」！』

『老爺，紫薇呀，你們可要一路小心，千萬不要救人沒救成，再陷到敵人手裡去！我眞是不放心呀！』福晉又是興奮，又是擔心。

『阿瑪！』紫薇還想說服福倫留下：『我求求你不要去，家裡少不了你！』

『不要勸我了，爾康是我的兒子，有機會救他，我怎麼可能不去呢？』

正說著，家丁們大聲通報：

『老爺，傅將軍來了！』

大家吃了一驚，只見傅恆帶著一隊精銳部隊，迅速的進了院子。眾人趕緊招呼：

『傅將軍吉祥！』

傅恆一步就衝到簫劍面前，大笑說：

『哈哈！「百夷人」別來無恙！你說「後會有期」還眞說對了，咱們又見面了！』

簫劍心裡暗叫不妙，嘴裡若無其事的打招呼：

『傅將軍好！』

傅恆四面一看，看到馬車裝備等，頷首說：

『聽說額駙可能沒死，皇上非常高興！軍師，在下奉皇上命令，請您立刻進宮去面見皇上！把事情的來龍去脈，說說清楚！』

紫薇和簫劍都變色了，簫劍急忙一退，朗聲說：

『本人就有一個毛病，不喜歡見大人物！恐怕無法進宮見皇上！』

『那可不行！』傅恆笑著：『這個毛病非改不可！皇上召見，不是你喜歡不喜歡的事，是沒辦法說「不」的事！傅恆只得勉強你去一趟！』

簫劍怎能再進那個皇宮？怎能再面對有殺父之仇的乾隆？三十六計，走爲上計！他縱身一躍，就上了屋頂，大聲拋下一句：

『紫薇！咱們後會有期！』

豈料，無數的侍衛，從屋頂冒了出來，大家環伺著。簫劍手握腰間的劍柄，放眼四看，只見重重屋頂，高手林立。原來，傅恆已經佈下天羅地網，勢必要帶走他！

『軍師，』傅恆大聲嚷著：『請不要抗旨，皇上沒有絲毫惡意，只是想瞭解事情眞相而已！』就對福倫說：『福學士，這位百夷人，大概是額駙的老朋友吧！既是如此，爲什麼不願意見皇上？難道皇上還會害額駙嗎？您趕快勸勸他吧！』

福倫完全不知道簫劍和小燕子的身世，只當簫劍不願進宮，是爲了晴兒的事，就著急的對屋頂上喊：

『簫劍！我陪你去見皇上，你和晴格格的事，皇上早已不怪你了！』

『那個皇宮，困住了我生命裡最重要的兩個人，那位皇上，我見了會出事，不見也罷！』簫劍大聲說，說完，長劍出鞘，拔身而起，閃電般打向面前的兩個侍衛。

不料侍衛武功高強，不退反進，四面八方圍攻過來，簫劍剎那間陷入重圍，在屋頂上，和眾高手過招，你來我往，打得驚險萬狀。

福晉不明就裡，忍不住喊：

『簫大俠，爲什麼你不肯見皇上呢？你不想做官，皇上不會勉強的，有我們和紫薇幫你說話，皇上會聽的！你不要再抵抗了，又生出新的枝節來……救爾康不是最重要嗎？』

紫薇抬頭看，更是心急如焚，也大聲喊著：

『簫劍！已經到了這個時候，大家都沒有退路了！乾脆一起去見皇阿瑪吧！我跟你保證，皇阿瑪是個心地寬厚的仁君，南陽幾次深談，你忘了嗎？我們只要告訴皇阿瑪有關爾康的事，其他可以不談呀！說不定皇阿瑪會同情你和晴兒，名正言順讓晴兒跟我們一起走呢！說不定這是天意呢？』

簫劍武功再強，也敵不過這麼多高手，陷入重圍，打得捉襟見肘。他眼見無法脫身，又聽到紫薇的聲聲呼叫，知道這次再也無從迴避，時也命也，他終將再次面對乾隆！發出一聲長嘆，他一翻身躍下地。收劍入鞘，抬頭朗聲說：

『我這是「明知山有虎，偏往虎山行」！看樣子，我和那位皇帝，到了攤牌的時候了！走吧！』

小燕子不知道簫劍已經被傅恆押向皇宮，正忙碌著，在臥室裡收拾行裝。明月、彩霞在幫忙，永琪走來走去，心事重重。

『五阿哥和格格這次出門要多久？冬衣要不要帶呢？』明月問。

『我也不知道要多久？心裡有個感覺，好像會一去不回似的！』小燕子怔了怔說。

永琪聽了，不禁一震，抬頭看了小燕子一眼。

『格格不要嚇我！』彩霞驚喊：『怎麼會一去不回呢？不管救得到額駙還是救不到額駙，都要趕快回來才是！』

『就是就是！我看，衣服還是多帶一點！』明月說。

『少帶一點衣服，多帶一點盤纏是眞的！』永琪看了那些衣服一眼：『這些衣服太考究了，去準備一點普通的衣服！』

『你的劍是隨身帶著，還是放在行李裡面？』小燕子問。

『隨身帶著吧！給我！』永琪把劍佩帶在腰際。

小燕子一眼看到被自己撕破的《成語大全》，就忘了收東西，嚷著：

『明月，彩霞，漿糊在那兒？』

明月找到漿糊，小燕子就停止收拾行李，坐下來貼那本《成語大全》，兩個宮女也幫忙貼。永琪看她這樣，心裡感動，嘴裡阻止：

『算了！不要管那本成語大全了，裡面的成語，妳大部份都會了，想學的時候，我再寫一本給妳吧！』

小燕子貼貼弄弄，把撕破的地方貼好，再把那本冊子，珍惜的放進包袱裡。

『我們去救人，妳帶這個幹什麼？』永琪問。

『我就想帶著嘛！晚上睡不著的時候，可以背一背！』說著，她走到永琪面前，嚮往的說：『永琪，有沒有一個可能，我們找到了爾康，又到了我們心心念念的大理，發現那兒家家有水，戶戶有花，是個好美麗的地方，我們三對，就迷上了那個地方，然後，大家一致決定，不回北京了！』

『不回北京了？』永琪驚問。

『是啊！』她凝視他，認眞的說：『當初在南陽的時候，如果不是皇阿瑪親自去接我們，我們已經這樣做了！現在，兜了一個圈子，多了一個知畫，讓我的心好痛……皇阿瑪說過，你將來還會有知蘭知梅什麼的，我難道還要一個一個的去忍受嗎？我眞想回到從前！』

永琪看著她，體會到她這些日子以來的痛楚，就爲她心痛起來。他憐惜的看著她，確實心動了。這時，房門忽然『砰』的一聲撞開了，知畫大步進房來，面色冷峻如寒霜，眼神凌厲，氣急敗壞的大嚷：

『永琪，你跟我說清楚，你到底要做什麼？昨天晚上，你們關著房門計算怎麼解決我！怎麼帶走晴兒！今天，又在這兒收東西，計畫怎麼一去不回！小燕子和簫劍，是叛黨的漏網之魚，你準備和他們一個鼻孔出氣，要違旨叛變嗎？』

小燕子嚇了一大跳，永琪聽到知畫把『叛黨』『違旨』『叛變』這等殺頭的字眼都喊了出來，又急又怒，往前一邁步，瞪著她厲聲說：

『妳說些什麼？這些話，句句要置人於死地！妳這樣含血噴人，更加暴露了妳的眞面目！我就算對妳還有抱歉，也被妳這幾句話，收拾得乾乾淨淨了！』他昂首大喝：『我有沒有說過，不許偷聽我們的談話？是誰打小報告，誰在偷聽？我今天非要嚴辦不可！』

知畫豁出去了，她苦心經營過這段感情，好不容易盼到他回來，好不容易生下綿億，他的心裡，依然只有小燕子！還要帶著小燕子遠走高飛，那她怎麼辦？她再也顧不得輕重，顧不得一切，永琪就是她的一切呀！見他聲色俱厲，她也聲色俱厲的吼了回去：

『是我在聽！你是不是要「嚴辦」我？這可是我的家，我要到那個房間就到那個房間！我用不著偷聽偷看，我堂堂正正的聽，堂堂正正的看！』她瞪著他，語氣悽厲：『永琪！你是一位阿哥，你是榮親王，你是我兒子的阿瑪！你說我含血噴人，你自己呢？正準備遺棄我們母子，遠走高飛！你對我無情無義就算了，你對綿億，也沒有父子之情嗎？你好狠啊！我既然得不到你，我就不用再保護你！你不怕我把你們的祕密，全部抖出來嗎？』

知畫說完，掉頭就走，小燕子生怕她去告密，飛身過去，攔住房門。

『妳把我們的祕密都聽去了？我不能放妳走！』

『妳不放我走，預備怎樣？把我關起來嗎？妳敢？』知畫高昂著頭。

『她不敢，我敢！妳既然想告密，妳就不許離開景陽宮！』永琪氣勢凜然的吼著，一步上前，扣住了知畫手腕，把她拖出門去。

知畫就尖聲大叫：

『救命啊！永琪和小燕子要殺我啊！誰來救我呀……』

桂嬤嬤、珍兒、翠兒都奔了過來，各喊各的：

『五阿哥！你要幹什麼？放開福晉呀……』

『趕快去告訴老佛爺！』珍兒拔腿就跑。

『站住！誰敢去告訴老佛爺，我打斷她的腿……』永琪大叫。

正在一團亂，小鄧子和小卓子氣急敗壞的衝進門來，大吼大叫：

『五阿哥……五阿哥……不好了！簫大俠被傳將軍押進皇宮了……』

『紫薇格格也來了，福大人也來了，他們都在乾清宮……』

這一下，小燕子、永琪、知畫都大吃一驚，個個變色。永琪畢竟經過了戰爭的考驗，在這等危急中，立即整理出一絲頭緒，摔開了知畫，急呼：

『小鄧子……快去告訴晴格格，讓她趕到乾清宮！小卓子，你去告訴令妃娘娘，請她來幫忙……』他一拉小燕子：『我們趕快去！』他拉著小燕子就飛奔而去。

知畫驚怔著，一股大事不妙的感覺，和一股冰冷的涼意，把她從頭到腳的包圍住了。她楞了楞，再也無法待在景陽宮等消息，她也跟著飛奔而去。

52

當乾隆知道所謂的軍師『百夷人』，竟然是簫劍時，他的震驚眞是不小！他從座位上跳了起來，驚看著站在面前的簫劍、紫薇、福倫和傅恆。

『原來，所謂的百夷人，就是簫劍？』他的目光停在簫劍臉上，充滿疑惑的問：『簫劍，你到底是怎麼一回事？當初不告而別，把晴兒丟下！現在又用百夷人的身分出現，說是爾康可能沒死？你到底是滿人？漢人？百夷人？還是緬甸人？』

簫劍昂首而立，傲然的說：

『我是爲了救爾康而回來的，我是什麼人，和我的目的沒有關係！』

乾隆大怒，重重的一拍桌子，大聲說：

『怎麼沒有關係？朕要給你一個四品官，你不要！和晴兒的婚期已經決定了，你逃跑！這樣不識抬舉，沒有責任感的人，那裡配得上稱簫大俠？朕看你藏頭藏尾，神神祕祕，說話言不由衷，那裡値得人信任？你和爾康他們的認識，是從他們集體出走開始，糊裡糊塗認小燕子做妹妹，朕越想越懷疑！你到底居心何在？你眞是小燕子的哥哥嗎？還是冒牌貨？趕快給朕從實招來！』

簫劍還沒開口，紫薇就忍不住，往前一站，急急說：

『皇阿瑪！簫劍的身分不用懷疑，他確實是小燕子的哥哥！傅六叔可以作證，簫劍也確實參加了清緬之戰，我們能不能不要追究簫劍的出身，趕快調集人手去救爾康呢？至於晴兒，簫劍並沒有忘情，只是有許多不得已……』

『紫薇！』乾隆打斷了紫薇的話：『我瞭解妳要救爾康的心情，這個百夷人也瞭解妳的急迫，瞭解永琪和小燕子對爾康的感情，他在利用你們呀！他從頭到尾，就沒安好心！在南陽的時候，如果不是朕出現了，他早已把你們通通帶到雲南去了！他的目標，是你們！是朕的兒女……他是有計畫的行動！你們不要上當了！』

紫薇和福倫大急，還沒開口，簫劍昂首大笑說：

『哈哈！所謂「以小人之心，度君子之腹」，就是這樣！身爲一國之君，疑心病和編故事已經成了本能！』他轉頭看紫薇：『這一下，妳明白爲什麼有這麼多冤獄？這麼多文字獄，這麼多莫名其妙就被砍頭的人了？』

『你居然敢這樣對朕說話？』乾隆一聽，怒不可遏，聲如洪鐘的說：『你以爲你冒充了小燕子的哥哥，朕就不敢砍你的頭嗎？你說了這篇話，朕不止要你的腦袋，還要把你凌遲處死！』

正好，小燕子、永琪氣急敗壞的趕到，在門口就聽到乾隆對簫劍的怒吼，又是砍頭又是凌遲處死，小燕子聽得毛骨悚然，想到自己的爹，也是這樣糊裡糊塗就被處死了，心裡的痛，再也無法控制。衝進房來，她就悲聲大喊：

『皇阿瑪，你不要動不動就想殺人，如果我們每個人都有你的權力，都動不動就想殺人，皇阿瑪老早就沒命了！』

乾隆一聽，眞是氣得一佛出世，二佛升天。

『小燕子！』紫薇急喊，此時此刻，只想立刻飛到緬甸去救爾康，生怕再生枝節。哀求的看著小燕子說：『不要火上加油了！我們在這個節骨眼，不能出事！大家為爾康想一想吧！把所有個人恩怨，暫時拋開吧！』說著，就對乾隆請安：『皇阿瑪！小燕子和簫劍都是心直口快的人，反應太快，不是要和皇阿瑪作對……』

『朕看他們就是誠心和朕作對，簫劍的目的已經達到了！你們看，小燕子以前，是朕的開心果，現在，她是什麼樣子？見到朕就掀眉瞪眼，大呼小叫，說些不是人說的話，這樣的義女，這樣的兒媳婦，朕不要了！』乾隆大叫。

小燕子的悲憤和怒火，全部燃燒起來，頓時掀眉瞪眼，也大叫：

『你不要就不要，我已經忍了太久，老早就不想要了！是你自己跑到南陽去把我們找回來的，是你用免死金牌把我們請回來的……』

乾隆怒極，抓起一個鎮尺，向她砸去。小燕子閃開，鎮尺砸向古董架，把一個大花瓶砸到地上打碎了。小燕子一衝，就想動手，永琪急忙拉住她，氣急敗壞的喊：

『皇阿瑪！永琪代小燕子向皇阿瑪認錯，她口不擇言，胡說八道！最近發生很多事，小燕子受了許多委屈，才會這麼反常……』

永琪話沒說完，小燕子就激動萬分的喊：

『我不要你幫我說話！我去緬甸找爾康，找到爾康，我也不會回來了！這個宮裡的女人，我是再也不做了！』

福倫看鬧得不可收拾，大急，往前一步，急切的說：

『皇上！簫劍這次回北京，完全是為了爾康，請皇上看在老臣的面子上，不要再追究簫劍的私人問題，讓他帶路，找到爾康再說！臣給皇上磕頭了！』

『福倫，』乾隆又急又氣的嚷：『你是朕最忠心的臣子，不要爲了爾康，弄得是非不分！這個簫劍，來歷不明，做事出爾反爾，鬼鬼祟祟，他的話，那裡能信？』

『皇阿瑪，我們信他呀！我們眞的信他呀！』紫薇痛喊著。

這時，太后帶著令妃、知畫、晴兒一起趕到。太后已經聽過知畫三言兩語的稟告，知道簫劍進宮了，就嚇得魂飛魄散，生怕乾隆有閃失，一進門就急切的大喊：

『皇帝！不要放掉這個簫劍……他不是個好東西！』

乾隆一震抬頭，大聲回答：

『老佛爺不用擔心，這個人居心叵測，朕已經明白了，不管他做了什麼，就憑他對朕的不恭不敬，他也是死期到了！』

看到這種狀況，晴兒失去一貫的平靜，她衝到乾隆身前，悲聲喊著：

『皇上請開恩！簫劍絕對不是一個壞人，他對朋友肝膽相照，奮不顧身，今天才會再度陷進牢籠！請皇上本著仁民愛物的原則，千萬要做個明君呀！』

令妃事情也沒弄清楚，一心要幫忙，急忙站到乾隆身邊，熱情的喊：

『皇上！他們幾個小輩，情同手足，彼此幫忙，俠義的心腸，讓人感動！皇上千萬不要爲了一點口舌之爭，就把任何人問罪，當初一怒之下，要殺兩位格格，差點鑄成大錯！這種事情，不要再來一次！』

乾隆被吵得頭昏腦脹，振臂狂呼：

『都不要說話！讓朕把事情調查清楚！』他瞪著簫劍問：『你到底是誰？男子漢大丈夫，坐不改名，立不改姓！一會兒是簫劍，一會兒是方嚴，一會兒又變成百夷人，算什麼好漢？你誘騙小燕子當妹妹，混進宮來，到底爲了什麼？』

簫劍仰頭大笑，盯著乾隆說：

『我是「百夷人」，我今天爲救爾康而來！皇上，你派幾個好手給五阿哥和我們，等我們救回爾康，我再來跟你面對面解決我們的問題！』

知畫心已死，豁出去了，清脆的開了口：

『皇阿瑪！這位百夷人，來頭不小！他的父親，就是大名鼎鼎的方之航……』

知畫話沒說完，永琪對她衝過去，把她撞倒在地。怒喊：

『知畫！如果妳聰明一點，就趕快閉口！』

知畫倒在地上，悲喊著：

『永琪……你好狠，當初想謀殺綿億，把我撞倒在地上，害得綿億差點活不成！現在，爲了救這一對來報仇的兄妹，你又想除掉我……』

永琪大驚，伸手就去蒙知畫的嘴，乾隆已經聽到了，驚喊：

『報仇？什麼報仇？』

知畫掙開永琪的手，尖聲大喊：

『皇阿瑪！你是簫劍和小燕子的殺父仇人！他們兩個是來報仇的……』

永琪死命蒙住知畫的嘴，恨極的喊：

『住口！妳這樣歹毒，滿口謊言，留不住我的心我的人，就要把我們一起消滅，簡直是蛇蠍心腸……』

太后大怒大驚，急喊：

『皇帝！你還不把他們抓起來！知畫所說，句句是實話，永琪已經被這個小燕子迷惑，失去本性了！』

簫劍聽到這兒，知道所有的祕密，都已揭穿，鬧到這個地步，顯然已到最後關頭，無法善終。就長笑而起，閃電般撲向乾隆。同時大喊：

『小燕子！我們逼到這一步，大概是天意吧！爹娘在天上看著我們呢！這個仁君，也不過如此！既然他們口口聲聲說我們是來報仇的，就讓我們被殺之前，先爲父母報仇！還不動手……』

簫劍說話中，已經一手就扭住了乾隆的胳臂，另一手箍住了乾隆的脖子。

變生倉卒，福倫和傅恆大驚，雙雙飛撲過來相救。兩人同時大喊：

『簫劍！萬萬不可！趕快放手！』

『簫劍！這是皇宮呀！多少大內高手在這兒，你以爲能夠得手嗎？趕快投降！』

福倫傅恆一面說著，一面對簫劍打了過去。簫劍拿著乾隆的身子當盾牌，左擋右擋，福倫和傅恆大驚，生怕打著乾隆，硬生生收回拳頭。小燕子驚呆了，站在那兒無法動彈，簫劍怒喊：

『誰敢過來，皇帝就沒命！』再大喊：『小燕子！妳還等什麼？』

在這一剎那，小燕子想到知畫，想到綿億，想到殺父之仇，想到嫡福晉和側福晉，想到太后的鴻門宴，想到密室被囚，想到被迫結納知畫，想到活活被拆散的晴兒和簫劍，想到這一年多來許許多多的大悲大痛……她大叫一聲，從永琪身上，拔出佩劍，一劍刺向乾隆。嘴裡亂七八糟的喊著：

『你砍了我爹的頭，你讓我娘在烈火裡自刎而死！我喊了你好幾年的皇阿瑪，你還是這樣對我們！我跟你拚了！』

永琪一看，這還得了，大叫：

『小燕子！妳敢傷我阿瑪？』

永琪跳起身來，已經來不及拉住小燕子，危急之中，想也沒想，就伸出手臂，硬擋她的劍。只聽到嗤啦一聲，永琪的衣服頓時裂開，鮮血直流。小燕子大驚，喊：

『永琪！你還不讓開！』

永琪也顧不得傷勢，直撲上去，閃電一般快速，抱住簫劍的身子，簫劍不肯放開乾隆，對永琪一腳踢去，永琪悶哼了一聲，卻死命抱住簫劍不放。撕心裂肺的大喊：

『簫劍！小燕子！你們有父母，難道我就沒有父母嗎？如果你們傷了我爹，你們就再也看不到我了！要殺皇阿瑪，必須先殺我！』

這時，紫薇也奮不顧身的撲上前來，抱住小燕子握劍的手，哭著痛喊：

『小燕子！我們是結拜姐妹啊，妳怎麼可以殺我爹？難道妳也要成爲我的「殺父仇人」嗎？』

小燕子和簫劍，雙雙被阻，乾隆原是練過武術的，乘此機會，迅速的掙脫了簫劍，躍到一邊。福倫和傅恆，立即衝上前去，一左一右，保護著他。

簫劍一看，大好機會，都被永琪破壞了，大怒。一掌打向永琪，再一腳踢飛了他，永琪毫無防備，被打得飛了出去再落地。簫劍撲了過去，伸出拳頭還要打。永琪不還手，悽然的看著簫劍說：

『簫劍，我不能對你還手，我欠小燕子太多！要打要殺隨你便，算我爲皇阿瑪還債，但是，我不會允許你對皇阿瑪動手！只要你動了手，有你沒我！我不嚇你！』

『那我就先殺了你再說！父債子還！』簫劍喊著，舉起手來。

小燕子一看，魂飛魄散，手裡的劍『砰』的一聲落地，她飛撲到永琪身邊，抱住他，用自己的身子擋住簫劍。痛哭失聲，眞情流露的喊：

『永琪！永琪……』她回頭看簫劍，淚落如雨：『你殺了永琪，我也不能活呀！他是我的命呀！殺了他等於殺了我……』

小燕子這樣一句話，永琪震動無比。比永琪更震動的，是簫劍！他一直知道小燕子深愛永琪，卻不知道愛到這種地步！他看著淚流滿面的小燕子，看著父子連心的永琪，頓時，心灰意冷，知道大勢已去。他長嘆一聲，站起身子，對乾隆挺胸而立。朗聲說：

『我報仇失敗了！不是今天失敗的，是早就敗在永琪、小燕子、爾康、和紫薇手裡！後來又加上一個晴兒，他們聯合起來，讓我一敗塗地！現在，我認輸了，要砍頭還是要凌遲，隨你便！』

『皇阿瑪！你不能殺我哥！』小燕子哭著痛喊：『他是方家唯一的血脈，你已經殺了我的父母，怎麼忍心趕盡殺絕？我的命不要了，你殺我吧，放了我哥！』

這時，侍衛們乒乒乓乓衝進房。大呼小叫：

『什麼事？皇上？發生什麼了？』

乾隆驚魂未定，睜大眼睛，看著一屋子的淩亂。看著躺在小燕子懷裡流血的永琪，看著挺身而立，視死如歸的簫劍，看著泣不成聲的紫薇和晴兒，看著嚇傻了的太后和知畫……他驚疑震動，思想和感情卻像跑馬燈般的旋轉。這群孩子，到底怎麼回事？他還在驚怔中，紫薇見侍衛進房，更急，撲跪上前，膝行到他面前，仰頭哀懇的看著他。泣不成聲的說：

『皇阿瑪！用你的心，來看整件事！如果小燕子和簫劍要報仇，當初在南陽，早就下手了！小燕子對皇阿瑪的孺慕之情，感動了簫劍，我們大家的說服，晴兒的一片心，這才讓簫劍化敵爲友！皇阿瑪要明察呀！』

晴兒跟著紫薇跪下去，用掏自肺腑的聲音，也對他哀懇的喊：

『皇上，簫劍夾在父母慘死和我們的感情下，左右為難，天人交戰，這才走也不是，留也不是，這裡面有好多曲折，皇上想弄清楚，就要真正的弄清楚！我們不知道當年的文字獄是怎麼一回事，但是，簫劍當年才四歲，小燕子才一歲，難道也要為文字獄負責嗎？』

嚇得膽戰心驚的太后，抖著聲音急呼：

『皇帝，不要再聽他們的！趕快把這一對兄妹問罪！皇帝身邊，怎能留這樣的危險份子？』

知畫早已站起身來，在這一片驚心動魄中，看到最鮮明的一件事實，永琪是跟定小燕子了！只要放他離去，再見無期！她什麼都顧不得了，一步上前，急迫的喊著：

『皇阿瑪！我在景陽宮，已經聽得清清楚楚，他們準備再一次集體大逃亡！如果皇阿瑪不阻止，大概也失去永琪了！如果皇阿瑪還要永琪，趕快留人吧！』

傅恆趕緊問乾隆：

『臣先把簫劍關進大牢，再等皇上定奪！至於還珠格格，不知如何發落？』

『皇上請三思！』福倫悲聲喊。

永琪掙扎著站了起來，握住血流如注的手臂，走到乾隆身前跪下。經過了小燕子用身子幫他擋簫劍，聽到了她心底最真摯的告白，他心念已決。在這一刻，江山地位，皇子親王，對他而言，都成草芥。他堅定的，誠懇的說：

『皇阿瑪！生也在您，死也在您！爾康的生死不明，已經讓紫薇痛不欲生，簫劍如果死到臨頭，晴兒也不會獨自活著！至於我和小燕子，皇阿瑪看得比誰都清楚！您說我胸無大志也罷，您說我沒出息也罷，江山王位，我都不在乎！小燕子生，我生，小燕子死，我死！我們的命運，都在您手裡！』

小燕子聽到永琪這樣一篇話，更是淚不可止，泣不成聲了。

知畫驚怔的看著永琪，眼裡，盛滿了絕望、嫉妒和憤怒。

令妃就走過來，滿眼含淚的搖著乾隆的手臂說：

『皇上，紫薇格格說得好，這件事，是是非非，咱們都糊糊塗塗，但是，你要問一問自己的心，千萬不要做違心的事！』

乾隆聽著想著，對於整個事件，有些明白了。他揮手讓侍衛退去，努力鎮定了自己，定了定神，說：

『誰都不要說話！』他輪流看眾人，有力的吩咐：『福倫！簫劍交給你，你把他帶到學士府去，他現在是欽犯，如果他脫逃了，我唯你是問！小燕子，妳和永琪回景陽宮去，趕快傳太醫，給永琪治傷！紫薇，妳留下來，陪著朕！其他的人，都各自回到各自的地方去，這件事，誰都不許說出去！朕要徹底想想清楚！』

眾人面面相覷，都不料乾隆這樣發落。

簫劍和小燕子尤其意外，怔怔的看著乾隆。

『簫劍不能放，縱虎容易捉虎難！』太后著急的說。

『他如果跑得了，今天就不會在這兒！』乾隆沉吟的說：『何況有晴兒在，他們這批人，都是怪物，為情而生，為情而死！看樣子，他生是晴兒的人，死是晴兒的鬼，跑不了的！大家都不要說了！回去！回去！』

福倫大出意料之外，生怕乾隆生變，急忙說了句：

『臣遵命！臣告退！』他拉著簫劍就走。

眾人便各自請安，告退。乾隆眼見眾人離去，忽然喊：

『傅恆！回來一下！』

傅恆站住。

『你馬上去刑部，把方之航的案子，所有文件全部調出來，送到朕這兒來！如果有相關人證，也一併帶來！』

『是！臣遵旨！』

畢竟是一國之君啊！紫薇不禁崇拜的，熱烈的看著乾隆。說不定可以爲方家翻案，說不定當初的案子還有冤情，說不定乾隆會再度饒恕簫劍和小燕子，說不定可以立刻去救爾康……她眼裡閃出希望的光芒。

永琪帶傷回到了景陽宮，立刻驚動了一屋子的太監、宮女和嬤嬤。大家驚呼不斷，張羅醫藥。太醫立刻來了，幫永琪包紮上藥。幸好只是外傷，沒有傷筋動骨，包紮之後，永琪就急急的揮退了太醫。

『一點小傷，根本沒事，不要小題大作了！明月，彩霞，送太醫出去！我們這兒，不用人侍候了，大家都去休息吧！』

太醫急忙告退，明月、彩霞也都離去。小燕子眼睛一直濕濕的，充滿歉意的看著永琪。當房裡的人，都紛紛離去了，兩人才面對面，彼此深深的看著彼此。剛剛在乾隆書房的一番驚心動魄，始終震撼著兩人的心。小燕子心有餘悸的，輕輕的說：

『沒想到，這個祕密還是拆穿了！我們弄成這樣，不知道皇阿瑪會不會越想越氣？說不定我們大家，又要集體進監牢！』

永琪深深切切的凝視著她，柔聲說：

『可是，我卻覺得如釋重負！這個祕密，一直壓得我們大家透不過氣來，揭穿了也好，再也用不著提心吊膽，防備這個，防備那個了！最壞的情況，就是妳那句口頭語，「要頭一顆，要命一條」！』

小燕子摸著永琪的受傷的胳臂，說不出有多麼心痛和懊悔。

『對不起，我刺傷了你！我並不是眞的要殺皇阿瑪，只是在那個情況底下，完全失去理智了！聽到皇阿瑪對我哥一句句逼迫的話，想到我爹娘的慘死，我就什麼都顧不得了！皇阿瑪到底是我的親人，還是我的仇人，我眞的弄不清楚啊！』

永琪用沒有受傷的手，攬住她，拚命點頭。說：

『我瞭解，我完全瞭解！自從妳知道皇阿瑪是殺父仇人之後，妳就生活在矛盾和煎熬裡，爲了我，妳忍受了太多太多！剛剛聽到妳說，沒有我，妳不能活，我是妳的命……妳知道我有多感動多震撼嗎？妳什麼都不用解釋了，我都深深體會，妳這樣辛苦的活著，我還常常跟妳生氣，要求妳這樣那樣，要求妳適應我的生存環境，我才該說對不起！』

『你不生我氣？不罵我？不怪我？』小燕子怯怯的問：『我差點殺了皇阿瑪呀，我差點殺了你呀！』

『怪妳什麼？怪妳對自己父母的一片孝心？怪妳對我的拋捨不下？怪妳對簫劍的兄妹之情？怪妳對皇阿瑪的又愛又恨？』他撫摸著她的頭髮，憐惜的喊：『小燕子啊！連皇阿瑪都沒有怪妳！連他都知道，我們這群怪物，是爲情而生，爲情而死的人！』

小燕子聽到永琪這樣說，感動得快要死掉，就熱情奔放的拉住他沒受傷的手。含淚喊著：

『永琪！我冤枉你了！我一直說你對我不好，到處告狀，說你這也不對，那也不對，還對你兇，我就是會欺負你……你說你被我的話感動，我才被你感動，你對皇阿瑪說的那篇話，讓我覺得，就算爲你死了，我也值得！我再也不會冤枉你！再也不跟你鬧分手了！你不必用八人大轎來抬我，我以後就像一個跟屁蟲一樣跟著你，就算你嫌我煩，我也不離開你！』

永琪感動至深，微笑了一下。

『跟屁蟲？很新鮮的詞！大概所有的格格裡，只有妳會用這三個字！妳是「江山易改，本性難移」，我想，以後妳還是會冤枉我，和我吵架的。不過，我們還是會講和，會融化在彼此的感情裡！沒辦法，誰教我這麼命苦，碰到了妳！如果這次我們還能逃過一劫，大概就要這樣吵吵鬧鬧過一生了！』

小燕子含淚瞅著他，依偎進他的懷裡。想想，又憂慮起來：

『我們還逃得過嗎？不知道皇阿瑪要怎樣發落我們？鬧了這麼一大場，他還會放掉我們嗎？還會讓我們去緬甸找爾康嗎？還會讓我跟著你嗎？』

『不要太悲觀，皇阿瑪留下了紫薇，我們就等著看紫薇的本領了！』永琪深思的說：『皇阿瑪對我們，也有許多的無可奈何！他說我們是「怪物」，他卻是「怪物」的阿瑪！龍生龍，鳳生鳳！』

小燕子聽了，不禁生出無限的希望來。是啊！他們還有紫薇，聰明的紫薇，會說話的紫薇，被皇阿瑪寵著愛著的紫薇！

是的，紫薇在乾隆的書房裡，終於，終於，終於……把簫劍和小燕子的重逢，認妹妹的經過，殺父之仇的原委……鉅細靡遺的說完了。

乾隆細細的聽完，他震驚的起立，在房裡兜著圈子。喃喃自語：

『原來，簫劍和小燕子，是方之航的兒女！原來，朕真的是他們的殺父仇人！』思前想後，不寒而慄了：『這麼久以來，朕把一個仇人的女兒，養在身邊，仇人的兒子，帶出帶進，真是險呀！怪不得簫劍不肯做官，他始終沒有忘記這段仇恨！』

『他幾乎忘了！如果沒有老佛爺的調查，如果沒有那場鴻門宴，他眞的幾乎忘了，連小燕子，他都隱瞞著，一個字都沒說！』

乾隆深思著，越想越明白了。

『原來是這樣！老佛爺囚禁了你們大家，小燕子才知道自己的身世，爲了救簫劍，永琪勉強娶知畫！小燕子是知道身世之後，才變了樣……怪不得她看到朕，就掀眉瞪眼，滿嘴胡言亂語，常常橫衝直撞，咬牙切齒……朕這才恍然大悟！簫劍的來龍去脈，和晴兒的曲曲折折，朕也明白了！』就瞪著紫薇說：『你們幾個，經歷的事，可以寫一部二十四史了！』

『不是二十四史，是一部沒人相信的清宮傳奇！』紫薇苦澀的說，抬頭哀懇的看著乾隆：『皇阿瑪！請您開恩，讓簫劍和永琪，帶我們去找爾康，至於這件二十幾年前的舊案，就讓它煙消雲散吧！如果皇阿瑪允許簫劍帶走晴兒，我敢保證，他再也不會出現在您面前！冤家宜解不宜結，您已經殺了他的父母，就爲方家留一條根吧！人家方之航，好歹也是讀書人，是書香世家，不過是一首剃頭詩，弄得家破人亡，還不夠嗎？』

乾隆思前想後，一個站定，嚴厲的看著紫薇。

『妳剛剛沒有看到嗎？簫劍和小燕子，他們要朕的命！一個掐朕的脖子，一個拿劍刺朕，這麼嚴重的謀刺行爲，朕也不聞不問嗎？』

『如果皇阿瑪要聞要問，剛剛就把他們推出去斬了！』紫薇迎視著他，勇敢的說：『皇阿瑪……您也不忍，是不是？您也想弄清楚，是怎麼回事，是不是？現在，您已經知道了事情的眞相，會不會覺得簫劍有簫劍的悲哀，小燕子有小燕子的悲哀，永琪有永琪的悲哀，晴兒有晴兒的悲哀……甚至知畫，也是這件事的犧牲品！當初一句砍頭，今天多少悲哀！皇阿瑪……您有最寬闊的心胸，您是性情中人，您就讓這個悲劇，到此爲止吧！紫薇給您磕頭！』

紫薇說著，就要下跪，乾隆伸手，一把拉起她，長長一嘆。

『紫薇，妳一句「性情中人」，扣住了朕，朕不見得有這麼寬闊的心胸！想到剛剛那一幕，朕依舊感到毛骨悚然。這件事，實在讓朕太震驚了，朕要看一看當初方之航案，是怎麼回事？老實說，朕印象裡，對這件案子非常模糊！到底爲什麼判斬首，朕已經記不得了！妳回去吧！讓朕弄明白了，再作定奪！』

『可是……皇阿瑪……』

『朕知道，妳沒有時間可以耽誤，想去緬甸救爾康！朕現在已經不懷疑簫劍帶來的消息，他爲了這個消息，明知道是飛蛾撲火，還是撲到北京來，我對他，也有幾分佩服！能夠在眾目睽睽下，掐朕的脖子，也需要一些勇氣！紫薇，別說了！先回學士府去，朕會在最短的時間裡，拿定主意，也會派人救爾康！至於怎麼救，怎麼處置小燕子和簫劍，朕還要想一想！』

紫薇見乾隆眼神堅定，不敢再多說，只得請安說：

『紫薇謝皇阿瑪的瞭解！謝皇阿瑪對簫劍和小燕子的不殺之恩！』

乾隆一怔，忍不住哼了一聲說：

『哼！謝得太早了吧！』

紫薇不語，深深的看了他一眼，離去了。

乾隆卻看著紫薇的背影出神了。心裡，逐漸浮起難以割捨的傷痛。

北京的皇宮裡，爲了救爾康，已經鬧得天下大亂。在緬甸的爾康，卻陷在慕沙的溫柔鄉裡。自從答應了娶慕沙，這位八公主就收起了霸氣，展現了最溫柔的一面。她帶他走出皇宮，走進郊外的一片野花田裡。緬甸陽光好，氣候炎熱，適合各種顏色艷麗的草花，郊外山坡上，幾乎處處有野花。爾康看到這樣一片無邊無際的花海，雜生著各種叫不出名字的野花，也不禁嘆爲觀止。

爾康這天，穿著一身白色的緬甸服，戴著白色的崗包，看來飄逸出塵。儘管臉上的傷痕還是明顯的，卻掩飾不了他那玉樹臨風的氣質。慕沙看著他，越看越高興，安慰的說：

『大夫說，到燈火節的時候，你臉上的傷痕就看不出來了，身上的傷口也會通通治好！只要我不再給你弄出新的傷口來！這半年以來，你都是舊傷加新傷，才會這麼難治！以後，你應該聰明一點，不要再受傷了！』

爾康看著那片野花，摘了一朵紅色的花，問：

『這是什麼花？這麼好看？』

『罌粟花！你吃的銀硃粉，裡面就有這種花的種子！』

聽到銀硃粉三個字，爾康心底一凜，不禁凝視她，正色的說：

『慕沙，我要問問妳，到底這個銀硃粉是什麼東西？爲什麼會讓我上癮？爲什麼不吃它，我就簡直活不下去？我要怎樣才能擺脫這個銀硃粉？』

『你沒辦法擺脫銀硃粉了！我問過大夫，他說，這個藥，是很好的止痛藥，當初你傷得太重，爲了救你，我用得太猛了，又是長時間用，才會讓你上癮！銀硃粉最主要的成分是罌粟花的種子，再加上一種名叫大麻的葉子，還有其他幾味草藥，混合製成的！在民間，也有類似的藥，當然沒有你吃的這麼好，老百姓叫它「白麵」！這個藥，吃上了，就是終身的事！』

『我不要它成爲我終身的事，我要除掉它！有沒有辦法除掉呢？』

『你急什麼？反正，宮裡這個藥很多，我不會讓你缺貨的！你儘管吃就是了！』

爾康一本正經的看著她，語氣鄭重：

『慕沙，妳不會喜歡一個動不動就發抖抽筋的人，妳不會喜歡看到我痛苦，這個藥吃完了雖然精神百倍，但是，過一陣子就使我委靡不振，使我毫無生命的活力，我相信也是它，讓我的武功全部消失，如果我想重生，就必須戒掉這個藥，假若妳眞對我好，就幫助我戒掉它！』

慕沙凝視著爾康，被他的急切感染了，沉思著。

『其實，大夫說過的，只要咬緊牙關，不管多麼難過，都不吃藥，熬得過去，熬上十天不吃，還能活著，那就戒掉了！但是，在牢裡，你已經試過了，你認為，你戒得掉，還是戒不掉？』

爾康想到不吃藥的情形，不禁不寒而慄。心中一寒，神情頓時充滿了沮喪。慕沙看看他，安慰的說：

『算了！不要戒了，何必那麼痛苦呢？大夫說，有一次幫一個人戒藥，那個人最後咬斷自己的舌頭死掉了，死得好慘！』

爾康聽了，更加無助。

忽然，一陣悅耳的鳥鳴傳來。慕沙興奮的大喊：

『你聽！這是我們緬甸著名的「妙聲鳥」！』

『妙聲鳥？』爾康心不在焉。

『是啊！妙聲鳥是緬甸的神鳥！從來沒有人看到牠長得什麼樣子，牠的聲音太美了，可以讓所有聽到的人，都忘記自己在做什麼！』慕沙要鼓起爾康的興致，熱心的介紹著：『據說，在森林裡，牠的叫聲會讓正在吃東西的動物忘了吃，食物從嘴裡掉出來。會讓正在飛的鳥忘記拍打翅膀，而被風吹走。會讓獅子老虎忘記去追獵物，停下來興奮的舉起前爪。還會讓水裡的魚靜止不動，忘記游泳。所以，我們的王船，都用妙聲鳥的樣子來建造，宮裡很多東西，都是妙聲鳥的樣子來做的！』

『牠可以讓所有聽到的人，都忘了自己在做什麼，可惜，牠沒辦法讓我忘掉自己在做什麼，在想什麼！』

慕沙一怔，看著他。他也出神的，深刻的看著她。

『你們有「妙聲鳥」，中國也有很多鳥，有一種鳥，名字叫「杜鵑」，牠的叫聲，讓很多詩人寫詩，讓很多遠離家鄉的人掉淚！牠的叫聲是不如歸去！不如歸去！』爾康嘆息的說，神情悽惻。

慕沙站住了，凝視他。被他眼裡那種深刻的悲哀，給撼動了。慕沙的個性，是永不投降，永不服輸的。爾康的固執，激起她所有的『征服』感，她要征服他，她要得到他，她要擁有他！爲了這個目標，她付出了全部的心力，不論爾康多麼頑固，她都不肯退縮。但是，這天關於『妙聲鳥』和『杜鵑鳥』的談話，是第一次，讓慕沙動搖了。

這天回到緬甸皇宮，爾康開始和『銀硃粉』作戰。他明白了，只有自己堅定，才能戒掉銀硃粉！他要恢復健康，他要回到北京，他要和紫薇團聚……那麼，第一件事，是戒掉銀硃粉！他拒絕再吃那個藥，到了晚上，他已經臉色慘白，滿頭大汗的蜷縮在床上發抖。那種萬蟻鑽心的感覺又來了，那種瘋狂般的渴望又來了！他咬牙忍受著人生最大的痛苦。在心裡給自己不斷的打氣：

『只要咬緊牙關，不管多麼難過，都不吃藥，就能戒掉！我福爾康什麼難關沒有遭遇過，怎麼會衝不破這個難關？我咬緊牙關，咬緊牙關……』

蘭花桂花緊張的在一邊觀望，看得膽戰心驚。

『我覺得他撐不下去，太危險了，我要去告訴八公主！』蘭花害怕的說。

『不要告訴八公主！』爾康大喊。

『不行呀！你這樣會死掉的，我們不敢負責任！要不然，你就吃藥吧！』

『不吃！不吃！』

爾康說著，一陣抽搐，床鋪都咯咯作聲。他痛苦的抓床柱，身子一挺，腦袋『砰』的一聲撞在柱子上，冷汗直冒。

蘭花桂花嚇死了，蘭花喊著：

『桂花，妳照顧他！我去找大夫和八公主！』

『不要不要！』爾康急喊：『她來了，又會強迫我吃藥，我現在沒有任何的抗拒力量，只要把藥拿到我面前來，我會像小狗一樣爬過去搶！讓我用意志力克服吧！』

蘭花早已跑得不見蹤影了。

爾康陷在極度的痛苦裡，掙扎著顫抖著，心志開始動搖。他望著床前，小几上有一盞燈，燃燒著熒熒的燭火。他太痛苦了，忽然跳起身子，把手掌伸到燭火上去燒著。桂花大驚，撲了過來。

『你幹什麼？』她去拉他的手。

『不要管我！』他用力一推，桂花摔跌在地上。

『妳知道嗎？有幾萬隻螞蟻在我身體裡爬，我要燒死牠們，消滅牠們！』

這時，慕沙帶著大夫和巫師，一起衝進房來。慕沙看到這個情形，嚇了一跳，就直衝到床前，一口吹滅了燭火，驚呼著：

『你在做什麼？眞要戒這個藥，也需要大夫在旁邊，需要很多人來幫忙，你自己一個人怎麼戒？』

爾康跌跌衝衝的撲到另一盞燭火前，舉起手掌繼續燒著。昏亂的說：

『燒死牠！燒死牠！牠在我身體裡面鑽，快要鑽到我的腦袋裡面去了！給我火，燒得大大的火，我要燒死牠們！』

大夫巫師慕沙都看得膽戰心驚。大夫嚷著：

『吃藥吧！這兒有銀硃粉！我知道你很不開心，又給你配了一點新的藥，吃了會讓你很輕鬆，很愉快！』他一面說，一面拿出準備好的藥。

慕沙搶過了藥，拿著水杯，衝到爾康身邊去。

『你爲什麼一定要跟自己過不去呢？趕快吃藥！』

爾康看到了藥，瞬間瓦解了，撲了過來，就去搶藥。

『給我！給我……給我……』

他搶到了藥，才要塞進嘴裡，又停上了，瞪著那些藥粉，發出一聲哀號：

『哦……不要！』

他把藥粉一撒，把杯子砸碎，抓住慕沙一陣亂搖亂喊：

『妳看妳把我弄成什麼樣子？這樣活著還有什麼意義？我恨妳！恨妳！恨死妳！』

慕沙驚怔著，沒有反抗，也沒有掙扎，呆呆的看著他。她怎會把他弄成這樣子？在她這一生裡，第一次這樣深深的愛一個人，這樣強烈的想要一個人！她只是要救他的命，怎麼會把他陷進這麼大的痛苦裡？

大夫趕緊再拿了一包藥過來，喊著：

『吃下去！吃下去！吃了很快就舒服了！天馬，不要拿自己的身子開玩笑，你的藥癮已經太深，戒不掉了！』

爾康放掉慕沙，直撲大夫，雙手掐住了大夫的脖子。大喊：

『我掐死你！你是什麼大夫！你治得我不死不活，治得我一身是病，治得我這麼痛苦，我掐死你……』

大夫掙扎著，蘭花桂花、巫師、徒弟都來幫忙，喊著叫著。

『放手呀！放手呀！你會把他掐死，快放手……』

眾人去拉他扯他，喊成一片，房裡亂成一團。忽然間，爾康雙手乍然鬆開，倒在地上，抱著身子一陣抽搐，就厥過去，不動了。

『他死了！死了！』蘭花驚喊。

慕沙這才驚醒過來，撲向爾康。大夫驚魂未定，摸著脖子發抖。慕沙急呼：

『巫師，巫師，趕快給他喊魂呀！』

宮女們端著一盤一盤的食物跑進門來，把食物放在窗前。巫師就帶著徒弟，去窗前喊魂。宮女們七手八腳把爾康抬上床，大夫也摸摸脖子喘口氣，急忙診治。

『還好還好，還沒死！趕快把他的嘴撬開，把銀硃粉灌下去！他的消沉，也是斷藥的症狀，我又加了一味藥，吃了就會好！趕快趕快！』

大夫用銀匙撬開爾康的嘴，大家抱住他的頭，壓住他的身子。慕沙急忙把銀硃粉倒進了他的嘴裡，再用水一匙一匙的餵進他嘴裡，他喉中咕噥幾聲，藥已入喉。

巫師站在窗前，生怕爾康的靈魂聽不懂緬甸話，特地練習了漢語，虔誠的喊著：

『天馬的靈魂啊！你不要飄流在外面了，如果下雨，你會淋濕，如果出太陽，你會曬傷，蚊子要叮你，水蛭要咬你，老虎要吃你，雷電要轟你！家裡多麼舒服，你什麼也不會缺，不怕風吹雨打，你安安逸逸的回來吃飯吧！』

巫師重複的唸著喊著，爾康醒來了。他睁開眼睛，虛脫的，無力的看著室內的一切，聽著巫師用不純熟的漢語『喊魂』。

慕沙看到他睁開了眼睛，這才鬆了一口氣，喊著：

『醒了醒了！天馬，你覺得怎樣？』

爾康無力的，沮喪的，虛弱的說：

『好像經過一場激烈的戰爭，打了幾天幾夜一樣，渾身都沒力氣。』

眾人全部如釋重負。巫師不敢大意，繼續向窗外『喊魂』。

爾康聽著，看著慕沙問：

『他在爲我「喊魂」？你們就這樣，把我的靈魂喊回來？』

『是！巫師怕你的靈魂聽不懂，還特地練習了漢語！幸虧他給你喊魂，你看，你醒了！剛才，你差一點就死了！』

『這樣「喊魂」，簡直是對我的靈魂「威脅利誘」，怪不得它會回來……』他感覺到體內有種輕飄的感覺，正在慢慢擴散到四肢百骸去。瞭解的說：『妳又給我吃了銀硃粉。』

『是！』她深深看他。『你不要再戒藥，沒用了！大夫說了，你再也離不開銀硃粉！大夫又給你加了一味藥，你會不會覺得比較開心呢？』

『開心？應該是吧！我覺得輕飄飄的，好像在雲裡霧裡……我很開心……有妳這樣陪著我，不斷供應我這麼名貴的藥，幫我喊魂，我……很開心……』他嘴裡這樣說著，眼角卻滾出了一顆淚珠。

這淚珠震動了慕沙，驚喊：

『天馬！你不開心嗎？你怎麼哭了？』

『我們中國人有句話，「英雄有淚不輕彈，只因未到傷心處」！現在，我承認我已經徹底失敗，我陷在這兒，苟且偷生，還答應和妳成親……敗軍之將何以言勇，負國之臣何以言忠，背信之人何以言愛……我再也無顏見皇阿瑪五阿哥，紫薇和親人，眞想大哭一場！』

慕沙怔著，凝視爾康，她雖然聽不懂他那些『何以』，心裡卻不知道爲了什麼而痛楚著。眼前，浮起在戰場上英風颯颯，不可一世的爾康，和面前這個落淚的爾康，簡直是兩個人！慕沙心裡一酸，她只是愛他，只是要他，怎麼會把他弄成這樣？她困惑了，迷惘了。

53

乾隆用最快的速度，瞭解了『方之航』案。

這晚，乾隆的書房裡，站滿了人。桌上，堆滿了厚厚的文案。桌前，小燕子、永琪、紫薇、簫劍、晴兒、福倫都站在那兒，太后坐在一旁。乾隆看到大家都到齊了，就從書桌後面，站起身子，神情嚴肅的環視著眾人。

『朕連夜傳喚你們，是要告訴你們方之航的案子，和朕的決定！』乾隆看看太后。『老佛爺，您對這事，介入也很深，所以請您也來一趟，免得朕再說一次！』他凝視小燕子和簫劍：『小燕子，簫劍！這桌子上堆著的，都是當年方之航一案的資料，朕幾乎用了整整一天的時間，把它看完！朕簡單的把經過說一遍！』

小燕子、簫劍都全神貫注，眾人也都緊緊的看著乾隆。

『二十五年前，方之航是浙江巡撫，是個很有才氣的文官，朕對他也相當器重。杭州文風很盛，方之航也常常和一些文人，泛舟遊湖，暢談國事。當時那首剃頭詩，就是在這種情形寫下來的，很快就流傳開來。其實，朕並沒有注意到這首詩，直到有位也是姓方的守備，寫了一道密摺，傳到北京，這才驚動了朕！那個方守備，自稱是方之航的堂兄弟，也是舟字輩，說是熟知內幕，列舉方之航許多叛國的言行，還附了一卷方之航的文稿，並不止一首剃頭詩！朕下令先把方之航收押入獄再徹查，把案子交給刑部！案子這樣一拖，就拖了一年多……』

一屋子的人，靜悄悄的聽，大家的眼光，都凝聚在乾隆臉上。乾隆嘆了口氣，繼續說：

『朕承認，在朕即位之初，確實對思想言行的管束，比較嚴苛！但是，朕並沒有下令斬首，只吩咐當時的浙江總督馬大人，把方之航押解到北京審問，誰知道，押解途中，發生劫囚的事，馬大人打敗了劫囚的人，抓到一個，那個人供稱，是方之航妻子的指使！馬大人快馬傳書，問朕要不要繼續押解人犯，朕記憶中，當時只說，先押回杭州大牢，再等朕定奪。這件案子，就到此爲止，後來事情太多，朕幾乎把它給忘了！直到前天，你們大家提起來，朕才想起有這麼一回事。朕查看了這件舊案，才知道，後來有人再度劫獄，馬大人一氣，就把方之航給立地正法了！本來還要去緝捕你們的娘，但是，你們的娘卻搶先一步自刎了！』

小燕子聽到這兒，忍不住叫了起來：

『這麼說，我們的仇人，還有那個方守備和馬大人！難道，馬大人有權利正法我爹嗎？』

乾隆正視小燕子，鄭重的說：

『馬大人有權力，是朕給他的權力！對於證據確鑿的案子，他可以「先斬後奏」！馬大人德高望重，二十年前，他告老還鄉，十五年前，已經過世了！他是個很負責任的人，絕對不會草菅人命！但是，這件案子確實審理得糊裡糊塗。朕傳了刑部當時的幾位大人，據說，那位方守備的許多供詞，對方之航都非常不利！最後，也是方守備認出，劫獄的人，是你們的舅舅！所以，當時牽連入獄的，有十九個人！這些人，都早就不在人世了！刑部爲了保護方守備，對他的身分，一直保密！』

簫劍眼神一凜，雙手驀然緊握拳頭。朗聲問：

『這位方守備，還在人世嗎？』

乾隆看看簫劍，看看小燕子，有力的說：

『他死了！你們都認得他，他就是山東巡撫方式舟！去年南巡的時候，被你們幾個拆穿眞面目的大貪官，在朕的命令下，「就地正法，斬首示眾」了！他賣友求榮，一步步爬到巡撫的位子，仍然難逃一死！』

『什麼？方式舟？』永琪驚呼。

眾人大震，不禁面面相覷，大家你看我，我看你。小燕子和簫劍，交換著眼光，兩人眼前，都浮起方式舟那副貪官嘴臉，想起大家怎樣追捕方式舟，怎樣捉拿他，怎樣被乾隆『殺無赦』，怎樣在法場眼看著他人頭落地……兩人都震懾起來。不止他們兄妹兩個震懾，是人人震懾了。福倫不禁喊著：

『眞是老天有眼，天網恢恢，疏而不漏呀！』

紫薇回過神來，眼睛驀然一亮，十分激動的拉住小燕子的手，喊了起來：

『小燕子！這麼說起來，皇阿瑪根本不是妳的殺父仇人！這是一個誤會呀！妳再也不必恨皇阿瑪了，妳可以像以前一樣去喜歡他了！』

小燕子像作夢一樣，不知是悲是喜。永琪感恩的吐出一口長氣，就用沒受傷的手，拍著簫劍的肩。說：

『簫劍，這裡面有很多曲折……如果我們早點弄清楚，我們都不必受這麼多的苦！』

晴兒淚汪汪，去拉紫薇的手。

『原來是這樣！我們大家，死守著一個祕密，誰也不敢拆穿，以爲拆穿了就是死！早知道，直接來問皇上，不是早就可以調出案子來查看嗎？』

大家你一言，我一語，只有簫劍不說話，沉思的看著乾隆。心想，乾隆把一件『砍頭』的大案件，說得如此輕描淡寫，雖然方式舟的伏法，讓人震撼，但是，乾隆所扮演的角色，依然是最重要的一個人！絕不能因為方式舟的緣故，就讓他置身事外！乾隆，依然是他們兄妹的『殺父仇人』！如果沒有乾隆下令收押入獄，沒有乾隆下令嚴辦，馬大人怎樣也不會『先斬後奏』！他抬眼正視乾隆，沉著的問：

『皇上，您重新看了這些資料，您認為我爹是罪有應得，還是被人陷害了？您認為，您沒有親自下令斬首，就和我爹的死，沒有關係了？』

乾隆深深的看簫劍，完全瞭解簫劍的想法，他從桌上拿起一卷文稿，坦率的說：

『你爹是被人陷害了！如果沒有人告密，朕永遠也不會去注意他的文章！但是，他的思想，如果要問罪，也可以問罪！這兒，有一本你爹的文稿，是他的手跡！我把它還給你們兄妹兩個，你們自己去判定！你爹是漢人，對漢人的文化，非常推崇！對滿人的文化，多少有些輕視！這，實在犯了朝廷的大忌。不過，因為這些文稿而弄得家破人亡，也確實太嚴重了！所以，朕不否認，自己和你爹的死，仍然有關係！朕雖然沒有親手殺他，他仍然是因朕而死！現在，方式舟已經伏法，還是借你的手，讓他問罪的！朕回想起來，也覺得不可思議！好像冥冥中，自有天意！朕希望，整個事件，就此煙消雲散吧！』

乾隆說著，就把文稿遞給簫劍。簫劍想到是父親的遺稿，眼中立刻充淚了，雙手恭敬的，顫抖的接過。聽到乾隆這樣坦白的『承認』，想到『思想文化』的控制，每個皇帝都一樣！那句『犯了朝廷的大忌』，也是自己父親的任性吧！這樣想著，那『殺父之仇』就真的變淡了。何況，乾隆的語氣裡，帶著太多的感情，太多的忍讓，太多的遷就……他是一個皇帝，大可不必向他解釋這些，要殺要斬，憑他高興。他會說這麼多，大概是眞心喜歡小燕子吧，眞心不願失去永琪吧？他注視著乾隆，決定把話問得更清楚：

『皇上，你的「煙消雲散」是什麼意思？我還是你的「欽犯」嗎？對於我和小燕子前天的舉動，你預備怎麼處置？』

乾隆再看看小燕子，看看簫劍。嘆息著：

『這幾年來，小燕子帶給朕非常多的快樂，還記得南巡時，小燕子爲了要朕高興，當小二，背菜單，唱蹦蹦戲……還有她的跳駝比賽，她的燈籠舞，她的成語大全……她著名的詩句，「抬頭見老鼠，低頭見蟑螂！」一件一件，讓朕念念不忘！朕對那個小燕子，非常懷念，如果沒有殺父之仇，大概朕永遠不會失去那個小燕子吧！前天，拿著劍來刺朕的小燕子，確實讓朕不寒而慄……但是，想到她的親爹，爲了朕的疏忽而送了命，朕……不想追究了！什麼都不追究了！何況，簫劍還要帶路，趕到緬甸去，救我的女婿爾康！』

乾隆一篇話，說得眞情流露，大家聽了，個個眼中濕漉漉。小燕子聽到乾隆歷數她的種種，件件記在心頭，尤其震動。不禁含淚說：

『皇阿瑪！我不知道現在是恨你還是愛你，我已經糊塗了！不過，前天那一劍，我不是有心的……』

『別說了！永琪不是代我挨了這一劍嗎？』乾隆柔聲打斷，轉眼看永琪，心痛的問：『永琪，傷口是不是很深？很疼吧？』此時，乾隆眼前忽然浮起小燕子曾經手持鞭子對他衝來，永琪不惜用花瓶砸傷她的一幕。想到他們兩人如此恩愛，永琪卻爲了保護自己，三番兩次，讓小燕子和自己受傷。這樣的兒子，哪兒去找？他心裡對永琪的珍惜和寵愛，就更加強烈。眼裡流露的父愛，也更加深重了。

『皇阿瑪，沒事！』永琪激動的說：『一點小傷而已！永琪謝皇阿瑪的諒解！謝皇阿瑪的不追究！』

太后看到這兒，不禁一呆，站起身子，著急的說：

『皇帝！以前的案子，就算過去了！但是，這兄妹二人，對皇帝的安全，已經構成威脅，一個要掐皇帝的脖子，一個拿劍要刺殺皇帝，嚇得我魂飛魄散，到現在還發抖。皇帝心地仁慈，什麼都不追究，但是，他們是不是也把這殺父之仇，徹底擺脫了？會不會隨時想起來，再來一次？』

福倫一步上前，拱手說：

『臣以性命，擔保還珠格格和簫大俠，再也不會這樣做了！以前的事，已經說得這麼清楚，他們何必還要這麼做呢？』

紫薇也急忙上前說：

『紫薇也以性命擔保，小燕子會變成原來的小燕子！』她回頭看小燕子，推著她上前：『是不是？妳自己跟皇阿瑪說！』

豈料，小燕子眼淚一掉，痛喊出聲：

『不！我再也沒有辦法變成原來那個小燕子了！這一年多，我受了許多你們想像不到的痛苦，我的笑，早已被眼淚取代……現在眞相大白，我的心還是很痛，我說不清楚……爲了這個殺父之仇，我付出好大的代價，失去了以前的歡笑，失去了皇阿瑪，失去了半個永琪……我……我……』她痛定思痛，不禁伏案大哭。邊哭邊說：『我好想哭，我好想找回以前那個我，但是，我找不回來了！』

小燕子這樣一哭，人人眼中淚汪汪，永琪尤其心痛。

晴兒和紫薇，一邊一個，去扶著小燕子，跟著掉眼淚。

乾隆眼中也含淚了，看著眾人，不勝感慨的說：

『是！我們大家，誰都無法回到從前了！你們隨時會想起殺父之仇，和這件事引起的後果，對朕耿耿於懷……朕也會隨時想起小燕子那一劍，和小燕子的身世，對你們也起了戒心……要回到毫無芥蒂的日子，確實難了！』說著，他看著永琪，心裡千迴百轉，已經有了決定，不捨的喊：『永琪！爲了小燕子，你決定放棄江山，放棄王位嗎？你不會後悔嗎？』

永琪大大一震，抬頭看著乾隆，父子連心，頓時瞭解了乾隆的意思。

『是！』永琪誠摯的，眞切的說：『如果皇阿瑪肯放掉我，讓我跟小燕子離開皇宮，從此過平凡的老百姓的生活，我會非常感激！小燕子從小在江湖中長大，確實無法勝任一個福晉的生活，更沒辦法當王妃，當太子妃，甚至當國母！而我，只是一個「怪物」，缺乏當帝王的霸氣！經過了清緬之戰，我更加體會到「一將功成萬骨枯」的悲涼，覺得自己更加不適合當皇帝！我想，幾個小阿哥，會比我更有成就！皇阿瑪如果眞的喜歡我，就成全我，讓我當個普通百姓吧！』

乾隆緊盯著永琪，忍著心痛，正色說：

『如果你跟小燕子一起走了，我只能宣佈，你死了！以後，你也不能再回來了！你決定了嗎？』

『也不能回來看皇阿瑪嗎？』永琪眼中含淚，不捨的看乾隆。

『大概不能！但是，朕很喜歡微服出巡，說不定那一天，會到大理去玩玩！』

小燕子聽到乾隆這些話，才知道乾隆有意要成全她和永琪，她在意外驚喜之餘，生怕永琪不答應，立刻緊緊的看著他。永琪掉頭看她一眼，接觸到她那震動、期盼、著急、和懇求的眼光，他就義無反顧了。他痛楚的一點頭，說：

『我決定了！請皇阿瑪原諒我的不孝，我的自私，和我的任性！』

太后大急。站起身子，往前一衝喊：

『皇帝！你怎能放棄永琪？你那兒再去找這麼好的兒子？』

『皇額娘……』乾隆一嘆：『朕曾經說過，爲了天下，朕失去了太多東西，現在，不忍心讓永琪再走我的老路！愛他，只好放他！』

好一句『愛他，只好放他！』永琪震動已極，一瞬也不瞬的看著乾隆。

小燕子也轉過眼光來看乾隆，眾人全部震住了，都感動的看著乾隆。被他這幾句深刻的肺腑之言，深深撼動。一時之間，偌大的房間裡，鴉雀無聲。最後，還是乾隆振作了一下，大聲喊：

『晴兒！』

『是！皇上！』晴兒一驚，急忙答應。

『朕把妳指婚給簫劍了！他們馬上要動身去緬甸救爾康，妳就跟簫劍一起走吧！婚禮你們自己看著辦，朕不參加了！老佛爺，請幫朕給晴兒準備一份嫁妝！』

太后楞住了。

晴兒大出意料，又驚又喜，怔了片刻，才熱淚盈眶的，急忙謝恩。

『晴兒謝皇上恩典！』

乾隆就再度深深的看簫劍，充滿感情的說：

『簫劍！朕把晴兒給你，能不能抹煞你心頭之恨呢？』

簫劍至此，不能不服，雙拳一抱，朗聲說：

『簫劍不敢再恨！救出爾康以後，大概也不會再出現在皇上面前，皇上可以高枕無憂，安心度日！一個晴兒，彌補了二十幾年的孤苦……簫劍謝皇上恩典！』

晴兒聽到簫劍這樣說，更是熱情奔放，再也不用掩飾自己的感情了。

『小燕子！』乾隆再喊。

小燕子抬頭看著乾隆。

『朕害妳失去了爹娘，過了許多年孤兒的生活，過去的事，無法彌補。但是，朕把自己最最心愛的一個兒子，給了妳！從此，永琪是妳的人，跟妳去浪跡天涯！這樣……』他的聲音哽住了，壯士斷腕，痛入骨髓啊！他聲音哽咽：『朕和妳之間，是不是扯平了？』

小燕子一聽，再也控制不住自己，奔上前來，一跪落地，抱住乾隆的腿痛哭。她仰著頭，邊哭邊喊：

『皇阿瑪！你是我永遠的皇阿瑪！不管我人在那裡，我會記住你的好！我要讓你知道，我心裡再也沒有恨，一點也沒有了！』

乾隆眼中，落下一滴淚。大家全部落淚了。連太后，眼淚也不停的掉。

永琪更是深深切切的看著乾隆，眼神裡，是無盡的不捨。他就走上前去，跪在小燕子身邊，對乾隆含淚說：

『我捨得江山，捨得王位，捨得皇宮，捨得富貴……捨不得的，是皇阿瑪！』

乾隆一伸手，緊緊的握住了永琪的肩膀。

父子二人，淚眼相看。都在對方眼中，看到人世間最真摯最高貴的愛。從來沒有一個時刻，乾隆和永琪的心，如此貼近。雖然他們的人，即將分開，天南地北！

從乾清宮回到景陽宮，小燕子和永琪的情緒，一直陷在激動裡，根本無法平復。小燕子看到明月、彩霞兩個，眼淚更是不停的掉。兩個宮女著急的遞手帕，端熱茶。不解的追問：

『怎麼了？皇上又跟你們發脾氣了嗎？』

小燕子一手拉明月，一手拉彩霞。看看這個，又看看那個，含淚說：

『明月，彩霞！我和五阿哥後天一早，就動身去找爾康！妳們兩個跟著我，也過了好多年，明天，我會稟明令妃娘娘，讓她作主，早一天放妳們出宮，自己找個好婆家，就嫁了吧！』

『格格怎麼忽然說這個？』彩霞著急的說：『彩霞不要嫁，要終身侍候格格！』

『我也是！』明月跟著說：『出宮之後，家裡也沒人了，不知道怎麼過日子啊！我最快樂的時光，就是跟著格格的時光，格格千萬別趕我走！』

小燕子摟著兩人，更是淚不可止。

永琪走上前來，拍拍她的肩膀。柔聲的說：

『小燕子，別哭了！事情發展到今天這個樣子，已經比我們的預期要好了無數倍。人生，就是這樣，常常不能兩全。有喜有悲，有聚有散！』

小燕子一轉身，抱住了永琪的腰。熱烈的喊：

『永琪！我值得你爲我這麼做嗎？想到皇阿瑪對你那麼好，你也那麼喜歡皇阿瑪，我覺得自己好殘忍呀！你心裡一定很難過很難過，是不是？或者，你留下，讓我走吧！我不再自私，不再佔有你……』

永琪嘆口氣，輕聲打斷了她：

『是！我心裡很痛很痛，但是……別說了！好不容易爭到今天的結果，不能再改變了！妳跟我過了許多年的宮廷生活，也輪到我來試試妳的生活！天涯海角，讓我們結伴同行吧！』

明月和彩霞互視一眼，這才驚覺到小燕子和永琪，可能一去不回了。兩人體會到這個，就驚怔著呆住了。

就在這時，房門忽然乒乒乓乓的撞開了，知畫跌跌撞撞的撲奔進來。她一下子就衝到永琪和小燕子面前，顧不得宮女在前，也顧不得形象和面子，她惶急的，慌亂的一跪落地，痛喊出聲：

『永琪，姐姐！請你們原諒我！我前天是失去理智了，被魔鬼附身了，才會在皇阿瑪面前，說出那此話！我錯了，請你們不要走！你們走了，我怎麼辦？』她抬頭看永琪，眼裡是無盡的悲慘。『永琪，不管我做了什麼，我對你的心，天知地知！我只是太想擁有你，太想留住你，太想跟你在一起！永琪，不要遺棄我，我……我……我就算有千錯萬錯，也幫你生下綿億了，你不看我的面子，看綿億的面子，請你，求你……』說著說著，竟對兩人磕下頭去。

小燕子怔忡著，這樣悽惶無助的知畫，對她而言，幾乎是陌生的。在這一瞬間，她忘記了和知畫所有的戰爭，拋開了所有的嫉妒，對知畫生出無限的同情。

永琪一把就拉起知畫，說：

『知畫，我們回到妳房裡去談！』

永琪說著，就回頭看小燕子，眼裡有徵求同意的味道。小燕子急忙點頭，永琪就拉著知畫走了。

到了知畫的房間，永琪關上房門，走到她面前，深沉的、悲哀的、憐憫的看著她。看了好久，才鄭重的叮嚀：

『知畫，我們之間的是是非非，現在都不要說了！妳嫁給我，本來就是一個悲劇，是妳的失策，是我的遺憾！我走了以後，我想，皇阿瑪和老佛爺都會善待妳，何況，妳已經有了綿億！他是妳的護身符，是妳的希望，我把這個沉沉重擔交給妳了！好好把綿億帶大，說不定有一天，我們父子還會見面！至於妳，妳才十八，犯不著為我守身，我們大清有這樣的例子，丈夫死了，妻子可以改嫁給宗親，當初順治爺的董鄂妃，就是這樣……說不定妳會遇到一個比我更適合妳的人……』

知畫用一對著急而熱切的眸子看著他，仔細的聽著他。越聽越急，她拚命搖頭，眼淚就瘋狂的滾落。她忍不住用手去摀他的嘴，痛楚的喊：

『不要這樣說，我也是唸四書五經烈女傳長大的，自從嫁到景陽宮，我這一生已經注定，我是你的人了！我知道，我說出了那個大祕密，差點害死你們，你心裡恨死了我，才會這麼說！我承認，我對姐姐吃醋，做了很多不該做的事，說了很多不該說的話，我錯了錯了錯了！我不敢求你原諒，只求你發發慈悲，如果你一去不回，我要怎麼辦？』

永琪拉下她的手，悲哀的凝視著她的眼睛。

『對不起！妳的心，我瞭解，妳的感情，我也瞭解！妳的行事作風，我不瞭解，但是，現在也不用去追究了！』他頓了頓，語重心長：『這個皇宮，到處充滿戰爭，人與人之間，鉤心鬥角，一個比一個厲害。妳如果處處爭強好勝，注定要遍體鱗傷！來日方長，妳自求多福吧！』

知畫更急，又要下跪。

『我給你跪下，你現在去找額駙沒關係，但是，求求你，答應我一定回來！如果永遠失去你，我也是生不如死呀！』

永琪一把拉住她，不讓她下跪，悲哀的凝視她。

『太晚了！我已經下定決心，不能改變。這次離別，我們今生，大概也不會再見了！好在，這個嫡福晉的名份，妳是坐穩了！榮王妃的地位，也沒人再來搶！如果綿億爭氣，說不定還有更大的榮華富貴在等著妳！我祝福妳！』

永琪說完，轉身就要離去。知畫大急，一把抱住他，惶急的喊著：

『永琪永琪……我不在乎你只愛姐姐，我只要在你旁邊，偶然得到你一點點恩寵就可以了，我再也不吃醋，再也不用心機，再也不耍手段，再也不爭強好勝，再也不出賣你們……請你給我機會……我眞的喜歡你呀……眞的眞的眞的呀……』

知畫的話，讓永琪更加感到悲哀。他看著她，想著在海寧初次見到的她，想到那個可以一邊跳舞，一邊畫出梅蘭竹菊的她，想到剛進宮的她，想到征服了太后和乾隆的她，想到新婚那夜的她，想到用『誰伴明窗獨坐，我和孩子兩個』來得到他的她，也想到冒險撞桌子，撞得幾乎送命的她……他心底充滿同情和悽慘！她曾經做過多少的努力，是爲了喜歡他還是爲了喜歡地位權勢呢？這些，也不重要了。不管她喜歡的是什麼，她注定都失去了！他深刻的凝視她，說：

『不要繼續喜歡我，妳像一條彩色的爬牆虎，多采多姿，應變能力是第一流的！如果有人砍斷妳的尾巴，妳會再長出一條新的來！我就是妳的斷尾，剛剛斷掉的時候很痛，但是，舊的不去，新的不來！我相信妳會得到重生，繼續活得多采多姿！』

他說完了，用力的抽身而去。知畫跌倒在地，痛哭著喊：

『永琪！你是最善良的人，你有最柔軟的心，爲什麼對我這麼狠？這麼無情？我愛你呀，愛你呀，難道愛也有錯？』

永琪聽了，心中惻然，走回來拉起她，輕輕的擁抱了她一下。憐恤的說：

『這個皇宮裡有很多可憐人，妳只是其中的一個！妳冰雪聰明，美麗動人，又唸了那麼多的書，爲什麼要把自己陷在這個地位？以前我也認爲愛沒有錯，現在才明白了，愛也有錯！不擇手段的愛，傷害別人的愛，比恨還可怕！妳想想清楚，還來得及重新來過！』

知畫眼睛一亮，充滿希望的，急急的問：

『你允許我再重新來過嗎？你跟我一起重新來過嗎？』

『我不行！』永琪溫和卻堅定的說：『我早就認定了一個。妳好自爲之！珍重珍重！』說完，放開知畫，這次再不回頭，毅然決然的走了。

知畫撲倒在床，頓時痛哭失聲。

第二天一早，太后才翻身起床，晴兒已經一步上前，攙著她起身。早有宮女，捧著盥洗用具，水盆帕子、漱口杯、衣服……等站了一排。晴兒試了試水的溫度，絞了帕子，遞給太后。看到她擦完臉，晴兒再拿起漱口杯，遞給她。等到太后漱了口，她再爲她穿衣。清裝很講究，是一層一層穿上去的，晴兒也一層一層的服侍。穿好衣裳，就輪到梳頭，那代表身分地位的旗頭，也要花一點時間來梳理。梳理完了，才輪到戴簪環首飾，翠玉項鍊。

『晴兒，讓丫頭來侍候就好了！妳昨兒一夜沒睡吧！眼睛都腫得像核桃，去歇著吧，不用侍候我了！』太后柔聲的說，看著細心服侍的晴兒。

晴兒眼中含淚，充滿孺慕之情，依依不捨的說：

『老佛爺，讓我侍候您最後一次，等一會兒，我就去學士府了，明天，大夥都從學士府出發去雲南。只怕今生，我就和老佛爺再也見不到了！老佛爺，請您原諒我這樣任性，辜負了老佛爺的教誨和期望！』

晴兒這樣一說，太后的眼淚就奪眶而出。一轉身，她握住了晴兒的手。

『晴兒啊！』太后到了這個時候，才眞的對她放手了。她嘆息的說：『妳有妳的任性，我有我的任性！今天這個局面，是我們兩個的任性造成的。我知道，妳爲了這一段情，流過多少淚！在妳心裡，早把我恨死怨死了吧？』

晴兒誠摯的、熱烈的、急急接口：

『老佛爺！沒有！我從來沒有怨過您，也沒有恨過您！我知道您的立場、您的心，和您對我的「捨不得」，我沒辦法恨一個愛我的人！如果我曾經有恨，也只是恨人生的際遇，恨老天的安排！恨我自己不爭氣，爲什麼對這段情認死扣？是我太沒出息，是我讓老佛爺錯愛了！』

『不要再說這種話，最近，我常常覺得自己老了，對很多事都力不從心！我想，人，最終還是鬥不過命運，老天有老天的安排。以後，妳不用再恨人生的際遇和老天的安排了，老天不見得對人人都好，但是，對妳的安排，應該是「煞費苦心」吧！要不然，以妳和簫劍這樣天南地北的兩個人，會用紅繩綁在一起，最後還能成其好事，實在是不可思議呀！』

晴兒凝視太后，感慨良深，低聲的說：

『整個故事，不是從我和簫劍開始的……』

太后點頭，瞭解的說：

『是從皇帝的文字獄開始的，是從方之航被砍頭開始的！爲了一個方之航，皇帝賠上了永琪，我賠上了妳！這是命！妳……好好的去吧！好好的爲簫劍生兒育女，讓方家的香火得以傳承，這是我們欠方家的！』

『老佛爺，您能這樣想，就可以開懷很多！』晴兒聽到她這樣的話，心裡的安慰，實在太大了，不禁對著太后微笑起來。『讓我和永琪去還債，換得老佛爺和皇上的永遠安寧，事事如意！希望我們離開以後，老佛爺也能常常這樣去安慰皇上！』

太后再點頭，就從自己的脖子上，解下那條戴了許多年的翠玉項鍊，戴在晴兒脖子上。溫柔的說：

『這是我的翠玉項鍊，還是我的額娘給我的東西，翠玉保平安，珠子保團圓，九十九顆珠子，象徵長長久久！給妳了，我的祝福和我的心，都在這條項鍊裡！希望妳這一生，平平安安，和簫劍圓圓滿滿，長長久久！』

晴兒頓時淚落如雨，跪在太后面前，一把抱住了她，喊著：

『老佛爺啊！我這樣辜負妳，不聽妳的話，最後還狠心的離開妳……我以為妳被我氣死了，早就不再喜歡我了！誰知道，妳還對我這麼好！我怎麼配接受妳戴了一輩子的項鍊，還有那麼多的祝福？』

『妳不配，還有誰配？』太后哽咽的說：『妳是我最貼心的晴兒啊！』

太后說完，喉中哽著，再也說不出話來，滿眼的淚，伸手把晴兒抱得緊緊緊緊的。晴兒依偎在太后的懷裡，此時此刻，只有深深的孺慕之思和不捨。

這一天，大家都很忙。晴兒和太后依依不捨，小燕子卻直奔靜心苑。

皇后躺在床上，正在生病，看到小燕子，撐持著坐了起來。驚喜的喊：

『小燕子！怎麼突然過來了？』

『皇額娘在生病嗎？臉色怎麼這樣壞？有沒有傳太醫？太醫怎麼說？』小燕子看到皇后臉色憔悴，著急的問。

『沒事沒事！看什麼太醫？最近一直這個樣子……』皇后說著，就大咳起來。

容嬤嬤趕快上前，拚命給皇后搥打著背。小燕子急忙倒了一杯水過去，皇后就著小燕子的手，把水喝了，抬起頭來，額上都是汗珠，臉色慘白。

小燕子看得膽戰心驚。轉身就跑。

『我去傳太醫！這樣拖下去不行！門口的侍衛都是死人嗎？病得這麼嚴重，怎麼沒有人告訴皇阿瑪？我去……』

『別去別去！』皇后急呼：『難得看到妳，坐下說說話！太醫來也沒用，治得了病，治不了命！容嬤嬤，妳給我拉住她……』

容嬤嬤就上前，一把抓住了小燕子。說：

『格格！不要傳太醫，娘娘不許驚動太醫，也不想驚動任何人，才什麼都沒說！在這個靜心苑裡，娘娘的心，也靜得沒有任何聲音了！娘娘除了唸佛，什麼都不願意做，只是靜靜的活著，靜靜的挨過每一個日子！』

小燕子站住了，似懂非懂，卻感到一種莫可言狀的悲涼。皇后注視著她，感到她這次來，有些不尋常。就問：

『小燕子，妳有事嗎？有話要跟我說？』

小燕子這才想起自己的來意。

『皇額娘，我來……辭行的！等一會兒，我就離開皇宮了，要去雲南找爾康……皇額娘！我不會再回來了！這是個祕密，宮裡的人，都以爲我還會回來，但是，我們已經得到皇阿瑪的允許，從此不回來了！』

皇后深深的看著小燕子，眼神清亮起來。說：

『飛進皇宮的小燕子，再飛回民間去！好！皇上終於做了一件充滿智慧的事。小燕子，好好的飛吧！這個皇宮，是個牢籠，關得了皇帝，關得了皇后嬪妃，關得了王孫公子，關得了阿哥格格……就是關不了燕子！妳在臨走之前，還來見我一面，讓我再一次爲妳動了凡心！』

小燕子就上前，和皇后緊緊擁抱。說：

『皇額娘，我不能多留，還要去和令妃娘娘辭行，還要和皇阿瑪辭行……奇怪，一天到晚想飛出皇宮，現在，眞要走了，這個也捨不得，那個也捨不得！我一點慧根也沒有，想到可能永遠見不到你們了，我的心還是很痛很痛！』

『去吧！有捨才有得！不捨不能得！』皇后推開了她。

小燕子就放開了皇后，看著容嬤嬤，突然又熱情奔放的，一把抱住容嬤嬤。

『容嬤嬤！妳好好的照顧皇額娘！不要讓她的心，靜得沒有聲音，最起碼，她聽得到妳的聲音！妳要跟她說，身體不好，一定要看太醫，一定要吃藥呀！』

『格格！妳說的，奴婢都記住了！』容嬤嬤也熱情奔放了，傷心的說：『我一直都在跟她說，她就是不肯聽呀！就算她捨得整個天下，奴婢還是捨不得她！不知道要怎樣才能讓她的心，聽得到我？不知道要怎樣才能讓她的眼睛，看得到我？不知道要怎樣，才能讓她看病吃藥？奴婢太笨了，太沒用了，都侍候不好娘娘！』

容嬤嬤一篇泣血之言，皇后眼中充淚了。看著容嬤嬤說：

『容嬤嬤！如果我在這個人間，還有什麼捨不得的，不是皇上，不是皇宮，不是身分地位，不是十二阿哥……不是任何一個人，只有妳！』

容嬤嬤一聽此話，放開小燕子，撲奔皇后，緊緊的摟住了她。一疊連聲喊：

『娘娘，娘娘，妳不要捨不得奴婢，奴婢不會讓娘娘掛單，娘娘在那兒，奴婢在那兒！奴婢早就下定決心，永遠永遠跟著娘娘！』

『就是妳這一份心，讓我牽掛！到時候，妳要「捨得」呀！』

『不！不！捨不得……捨不得……奴婢是凡人俗人粗人，聽不懂道理，奴婢就是捨不得！』

主僕二人說著，抱著，悄然落淚。

小燕子眼中濕漉漉，悄悄的轉身走了。

然後，收拾好了行裝，永琪帶著小燕子，到了慈寧宮。正好乾隆和令妃也在那兒。永琪、小燕子、和晴兒就一排站著，拜別乾隆、太后、和令妃。

永琪一步上前，對著三人一跪落地。充滿感情的、充滿歉疚的、充滿感激的開了口：

『老佛爺，皇阿瑪，令妃娘娘，永琪一定要給你們磕一個頭！感謝皇阿瑪的教誨，老佛爺的錯愛，令妃娘娘的照顧。永琪相信，眞誠會感動天地，我們一定還有再見的日子！至於永琪的種種不孝，希望老佛爺和皇阿瑪原諒！不管我們到了那兒，我們永遠永遠，不會忘記你們！』

太后拭淚，令妃拭淚，乾隆眼中濕濕的，柔聲的說：

『起來吧！這以後，只能自己照顧自己了！記住，你是朕最優秀的兒子，是朕最大的驕傲，這是永遠不變的！』

『是！永琪會記住這句話，以後，生命裡再有任何挫折，都會用這句話來自勉！我不會再辜負皇阿瑪了，這一生，已經做了一個失敗的阿哥，但願，會做一個成功的百姓！』說著，就磕下頭去。磕完頭起身，站在一邊。

小燕子就拉著晴兒，雙雙跪倒。

『皇阿瑪！老佛爺，令妃娘娘……』小燕子含淚喊著：『小燕子要走了！這次一走，不知道那一年再會見面！小燕子平常嘰哩呱啦，現在只想哭，該說的話，一句都說不出來！自從進宮，我鬧了好多笑話，闖了好多禍，最後還帶走了永琪，我簡直是皇宮裡的災難！我走了，皇宮裡就再也沒有災難了！皇阿瑪……您知道嗎？我從小沒爹沒娘，常常想像我親爹的樣子，都想像不出來。直到我遇到皇阿瑪，您的影像，就變成我親爹的影像，就算後來知道皇阿瑪是我的殺父仇人，我想起親爹，還是會浮起您的臉孔！我眞的好喜歡您，好愛您！皇阿瑪……以後，我再也不會這樣叫您了，請您允許我，現在叫個夠……』小燕子感情一來，完全無法控制，就一連串的喊：『皇阿瑪，皇阿瑪，皇阿瑪，皇阿瑪，皇阿瑪……』

乾隆的淚，再也忍不住，被小燕子喊了出來，他站起身子，走上前來，拉起她，憐惜的，寵愛的看著她說：

『小燕子，不要招惹我們掉眼淚，妳是朕的開心果呀！朕會記住妳的好，忘記妳的不好……』他皺皺眉頭，故作疑惑的說：『妳有不好嗎？怎麼朕想不出來呢？』

小燕子含淚看他，父女二人，不禁深深對視，所有仇恨，全部被天倫之愛所淹沒了。小燕子就撲進了乾隆懷裡，不捨的喊：

『皇阿瑪！我會想你的，我會一直一直想你的！』

『朕也是！』乾隆喉中隱隱作痛：『妳這麼奇奇怪怪，帶來這麼特別的故事，一會兒讓朕笑，一會兒讓朕氣，一會兒讓朕啼笑皆非，一會兒讓朕掉眼淚……要想忘掉妳，都不容易！』

小燕子依偎片刻，才離開乾隆。晴兒就磕下頭去，對三人熱烈、誠摯的說：

『晴兒和小燕子一樣，準備了一肚子的話，要和皇上、令妃娘娘、老佛爺說，可是，現在一句也說不出來！晴兒只能謝謝皇上，謝謝老佛爺，謝謝令妃娘娘！你們的成全，造就了一個全新的晴兒，也造就了全新的永琪和小燕子！對你們說，這是一件不可能的事，要有多麼大的胸襟，才能做到你們應允的事！晴兒在感激之餘，有更多的崇拜，我只能給你們磕三個頭，來代表我的感激和感動！希望我們的後半生，不會讓你們大家失望！』

晴兒說著，就恭恭敬敬的磕了三個頭。

令妃趕緊走了過來，含淚拉起晴兒。

『不要再磕頭了，我知道，你們的行裝都準備好了，馬車也在宮門口等著，學士府急著要出發，大家就不要爲了辭行，耽誤行程了！你們三個，一路平安，從此之後，事事如意！』

老佛爺抓著晴兒的手，依依不捨。永琪忍不住，對太后說：

『老佛爺，永琪還有一件事，要拜託老佛爺！』

『你說！』

『知畫和綿億，我都辜負了！請老佛爺在我走之後，爲知畫作主，讓她改嫁吧，不要耽誤了她的青春！至於綿億……』他的聲音哽了哽，啞聲的說：『他從小沒有爹，請老佛爺和皇阿瑪，多多照顧他一點，在他懂事的時候，告訴他，他的阿瑪，心裡是非常疼愛他的！走的時候，也是非常捨不得的！』

『永琪！你的託付，我都瞭解了！』太后含淚說：『從今以後，知畫和綿億，就是我的事了！你安心的走吧！』

三人立定，再對乾隆、令妃、太后行禮，這才轉身離去。令妃追在後面喊：

『有了落腳的地方，還是要想辦法捎封信給咱們呀！如果信裡不方便說，只要「平安」兩個字就夠了！』

『是！知道了！大家珍重！』

乾隆、太后、和令妃都身不由主的追到門口來。揮舞著手，喊著珍重保重平安等話，離別時候總傷心，也只一聲珍重！小燕子出了門，忽然站定，回頭看乾隆。衝口而出的說：

『皇阿瑪，你知道皇額娘已經病危了嗎？你連我這樣的人，都饒恕了成全了，還有什麼不能包容呢？』

小燕子說完，掉頭而去。剩下乾隆，震動的站著。

終於，永琪、小燕子和晴兒，要永遠永遠離開皇宮了。宮門口停著馬車，小鄧子、小卓子駕車，坐在駕駛座上。明月、彩霞帶著眾宮女太監，送到門口來。

『五阿哥，兩位格格，一路順風！要早去早回呀！』明月喊著。

『一定要回來呀！奴婢們準備著月餅，等著你們中秋節回來團圓！』彩霞明知不可能，仍然抱著希望喊。

小燕子就一個一個的擁別明月和彩霞，說不出的捨不得，說不出的心痛。

『我已經和令妃娘娘說過了，妳們以後，好好的過日子！我留了好多東西給妳們，放在我屋裡，妳們記得去拿！』

明月、彩霞心裡有數，頓時含淚了，兩人抱著小燕子不放。晴兒滿眼的淚，站在一邊看。喊著：

『明月，彩霞，不要再招惹小燕子的眼淚，她已經哭了好幾天了！』

晴兒一說，明月彩霞更是淚不可止，抱著小燕子哭。

就在這時，知畫抱著綿億，飛奔而來。後面緊跟著桂嬤嬤、珍兒翠兒等。知畫撕肝裂肺般的喊著：

『永琪……永琪……再等一下！』

永琪震動的抬頭。小燕子和晴兒也驚動的看著，只見知畫氣急敗壞的奔到眾人面前，氣喘吁吁的說：

『永琪！我把綿億抱來送你！好歹，你也跟綿億說一聲「再見」吧！』

知畫雙手捧著綿億，送了過來。永琪注視著綿億，一陣心酸湧起，情不自禁，抱過了綿億。他手臂上有傷，這一抱，才覺得痛，不知是傷口痛，還是心痛。一時之間，五臟六腑都跟著痛了起來，他把綿憶小小的頭，貼在自己的面頰上，親熱了一會兒，再低頭看著孩子，低低的，不捨的說：

『綿憶，對不起！你有一個不負責任的阿瑪，在你才出世沒多久，就棄你而去！但是，記住，你的阿瑪，心裡始終有你！你是我「綿綿不斷的希望，億億萬萬的回憶」，勇敢的面對你的人生吧！當你長大了，如果覺得生命不夠美好，不妨來找我！我會讓你認識一個不一樣的生命！』

永琪說完，把孩子依依不捨的放回知畫懷裡。叮嚀著：

『知畫！用一顆最純淨的心，來教育這個孩子，讓他遠離鬥爭和鉤心鬥角！那顆純淨的心，妳一直有的，把它找回來吧！』

知畫滿臉的淚，虔誠的說：

『是！我聽你的！我把它找回來……我也等你回來！』

『不要等我，再見了！』永琪搖搖頭，一嘆：『知畫！珍重，保重！』

永琪說完，一回身，跳上了馬車，小燕子和晴兒，趕緊跟著上車。小鄧子、小卓子一拉馬韁，馬兒立即向前飛馳。

知畫情不自禁，抱著孩子，開始追車。嘴裡不斷的喊著：

『永琪……永琪……早點回來……我會等你啊！永琪……永琪……我會為你做一個全新的知畫，你記住啊……』

桂嬤嬤和珍兒翠兒，生怕知畫有失，開始追知畫。

『福晉！趕快停下來，當心摔著孩子呀！風這麼大，孩子吹風會生病的，不要追車了！五阿哥去一陣，就會回來呀！』桂嬤嬤喊著。

知畫仍然沒命的追車。沒命的喊：

『永琪……永琪……記住！我抱著的是「綿綿不斷的感情，億億萬萬的決心」，我在等你啊……我和孩子，都在等你啊……』

永琪從車子的後窗看出去，看著跌跌撞撞追車的知畫，滿心漲滿悲切和不忍。小燕子瞭解的，含淚的，緊握著他的手。晴兒看得淚汪汪。

知畫眼見車子越走越遠，終於抱著孩子站住了。嘴裡依舊在喊著：

『我知道，我做錯好多事，但是，都是爲了你呀……我會找回那個純淨的我，我一定找回那個純淨的我，你要給我機會呀……』

車子已經越行越遠。

知畫像個雕像般站在那兒，遙望著那輛遠去的馬車。嘴裡再也喊不出聲音，淚珠卻不停的跌碎在綿億的襁褓上。

54

這天，在緬甸皇宮的花園裡，爾康穿著一身白色的衣服，飄飄欲仙的站在一棟建築的圍牆上，正沿著圍牆，雙手平攤，像走鋼絲般向前走著。圍牆又高又窄，下面是筆直的一片大石牆，爾康搖搖欲墜，走得驚險萬狀。圍牆下聚集了許多緬甸侍衛、宮女在仰頭觀看。蘭花桂花也在其中，兩人仰著頭，著急的嚷著：

『天馬少爺！你趕快下來吧！』

『他怎麼下來？我們趕快去搬梯子！』

慕沙、大夫、猛白都得到消息，飛奔過來。慕沙仰頭一看，魂飛魄散。大叫：

『他怎麼上去的？蘭花！不是妳在照應嗎？他怎麼上了圍牆？妳怎麼不看著他？他現在沒有武功，摔下來怎麼辦？』

蘭花害怕的回答：

『他清早起床就很興奮，在花園裡走著走著，忽然跟我說，他是一隻「杜鵑鳥」，就飛快的上了樓梯，我還來不及追，他就像壁虎一樣爬上了圍牆，很靈活的樣子，說不定他的武功恢復了！』

慕沙看大夫，急切的問：

『大夫，這是怎麼一回事？他的武功會恢復嗎？』

『除非把銀硃粉斷掉，要恢復武功，幾乎不可能！』大夫說：『他會這個樣子，大概是我給他加了龍鱗草的關係，我只是想讓他快樂一點，誰知他的反應特別強！』

大家話說中，爾康一個失足，差一點摔下屋頂，下面的人，發出一陣驚呼。

『去找梯子，要好幾個梯子綁起來才夠！』慕沙對侍衛喊。『你們還不趕快把他給救下來！上陽台的上陽台，找梯子的找梯子！』

『是！』

御花園裡忙忙碌碌，一群侍衛，飛奔著到建築裡去上樓梯。另外一群侍衛，拿了好幾個長梯子來綁著。

圍牆下的忙亂，似乎絲毫沒有影響到爾康。他在屋頂站穩了身子，帶著一臉正氣，面向御花園裡的觀眾，一眼看到慕沙，他精神一振，開始對她喊話：

『慕沙！中國人講信用，講承諾！我知道我答應了妳的事，君子一言，駟馬難追！我不敢狡賴。但是，那不是我的意志！在我國，一個男人可以娶很多老婆，尤其是貴族，沒有三妻四妾，是件丟臉的事！男人不止比功勳，比財富，還要比老婆！但是，我在很多年以前，遇到一個姑娘，她不見得是世間最好的女子，卻是我最愛最愛的女子！我們有很多誓言，其中有一項，我要爲她打破中國傳統的習慣，創造一個神話，這神話就是，我這一生，再也不容許另外一個女子，闖進我的生命……』他說得從容不迫，面帶笑容，卻氣勢十足。

御花園裡的人，大部份都聽不懂漢語，不知道他在做什麼。有的驚疑，有的迷惑，有的擔心，有的著急……猛白聽到這兒，已經怒不可遏。抬頭大吼：

『你趕快下來！怎麼上去的，就怎麼下來！不要站在那兒發表演說，丟慕沙的臉！你再不下來，我就叫弓箭手，一箭射你下來！』

爾康對猛白視若無睹，繼續說：

『慕沙！妳碰到我，是妳的不幸！我沒辦法感謝妳救活了我的生命，我恨死妳糟蹋了我的生命！你們「喊魂」的那一套，對我這個中國靈魂沒有用，我的靈魂不怕日晒雨淋，不怕毒蛇猛獸，也不怕路遠迢迢，只怕靈魂會和身體一起腐爛消滅，如果靈魂不滅，我就是無所畏懼的！』

『梯子綁好沒有？我上去拉他下來！』慕沙喊。

『這個人根本就已經瘋了！不用妳去拉他……』猛白回頭大喊：『弓箭手在那兒？』

一排弓箭手急奔過來站定，上箭拉弓，對準爾康。大夫急呼：

『大王！他只是吃了銀硃粉和新的藥，現在是藥力的關係，變得非常興奮，等到藥力過去，他就會好的！』

爾康無視於弓箭手，無視於猛白，旁若無人，繼續激昂慷慨的說：

『我現在一點也不怕死亡，反而害怕活著，我的生命已經殘破不堪，除了醜陋，就是醜陋！早已配不上我的紫薇！可是，我的靈魂還是高貴的！我希望，我的靈魂可以和身體分家，妳如果要定了我的軀殼，我只好救我的靈魂！』

慕沙抬著頭，不禁專注的看著他，聽著他。爾康說完了，站在屋頂，危危險險的對慕沙拱手。朗聲說：

『慕沙！一切的一切，該謝的謝，該恨的恨，該結束的結束……』

慕沙大急，高聲喊：

『你從原來的路下來，我們再好好談！』

爾康仰首大笑，悽然的說：

『原來的路，已經記不得了！我是杜鵑鳥，我可以用飛的！』

他說完，就張開手臂，像一隻大鳥一般，心裡在歡唱著：『紫薇，我向妳飛，多遠都不累，儘管旅途中，有著痛和淚……紫薇，我向妳飛……』他覺得自己的身子輕飄飄，眞的有大大的翅膀，眞的成爲一隻鳥！他飛著飛著，飛進了紫薇的窗子，看到紫薇正在給東兒穿衣服。我來了！紫薇，東兒，我來了！他拚命鼓動翅膀，繞著房間飛，紫薇抬起頭來，看到他了。她驚喊著：

『一隻鳥，好像是杜鵑！東兒，你看，一隻杜鵑鳥！』

他繞著屋子飛，繞了好多圈。紫薇，是我啊！我幻化成鳥，我飛向妳！紫薇，理我啊，認我啊！紫薇的視線，隨著他移動，有些怔忡的出神了。她喊著：

『東兒！你知道杜鵑嗎？你聽牠的叫聲，像不像在說「不如歸去！不如歸去！」』

東兒開心的抬頭看，歡呼著：

『鳥兒！鳥兒……好漂亮的鳥兒！』

東兒，是我啊！是阿瑪啊！但是，我變成了一隻鳥，怎麼和你們說話呢？紫薇，我怎樣再擁抱妳？再在妳耳邊輕言細語？他繞室數圈，飛出了窗子，看到紫薇撲到窗前，神往的看著他飛走的方向。

『南邊！鳥向南邊飛去了！鳥兒鳥兒，我眞希望能夠變成你，那麼，我也可以振翅飛去了！鳥兒鳥兒，你幫我帶一個信息給爾康，我來了！我馬上就來了！』

什麼？紫薇，妳會來嗎？不行不行，妳不要來，不要看到那個殘破的我！他飛回，急切的繞著窗口飛，看到窗內的紫薇，蹲下身子，攬著東兒說：

『東兒！明天一早，我就要出發去找你的阿瑪，你留在家裡，要聽奶奶的話，額娘找到了阿瑪，一定飛快飛快的回來！』

『東兒和額娘一起去！東兒也去！』

『不行啊！東兒……我們要去的地方好遠，要騎馬乘車，走很遠很遠的路，帶著你會耽誤時間，你太小了！你等著，額娘充滿了信心，一定不會白跑這一趟！只是，要跟你分開，我還是捨不得呀！』

『東兒等額娘和阿瑪回家……東兒乖乖會聽話……』

不行！紫薇，不要來找我，看我！看我！我是爾康啊！我來找妳了！他拚命搧動翅膀，用力的飛……

在緬甸皇宮那高牆上的爾康，他不是鳥，他還是一個人，他的身子，就從緬甸那圍牆的頂端，直直的飛落到圍牆下面去了。

慕沙、大夫、猛白、宮女、侍衛……都尖叫著飛奔過去看。

爾康不知道他的身子重重的摔落在圍牆下，他依然飛向紫薇，飛飛飛……

當爾康『飛下』圍牆的時候，紫薇、永琪、小燕子等人，已經出發了。

幾十匹快馬，一輛馬車，疾馳在郊外的道路上。福倫和簫劍騎馬在前，高遠高達和大內高手們在後，大家全速進行著。

『駕！駕！駕！』簫劍對福倫喊：『我們快馬加鞭，連夜趕路，我希望可以趕在七月十五以前到達三江城！』

『皇上每一站都安排了快馬，只要馬換得勤，大概就沒問題！我們大家，可以輪流在馬車上睡覺！』

福倫說，心急如焚，恨不得立刻就到緬甸。

馬蹄揚起無數的灰塵，車輪輾過了無數的道路。馬車內，小燕子、紫薇、晴兒正忙著給永琪手臂上的傷口換藥換布巾，小燕子看著傷口，憐惜著，心痛著，後悔著。

『看樣子，傷口很深，永琪，一路上你千萬注意，不許和人動手！』她叮囑。

永琪對傷口滿不在乎，卻有些心事重重。說：

『沒事沒事！大夫說十天就會好，已經三天了！隨便包紮一下就好了！』他看車窗外。『我想跟簫劍他們去騎馬！』

『別胡鬧了，你這個樣子怎麼騎馬？拉馬韁都不方便！等會兒把傷口再弄裂了，就麻煩了！我們可沒帶太醫同行啊！』小燕子話沒說完，車子一顛，她連藥瓶一起撲倒在永琪身上，永琪痛得大叫。

『小燕子！』

『對不起！對不起！』小燕子歉然的喊，對著傷口吹氣，吹了半天，抬頭深深看他，說：『你心裡很難過，是不是？離開皇宮，離開皇阿瑪……你也有很多捨不得，是不是？最捨不得的，是知畫和綿億吧！』

『妳還在吃醋嗎？不要再提知畫，過去的就過去了！』永琪看了她一眼。

『我提她，並不是吃醋。我想讓你知道，你有牽掛，有回憶，有想念……我都會看成是一種自然現象，我不會吃醋！』她眼裡盛滿了溫柔和感動，再說：『你爲我做的，是任何一個阿哥不會做的！你丟下的，不止江山王位，不止你最敬佩的皇阿瑪，還有你的兒子和另一個深愛你的女人……我沒辦法告訴你我心裡的感覺，但是，我會向你證明，你的選擇沒有錯！』

紫薇和晴兒已經包紮好永琪的傷口。永琪感動的凝視著小燕子，一伸手，握住她的手。誠摯的說：

『妳不用證明，我也知道我的選擇沒有錯！這樣最好，從今以後，那個劈成兩半的我，又可以合而爲一了！』

兩人就深深切切的互視著。

紫薇一抬頭，忽然看到窗外有一隻大鳥掠過。她驚喊一聲，就撲到窗前去看。晴兒不知道她在驚喊什麼，追到窗前來。

『晴兒！妳看妳看！一隻鳥！』紫薇喊著。

鳥兒飛掠過天空，往遠處飛去。

『一隻鳥有什麼希奇？我看到好多隻鳥呢！』晴兒不解的說。

『那隻鳥和別的鳥不一樣，牠好像在帶路！』

『不要說得太玄了！那有這種事，帶路的不是鳥兒，是簫劍！』

車窗外，簫劍聽到晴兒提到自己，情不自禁對車裡看過來，和晴兒的眼光一接。他不由自主，給了她一個微笑，她也不由自主，回了甜甜的一笑。終於，終於，他們兩個可以名正言順的在一起了，終於，終於，他們不用躲躲閃閃了。

紫薇看看簫劍，看看晴兒，再看看馬車裡深情相對的永琪和小燕子。感動至深，希望滿懷，她激動的說：

『我們三對，已經有兩對團圓了，現在，只剩下我和爾康……現在回憶我們這一路走來的故事，我覺得，上蒼還是仁慈的！儘管大家都吃盡苦頭，但是，大家都獲得了福報。』

晴兒虔誠的接口：

『所以，上蒼也會保佑爾康，成全我們大家，讓我們每一對，都沒有遺憾！』

晴兒和紫薇，說得虔誠熱烈，永琪和小燕子，都感動的看著她們，期望著。

這時，那隻盤旋的鳥兒忽然飛回，停在紫薇的手腕上，哀聲叫喚。紫薇驚看那隻鳥，晴兒、永琪、小燕子也驚看著。鳥聲啁啾，若有所訴。

車子一陣顛躓，鳥兒受驚的飛去。

紫薇的眼光，情不自禁，跟著鳥兒飛去。

紫薇，不要來找我，這個我什麼都沒有了，再也不是妳的爾康了！回去吧！回去吧！爾康正繞著紫薇飛翔，他很急，要警告紫薇，不要冒險……他飛著飛著，翅膀突然使不上力，身子就沉甸甸的向下墜落、墜落、墜落、墜落……墜落到一個深谷中。是幽幽谷嗎？不是，他定睛一看，天啊！是緬甸的皇宮！

是的，爾康正躺在緬甸皇宮的床上，大夫在診治，慕沙在一旁看。巫師帶著徒弟又在窗前賣力的喊魂：

『天馬的靈魂啊！不要在外面飄飄蕩蕩了！老鷹會抓你，大風會吹你，野狗會咬你，野狼會吃你……你趕快回家吧！家裡多麼溫暖，有軟軟的床，有新鮮的水果，有好吃的米飯，還有一直等你的八公主！你快回來吧……』

爾康睜開了眼睛，聽著巫師喊魂的聲音……他還陷在自己變成鳥的幻覺裡，神志迷迷糊糊。

『天馬少爺，你醒了嗎？』大夫看到爾康睜開眼睛，急忙問。

爾康怔怔的看著室內，看著慕沙，看著大夫。

『我眞希望不醒，但是……我醒了！』他愴惻的說。

慕沙緊盯著他。著急的問：

『你看到我們嗎？認得我們嗎？有沒有頭昏？有沒有看不清楚？大夫說，你說不定會摔成白痴！』

爾康沒有回答慕沙，瞪著窗前的巫師，從床上坐了起來。

『你們又在「喊魂」嗎？停止停止，不要喊了！我的靈魂正在悠哉遊哉的漫遊，喊回來幹什麼？我的好事，都被你們破壞了！』

大夫一臉喜色，對慕沙笑著說：

『恭喜恭喜！他腦筋清楚，什麼事都沒有！簡直是奇蹟，他從那麼高的地方掉下來，居然只擦破了一些皮，骨頭都是好好的，沒有斷手也沒有斷腳！看樣子，他有神靈保護！』

慕沙瞪著爾康，簡直不知道是生氣還是高興。對他嚷著：

『你怎樣？昏迷了兩天，害我們給你灌藥灌湯灌水……大夫說你沒有傷筋動骨，算是你運氣！趕快起來動一動手腳，看看能不能動？』

爾康跳下床，看看四周，好像大夢初醒一樣。

『我作了一個奇怪的夢，夢到我變成了一隻鳥！』

『是！』慕沙生氣的說：『這隻鳥從屋頂上飛下來，摔得動也不動，昏迷了兩整天，你氣死我！自從在戰場上把你救下來，我隨時要準備給你挖墳墓！巫師大夫天天侍候，我所有的耐性都用完了！你如果再變成鳥，拜託你飛走不要飛回來了！』

爾康瞪著她，爆發的喊：

『我也很想飛走，不要飛回來！不知道怎麼回事，我的靈魂每次飛出去還會飛回來，大概都是你們喊魂的結果！下次你們不要再喊魂，讓我自由自在的飛吧！妳知道嗎？我飛到紫薇身邊了……』他回憶著，感傷起來：『我夢到她要來找我，我不能讓她來，我不能讓她看到我這個樣子，看到我馬上要成爲別人的新郎，所以，我拚命想阻止她，但是，她不懂我的鳥語……』他瞪著巫師，忽然異想天開，衝到巫師身邊去。喊：『巫師巫師，你會喊魂，會不會把靈魂送出去呢？』

『聽不懂！什麼叫「把靈魂送出去」？』巫師納悶的看他。

『你作法，把我的靈魂變成鳥，變成蝴蝶，變成雲，變成風……只要是能飛的東西，什麼都好！』他興奮起來：『來來來，要我怎麼合作？躺下來，還是跟你一起唸咒語？你們的緬甸巫術好像有用，我要找一個可以和紫薇溝通的方式！』

『天馬少爺，這個……我沒辦法！從來沒有做過！』巫師為難的說。

『你試試看呀！』爾康積極的嚷：『我來幫你寫一篇「送魂詞」！你來作法！』

『天馬，你可不可以不要亂出花樣？連巫師唸的咒語，你也要管？』慕沙簡直拿這個『天馬』一點辦法也沒有。

爾康不理她，拚命想他的『送魂詞』。自從到了緬甸，這個相信靈魂會飛的地方，他總覺得自己的靈魂也會飛。他一擊掌說：

『想出來了，這樣唸！我唸給你聽！』就唸著：『天馬的靈魂呀！你好好的在外面飄蕩吧！天空又大又高，回家的路不長，紫薇在想你，東兒在喊你，爹娘在盼你，你趕快飄過去吧！這緬甸的宮殿，雖然有新鮮的水果，有好吃的米飯，有軟軟的床舖，有深情的慕沙，但是，這畢竟不是你的家！你趕快結束你的旅程，回到你眞正的家裡去看看吧！只要看看就好，你已經千瘡百孔，千萬不要糾纏紫薇，悄悄的看，看完了，再去四海飄蕩吧！』他唸完，看著巫師：『這樣行嗎？你照著唸就對了！』

巫師楞著，不知該如何是好。

慕沙也楞著，楞了片刻，老羞成怒的衝上前來喊：

『你不要胡說八道，巫師那裡有辦法把你的靈魂送出去，靈魂送出去，人就死了！只有「喊魂」沒有「送魂」！我不管你想變蝴蝶想變鳥，你什麼都不許變！既然你的骨頭沒有斷，你也沒有摔成白痴，這個婚禮就要如期舉行！』

慕沙說完，氣沖沖的轉身走了。

巫師覺得這『天馬少爺』的魂魄依舊沒有歸位，趕緊的對著天空喊：

『天馬的靈魂啊！不要在外面飄飄蕩蕩了！狐狸會引誘你，藤蔓會纏住你，妖魔會迷惑你，小鬼會欺騙你……你趕快回家吧！家裡有體貼你的八公主，有照顧你的八公主，有喜歡你的八公主，你不要猶豫了，趕快回來吧……』

爾康驚愕的聽著，頓時怒火攻心，衝上前去，把兩個徒弟拉開，把整張供桌掀翻在地。一陣『欽欽哐哐』，碗碗盤盤全部摔碎，兩個小徒弟摔得四仰八叉。爾康怒吼著：

『再也不許幫我「喊魂」，知道嗎？滾出去！通通給我滾出去！』

『是！是！是！』

巫師帶著兩個小徒弟，逃之夭夭了。

爾康跌坐在床沿，痛楚的用手抱住了頭。感到頭痛欲裂，寒意侵骨。蘭花急忙奔上前來，送上一包銀硃粉。

爾康搶了銀硃粉，連水都沒喝，就倒進嘴裡，吞進肚裡了。

這天，北京的『援救隊伍』已經到達了雲南邊區，大家在客棧中，換上準備好的緬甸的服裝。紫薇、晴兒、小燕子彼此打量，彼此幫忙調整衣飾。

簫劍帶著三個朋友進來，看到永琪弄不好那頂『崗包』，就來幫忙。一邊幫忙，一邊做最後的解釋和交代：

『明天我們就進入緬甸境內了，我的三個朋友，都會緬甸話……這是老高，這是老朱，這是老林！我們大家，最好不要開口，有話讓他們去說！我們都是中國來的商人，車上全是中原的綢緞首飾。萬一被認出是中國人，就大大方方承認，千萬不要故作聰明。緬甸人會把我們當作是中國跑單幫的商人，再加上我們的貨品物美價廉，他們貪便宜，不會看穿我們。從緬甸邊境到三江城，還有一段路。大家小心！』

『到了三江城以後呢？』福倫問：『簫劍，你有計畫嗎？現在已經到了最後關頭，你必須把你的計畫說出來！大家要怎麼混進皇宮去呢？』

簫劍沉重的看看大家，吸了口氣。他的眼光停在紫薇臉上，鄭重的說：

『紫薇！我不能瞞妳了！我這樣拚命趕路，是有原因的！我希望來得及在七月十五日趕到三江城，那晚，是緬甸一年一度的點燈節，又稱燈火節。據說，這晚，緬甸八公主要和天馬舉行盛大的婚禮！』

紫薇驚跳，睜大了眼睛。晴兒和小燕子，也大大的震動了。

『舉行婚禮？』晴兒驚喊：『八公主要和天馬舉行婚禮？你怎麼不早說？』

『我……不想讓紫薇難過。』

『這就大有問題了，』晴兒著急的分析：『簫劍，我們可能白跑了一趟，如果那位天馬眞的要和八公主結婚，他就不可能是爾康！你想想，爾康和紫薇這份感情，他怎麼可能答應和八公主成親？就算用刀架著他，這也是不可能的！』

小燕子重重的一點頭，完全同意晴兒的看法：

『對！爾康不是這樣的人，他是寧死也不會屈服的，尤其要他背叛紫薇，那比殺掉他還嚴重！哥，晴兒說得對，你一定弄錯了！害我們空歡喜一場！』

紫薇呆呆的站著，震住了，一句話也沒說。

永琪看看大家，不以爲然，深思的說：

『如果天馬就是爾康，他已經陷在緬甸七個多月了，這七個多月，他到底在做什麼？簫劍，你曾經說，他病了很久，人在病中，會不會比較脆弱？』他看了紫薇一眼。『紫薇，妳別難過，到了現在，我們不能不討論！我從男人的觀點來說，男人最怕的，不是威脅利誘，不是刀擱在脖子上，而是柔情加恩情！』

永琪是有感而發，小燕子不禁深刻的看了他一眼。

紫薇震動的看著眾人，眼神裡，透出義無反顧的堅決。有力的說：

『你們不要顧慮我的感覺！我希望那個人是爾康，我相信爾康對我的心，就算他在別的女人身邊，他的心不會離開我！其實，我做過一個夢，夢到我在一個很可怕的地方見到了他，他好像很痛苦的樣子，我記得我一直求他，去和一個女人成親！我說出來你們不要笑，那個夢好像眞的一樣！或者，他身不由己，非結婚不可，就像永琪那時，非娶知畫不可一樣！不管是什麼局面，他依然是我的爾康！』

眾人看著紫薇，福倫頗有隱憂，沉吟的說：

『那……如果他眞的喜歡了那個八公主，要怎麼辦？』

『他眞的喜歡了八公主，我就成全他！只要他活著，他是誰的丈夫沒有關係，他依舊是東兒的阿瑪，是我心裡唯一的爾康！』

小燕子無法同意紫薇的話，衝口而出：

『那他還是爾康嗎？他背叛了妳，再娶八公主，他就不是我們的爾康了！八公主是緬甸人呀，是我們的敵國呀！永琪不是說，那場戰爭，打得血流成河，死了好多大清的英雄嗎？娶緬甸公主，他對不起紫薇，也對不起國家！那和永琪娶知畫，是完全不一樣的事，不能混在一起談！』

『小燕子，這話說得太重了！說不定爾康有苦衷，這麼久的俘虜生活，他一定過得非常悽慘。除非知道整個的經過，我們不要給爾康胡亂定罪吧！』晴兒說。

『就是就是！』簫劍急忙接口：『被你們大家這樣一說，我完全沒把握了，說不定這是一個天大的誤會，說不定那個人根本不是爾康！但是，大家已經走到這一步了，總要弄個明白！我的主意是，到了燈火節那晚，整個三江城會是一個狂歡的城市，再加上公主的婚禮，熱鬧情形可想而知，我們就混在看熱鬧的人群裡，反正大內高手，個個認得爾康，如果天馬不是爾康，大家趕緊回到客棧聚集，連夜撤退。如果那個人是爾康，不管他是不是新郎，不管他有沒有苦衷，不管他是不是喜歡八公主……大家就一擁而上，施出渾身解數，劫走爾康再說！』

大家點頭。永琪就把戰場的經驗搬了出來，積極的說：

『我們要畫一張地圖，馬匹藏在那兒，劫完了人，要怎麼撤退，大家都計畫一下！紫薇、小燕子、和晴兒要不要去現場？她們是姑娘……』

『你們別想擺脫我們！』紫薇堅決的喊：『燈火節一定有很多點燈的姑娘，我們可以混在裡面，混到最前面去，有那麼多大內武士，又有老高老朱老林，還怕我們會危險嗎？簫劍照顧晴兒，永琪照顧小燕子，派兩個人照顧我就行了！』

大家見紫薇這樣說，就不再辯論了，簫劍趕緊畫圖，大家圍在一起詳細計畫。

轉眼間，就是緬甸的『燈火節』了。也是爾康和慕沙大喜的日子。

煙火衝上天空，綻放出一蓬蓬的花雨，整個緬甸皇宮，都聳立在煙火裡。

爾康的房間裡，也是燈燭輝煌，到處張燈結綵，喜氣洋洋。蘭花、桂花和眾宮女，都穿著鮮艷的衣服，髮際簪著鮮花。正在七手八腳，忙忙碌碌的幫慕沙和爾康化裝。蘭花著急的嚷著：

『快一點！快一點！花車已經在等了！』

『不忙不忙，讓我幫八公主把臉上的花畫好！』桂花用黃色顏料，在慕沙臉頰上畫了一朵花，這是緬甸的習俗，盛裝的姑娘，都要在臉上畫黃花。說不定中國成語『黃花閨女』，是來自緬甸呢！

慕沙神采煥發，穿著一身寶塔一樣的服裝，是由金色、紅色、紫色織成。肩上是重疊的、向上翹的花瓣，美麗非凡。許多宮女圍著她，給她戴上華麗的銀頭冠。

爾康換了一身金色和紫色鑲嵌的衣服，肩上也有一層一層的花瓣裝飾，他看來非常英俊，但是，他的神情卻是極端消沉的。他無精打采的打了一個哈欠。說：

『我很累！想睡覺！』

『先吃一包銀硃粉再說！』慕沙看他一眼。

『我不要在藥物的影響下和妳成親！我不吃！』

慕沙點點頭，好不容易要成親了，什麼都遷就他。

『好吧！等到花車遊行的時候，再吃！蘭花，妳帶著藥，跟在天馬身邊，千萬不要讓他在遊行的時候發病，看到他支持不下去，就馬上給他吃，知道嗎？』

『是！』蘭花放了好幾包銀硃粉在口袋裡。

爾康站起身來，在室內像困獸般踱著步子，忽然站到慕沙面前。正色的說：

『慕沙！我們還有機會停止這場鬧劇，我請求妳，我們把它停止吧！』

慕沙大驚，跳了起來。

『老百姓已經擠在宮門口，花車也準備了，歌舞表演，慶祝活動都排滿了，我的哥哥姐姐叔叔伯伯都趕來參加婚禮……到了這個時候，你還想變卦嗎？』

『是！我想變卦！我想來想去，就是沒辦法做這件事！』爾康悲涼的說：『我失信了，我毀約了，什麼君子一言，駟馬難追，我現在連一個流氓地痞都不如，有什麼資格當君子？我不要當君子！在銀硃粉的需求下，做的任何諾言，都沒有意義！慕沙，我現在根本不是一個人，我是一個鬼，妳要一個鬼做什麼？』

慕沙沒料到在這個節骨眼，他還會變卦，頓時暴怒起來，跳起身子，喊著：

『讓我告訴你我要你做什麼？你這個沒有良心的混帳東西！自從我救了你，你一點感激都沒有，關於婚事，你這也不行那也不行，讓我丟臉丟到極點！我現在嗝上了，非跟你舉行婚禮不可！等到婚禮過後，我就把你一腳踢開！』

爾康悽涼的看著她。

『一定要這麼殘忍嗎？妳是一個公主，何必讓妳的生命裡，留下這樣失敗的婚姻紀錄？妳看，妳現在一點也不喜歡我，妳恨我！妳要完成這個婚禮，只是和我賭氣！你們緬甸人的婚禮，是每個人最隆重的日子！從這天開始，兩個新人要走向人生的另一段旅程！而妳，卻要用一個建築在恨上的婚禮，作爲這段旅程的起點嗎？』

『不要說了！現在說什麼都晚了！你非結婚不可！』慕沙大聲嚷。

『我後悔了，我不去！』爾康往床上一躺。

慕沙撲到他身上來，搖著他的肩膀，怒極的大叫：

『你去不去？去不去？不去我殺了你！』

『殺吧！請動手！』爾康眼睛一閉。

慕沙奔到門口，從侍衛身上，抽出一把匕首，再撲了過來。蘭花桂花和眾宮女，趕緊前來阻止，大家喊成一團。

『八公主！妳好好的跟天馬少爺說呀！』

『馬上要行婚禮了，妳把他刺傷了怎麼辦？』

爾康一聲長嘆，從床上坐起，看著手持匕首的慕沙。語氣越來越堅定：

『我的心願已定，不管這次我要面對的是什麼，我再也不妥協，再也不動搖。慕沙，妳要我和妳坐在花車上，吹吹打打的完成婚禮，遊街……做妳的新郎，我會一路想著紫薇，那是把我凌遲處死！我也知道沒有銀硃粉是什麼滋味……我準備承受，隨妳怎麼發落吧！』

『你真的不去？說什麼都不去？外面都是侍衛，他們會拖著你，抬著你上花車的！』慕沙挑起眉毛，怒看爾康。

這時，侍衛急急進來通報：

『天馬少爺，八公主，時辰到了！趕快出發吧！』

『你到底走不走？』慕沙大聲問。

爾康一看，情勢緊急，似乎再也沒有退路。他忽然閃電般迅速，一把搶過慕沙的匕首，飛快的在臉頰上一劃，鮮血立刻冒出。

眾宮女侍衛，發出一陣驚呼。

『我的臉又花了，妳要我這樣去當妳的新郎嗎？』爾康大聲說：『如果不夠，再來兩刀……』

他舉起刀要再刺，慕沙飛起腳一踢，把匕首踢飛了。她瞪著滿臉流血的爾康，完全震住了。

蘭花桂花撲上前去，用帕子按住傷口，眾宮女尖叫著『請大夫』。

大夫趕來了，猛白也趕來了，看到這個狀況，猛白簡直氣到發狂，他心愛的八公主，居然被這個大清的『死馬』，屈辱成這樣，讓人如何嚥下這口氣？他一拍桌子，大吼：

『居然自己把臉給劃了！你找死！』

大夫趕緊給爾康治傷，塗上藥膏止血，站直身子說：

『這個傷口很深，要看不出來，起碼要一個月！』

『我打死你這個不知好歹的東西！』

猛白飛撲過去，抓起爾康，一陣拳打腳踢。爾康的身子飛了出去，撞倒了桌子椅子，一陣乒乒乓乓。他倒在地上，傷口再度流血，鼻青臉腫。猛白越看越氣，恨不得把他殺了，撲上去，繼續打。慕沙著急的喊：

『爹！不要打他了，打了也沒用！』她對眾人揮揮手：『你們都下去吧！讓我和這個又臭又硬的死馬談談！』

猛白拉起爾康的衣領，再重重的推倒在地，站起身子，大聲怒吼：

『我不管他的臉是個什麼樣子，不管他流血不流血！婚禮一定要舉行！』他指著爾康，咬牙切齒的說：『我再給你一點時間收拾乾淨，想要悔婚，門都沒有！如果你破壞了今晚的婚禮，我會把你砍成一段一段去餵狗！』

猛白氣呼呼的出門去了。

大夫、蘭花、桂花、侍衛、宮女也都出門去了。

爾康掙扎著從地上站起來，臉上的傷口流著血，眼角瘀青，額上紅腫，傷痕處處，慘不忍睹。顯然身體上也有許多傷處，他雙手抱著胸口，身子微微顫慄著。

『你想吃銀硃粉，是不是？你開始發抖了！』慕沙說，盯著他。

爾康搖搖頭。

『你到底爲什麼這麼強硬？是什麼力量，讓你這樣不肯屈服？我實在有些不明白呀！我從來沒有見過一個像你這樣的人！』

爾康一臉的狼狽，眼神卻依然清明，他深摯的看著她，回答了兩個字：

『紫薇！』

慕沙震動已極的凝視著他。

『七個半月了，你從來沒有忘記過你的紫薇？一天都沒有嗎？』

『從來沒有忘過！』他誠實而悲哀的說：『我清醒的時候，她活在我的記憶裡，我昏迷的時候，她活在我的幻覺裡！在緬甸的這些日子裡，我一會兒清醒，一會兒昏迷，不管在那一個情況下，紫薇從來沒有離開過我！』

她再看了他好一會兒，深深吸了口氣。沉吟片刻，說：

『你知道你有病，離不開銀硃粉？你知道你已經失去武功，而且身無分文？你知道從這兒到雲南，還有相當遠的路？你知道你在緬甸，言語不通，出了這個宮門，你等於沒有水的魚，說不定一天都支持不了？』

他怔怔的看著她。問：

『妳告訴我這些幹什麼？』

慕沙大聲的，果決的喊了出來：

『告訴你這些，因爲我不要你了！我不要這個寧可把自己的臉劃傷，也不要我的人！我不要這個只想變成鬼魂，飛回到紫薇身邊的人！你們中國人，我不懂！你的神話，我不懂！你的不肯屈服，我不懂！你清醒中，昏迷中，我都沾不上邊，我氣死了！我們的婚禮，沒有了！我放掉你！』

爾康大大的震動了，簡直無法相信自己的耳朵。

『妳放掉我是什麼意思？不再拘禁我？也不再限制我的行動嗎？』

『是！你走！你現在就可以走！你自由了！我會命令下去，沒有人會阻止你回到中國！你的身體也好，你的靈魂也好，都可以去找你的紫薇！只要你有這個能力！』

爾康大喜，目不轉睛的看著她，呼吸急促的說：

『這不是一個詭計吧？我走到宮門口，就會被妳抓回來吧！』

慕沙對他搖搖頭，深刻的看著他。

『我死心了！我放棄了！』她注視著他的眼睛，坦率的說：『你知道嗎？在戰場上，就是你這種氣質吸引我，不管戰況多麼不利，你從來沒有退縮過，眼神裡，總是閃著自信的光。到了緬甸，我看著你變變變，自信沒有了，武功沒有了，健康沒有了……但是，你對紫薇的愛沒有變，我看著什麼都沒有的你，還在堅持你的感情……天馬，我被你打敗了！走吧！去找你的紫薇去！』

爾康也深深的看著她，眼裡，逐漸充滿了狂喜和感激。

『慕沙，謝謝妳！我不會去找我的紫薇，我這麼亂七八糟，再也不敢見紫薇！何況路遠迢迢，要找也找不到！但是，我總算沒有背叛紫薇，這會使我心裡覺得很踏實，就算死了，也對得起自己的良心！』

他握住她的手臂搖了搖：『上蒼會照顧妳，緬甸的風神雨神花神樹神都會照顧妳！我雖然被妳囚禁了七個多月，我依舊感激妳！謝謝妳愛我，謝謝妳要我，謝謝妳救我，更謝謝妳放我！』

『你什麼都沒有，你認爲你能夠走多遠？』她問。

『不管走多遠，出了這個宮門，代表的是自由！那怕明天就暴斃街頭，我也有一個自由的靈魂！』

慕沙點點頭，心中佩服，卻依舊充滿不捨。

『現在，宮門口擠滿了要看我們成親的老百姓，舞蹈隊樂隊都在吹吹打打……你只好從皇宮的後門走，馬上離開皇宮！今晚，整個三江城都在狂歡裡，你走上街頭，也沒有人會注意！如果你能夠順利出城，你就一直往東走，走個幾天，可以到一個名叫「大山」的城，走出那個城，繼續往東走，可以到「木邦」，再往東走，就是邊境的「宛頂」城，過了「宛頂」就是雲南了！』慕沙一面說，一面拿了一個錢袋，又拿起幾包銀硃粉，放了進去，遞給他。『這裡面是一些碎銀子，和幾包銀硃粉，我能幫你的，就只有這麼多了！』

爾康感激的接了過來，收進口袋裡。

慕沙想想不放心，又拿起那把匕首，插在他的腰帶上。

『雖然你已經沒有武功了，還是帶一把匕首比較好，最起碼可以嚇唬嚇唬人！』

爾康這才有了眞實感，原來她眞的要放他走！他激動的看著她，激動的說：

『七個半月的囚禁，恩恩怨怨，我們都一筆勾消！告訴妳爹，不要再和中國交戰，雙方的戰士，都禁不起這樣的死傷，大家議和吧！』

『你留下，我們議和！』慕沙眼裡，驀然又綻出希望的光芒。

他的身子，立刻一退。

『不要再改變妳的決定！不要讓我白白謝妳！』

慕沙眼裡的光芒乍然消失，臉色一沉。咬牙說：

『我送你出宮門！免得你被侍衛打死！』

爾康不敢相信的看著她，慕沙大吼一聲，跺腳喊：

『還不走！難道你捨不得我？當心我後悔，不放你了！』

『我走我走！』爾康回過神來，急忙說。

爾康像作夢一樣，就這樣跟著慕沙，來到了緬甸皇宮的後門。後門早就張燈結綵，喜氣洋洋。從後門看出去，街道兩旁，全是燈，像兩條閃亮的燈鍊。街頭擠滿了提著燈，跳舞遊行的人群，熙來攘往，熱熱鬧鬧。

慕沙帶著爾康，走到宮門口。侍衛全部用緬甸話驚喊著：

『八公主！天馬少爺……怎麼走到後門來了？花車在前門等呀！』

慕沙板著臉，用緬甸話大聲交代：

『婚禮取消了，天馬少爺要離開皇宮，誰都不要阻止他，他愛去那裡就去那裡，他不是我們的俘虜，自由了！』

侍衛們面面相覷，個個對八公主都又敬又畏，不敢爭辯。

慕沙再深深的看了爾康一眼。命令的說：

『快走！從此，你和我再也沒有關係！走得到雲南，是你的事，走不到雲南，也是你的事！餓死，是你的事！被壞人打死，是你的事！犯藥癮死掉，也是你的事！』

爾康對慕沙微笑起來，直到這個時候，他才發現，這位八公主，是個非常可愛的女子，有男兒的霸氣，有女兒的痴情，最珍貴的，是放手時的瀟灑！不由自主，他用很柔和的聲音，感性的說：

『中國人告別的時候，會說一些吉祥話！』

慕沙瞪著他，又氣又恨又不捨。大聲說：

『我不是中國人，沒有你們中國人的規矩！我打賭你走不出三江城……如果你走不出去，或者迷路了，沒錢用了，缺銀硃粉了，都不許回來！』

『是！我死在外面，也不回來就對了！』

『是！走吧！我再也不想見到你！』

『我要用中國的方式跟妳告別……』爾康就對她深深揖一揖，充滿感情的說：『祝妳早日找到妳的幸福，當那個男人出現的時候，希望他愛妳如同我愛紫薇！珍重！』

爾康說完，一掉頭，就大踏步對前面的人群走去。

慕沙呆呆的站在那兒，看著他的背影發怔。

爾康的身子，轉眼間，就被熙來攘往的人群所吞噬了，消失在一片燈海中。

55

皇宮後門發生的事，前門的人群是一無所知的。從黃昏時候起，皇宮外面，已經擠滿了看熱鬧的群眾。整個皇宮，全部用彩燈裝飾得燈燭輝煌。街道兩旁，一隻隻雕塑的神象，用鼻子捲著火把，站在那兒，把黑暗照耀得如同白晝。在廣場上，無數的燭火在地上排列成各種形狀，許多手持花燈的姑娘，就在這些燭火圍繞的形狀中跳舞。無數的緬甸群眾，手裡高舉著各式彩燈，燃著煙花，笑著，鬧著，擁擠著，等著要看新郎和新娘。一輛飾滿鮮花的馬車，早在皇宮大門前等候。

群眾中，紫薇、晴兒、小燕子都在擠著看著。永琪、簫劍、福倫、老高等人在她們身後保護，大內武士們打扮成緬甸人，散在人群中，不時以手式和簫劍永琪聯繫。大家早已望眼欲穿，等候多時。

『到底是什麼時辰行禮？怎麼等了這麼久，還沒看到新郎新娘？』晴兒緊張的問，伸長脖子向前看。

紫薇呼吸急促，臉色蒼白，又是緊張，又是激動，又是期盼，又是害怕……各種激烈的情緒緊壓著她，她快要昏倒了，喃喃的問：

『不知道是不是他？大家會不會白跑一趟？小燕子，我快要不能呼吸了！』

『來！抓住我的手，如果是他，妳不要大叫，不要昏倒，知道嗎？』晴兒叮囑著。

『如果不是他，妳也不要大叫，不要昏倒，知道嗎？』小燕子再叮囑。大家都知道，紫薇有個毛病，每次情緒緊繃，不論是大喜或大悲，她都會昏倒。

紫薇目不轉睛的盯著那輛喜車，神色緊張已極。如果如果，那個新郎是爾康，他要帶著他的新娘上花車……天啊！這個謎底就要揭曉了，她都不知道她有沒有這個勇氣來接受它！

簫劍、永琪、福倫和老高在人群中，眼觀四面，耳聽八方。

『怎麼一直沒動靜？婚禮會如期舉行嗎？』永琪心急的問。

『已經打聽過了，婚禮會如期舉行！總之，皇室的婚禮，總是慢吞吞的！』簫劍說。

『我買通了一個侍衛，據他說，那個天馬的身體不大好，一直靠藥物在維持，是抱病成親……說不定有些耽擱！』老高說。

『我要擠到最前面去，看看清楚！』福倫一聽，就急了。『抱病成親，聽起來讓人很擔心呀！』

福倫一陣擠，擠到了最前面。

小燕子拉著紫薇和晴兒，趕緊也擠到最前面。

緬甸侍衛拿著棍子阻擋，永琪簫劍急忙上前去保護。永琪低聲叮囑著簫劍：

『簫劍，你要注意一下紫薇，不管是不是爾康，對紫薇的打擊都會很大，萬一她支持不住，先救走她再說！』

『是！』簫劍看到緬甸侍衛就在旁邊，趕緊對眾人作了一個噤口的手式。

歌舞隊伍壯麗的舞著彩燈，唱著歌，一隊一隊的出現。

群眾們歡欣鼓舞，彩帶滿天飛，氣氛熱鬧。然後是緬甸的神象，在隊伍中緩緩前進，不時舉起鼻子，捲起鮮花撒著，成爲另外一種風景。

紫薇、小燕子、晴兒、永琪、簫劍……等人，沒有人注意這些異國的風景，大家都全神貫注的等待著。紫薇越來越緊張，握著小燕子的手，低語：

『晴兒，小燕子，給我一點勇氣！如果不是爾康怎麼辦？』

『如果不是，我就去放鞭炮！我寧願不是，也不願意他是！』小燕子說。

『不要這樣講，我寧願他是，我已經期望了這麼久……』

正說著，宮門口一陣騷動，人潮洶湧。簫劍雙手按在腰間武器上。說：

『來了來了！出來了！』

只見宮門口，猛白牽著慕沙的手，在彩燈中出現。

永琪一眼看到慕沙，低喊：

『是那個緬甸王子慕沙，我看到他了！果然是個女子！』

『看到爾康了嗎？怎麼我看不到？』福倫問。

簫劍對所有的武士暗中招呼，緊張的東張西望：

『還沒看到爾康！新郎在那兒呢？難道……是我弄錯了？』

猛白牽著慕沙的手，在宮女簇擁下，站到了花車上。所有緬甸百姓，開始歡呼。慕沙笑吟吟，眼睛亮晶晶，環視著四周。盛裝的打扮下，她看來高貴美麗，有種奪人的氣勢，簡直豔光四射，讓人目眩神馳。紫薇看著這樣美麗絕倫的慕沙，怔著。爾康呢？爾康就要出來，和這個公主成親嗎？

紫薇正在胡思亂想，猛白舉起手來，示意大家安靜。用緬甸話，喊著：

『大家安靜，樂隊停止！舞蹈停止！安靜安靜！』

所有的舞蹈都停止了，歡呼的群眾也住口，大家安靜下來。猛白正視著群眾，鄭重的朗聲說：

『我有一個重要的消息要宣佈！今晚婚禮取消。大家都知道，天馬一直在生病，半個時辰以前，他死了！他的靈魂已經離開，喊不回來了！』

群眾一陣嘩然，有的惋惜，有的驚訝，有的嘆氣，有的扼腕，一片激動。

『他說什麼？聽不懂呀！』紫薇著急的問。

『他說婚禮取消了！因為天馬生病死掉了！』老高趕緊翻譯給眾人聽。

紫薇永琪等人，個個大震。紫薇頓時臉色慘白，呼吸急促。不相信的說：

『死掉了？天馬……死掉了？』

『怎麼會這樣？是在故弄玄虛吧？』晴兒睜大了眼睛。

『啊？新郎死掉了？』小燕子張大了嘴巴。

永琪、福倫、簫劍全部呆住了，趕了這麼久的路，策劃了這麼久，又等了這麼半天，大家揣測過兩種可能，是爾康？不是爾康？但是，卻絕對沒有想到，會有這樣一個可能！大家愕然驚怔，不知所措。不止他們這樣，那些緬甸的老百姓，也愕然驚怔，開始議論紛紛，驚聲四起。這時，只見慕沙舉起雙手，示意大家安靜。帶著微笑，用緬甸話，豪放的喊著：

『我要大家繼續唱歌跳舞，天馬的靈魂，到他該去的地方了，有神仙照顧，我們不要傷心！今晚是一年一度的點燈節，讓我們繼續點燈！樂隊奏樂，大家跳舞！我們要用歌舞，歡送天馬的靈魂！』

慕沙充滿豪氣的命令一出，老百姓又歡聲雷動。

『她在說什麼？』永琪著急的問老高。

『她說，要大家照樣慶祝節日，照樣跳舞唱歌，歡送天馬的靈魂！』

樂隊已經奏起音樂，舞蹈隊開始跳舞。花車在音樂聲中動了起來，馬兒拉著花車開始遊街，許多小花童沿街撒著花瓣。整個街頭，人潮全部瘋狂的流動起來，大家追著花車跑。叫著嚷著，你擠我，我擠你，爭先恐後。紫薇、小燕子、和晴兒，身不由己的被人群衝著，捲著。紫薇踉踉蹌蹌，這一下，是真的要昏倒了。失望，悲痛，著急、恐懼……的情緒像海浪般衝擊著她，她呻吟般的說：

『我寧願是他！他可以做別人的新郎，不可以死！』

永琪衝到紫薇身邊，保護著她，堅定的說：

『紫薇，妳不要慌，這件事一定有問題，妳看，那個慕沙好像興致好得很，那有未婚夫剛剛去世，還可以這樣若無其事，照樣慶祝節日！慕沙這個人，如果能夠掉換屍體，讓我們帶回假遺體，她就是詭計多端的，我們不要被她騙了！』

『對！這件事太奇怪了！慕沙的話，我一個字也不相信……』簫劍衝口而出：『除非這個天馬抵死不從！被他們給殺了！』

紫薇一個冷顫。永琪也悚然而驚。福倫著急而無助，急問：

『現在要怎麼辦？這種結果，太意外了！那個人到底是不是爾康，也沒弄清楚……』

他們個個心急如焚，失去了主張。而滾動的人群，一波一波的捲了過來。大家身不由己，跟著人潮滾動。簫劍當機立斷，急促的交代：

『永琪，伯父，你們照顧好小燕子她們，我要和老高去找那個買通的侍衛，打聽一下有沒有內幕？你帶她們先回客棧！等我的消息！』

簫劍就拉了老高一把，兩人飛快的穿入人群中，不見了。

紫薇早已心神大亂，神思恍惚，被一群老百姓一衝，不知不覺放開了握著小燕子的手，她的眼光沒有目標的看著前方，心底一片絕望。死了？她已經承受過一次，難道再要承受第二次？他到底是不是爾康呢？誰能告訴她？

『小燕子！拉著紫薇，大家不要走散了！』永琪緊張的喊。

小燕子一驚，伸手一抓，抓到的是晴兒的手，小燕子驚問：

『紫薇呢？妳沒有拉住紫薇嗎？』

『不是妳拉住紫薇的嗎？』晴兒也驚問，急忙四面找人，著急的喊：『紫薇！紫薇！妳在那裡？小燕子，不要放掉我的手，我們一起去找她！她一定在附近！』

晴兒伸長脖子四面張望，不料蜂擁的人群實在太瘋狂，大家往前一擠，她站立不住，尖叫一聲，跌倒在地。立刻，許多腳從她身上踐踏過去，晴兒大驚，喊著：

『不要踩我！哎喲！』

小燕子、永琪、福倫都飛撲過來，擋住人群，扶起晴兒。福倫蒼白著臉問：

『紫薇呢？紫薇在那兒？』

『她好像被人群衝到路邊去了！我們趕快去找！』小燕子急促的說。

『不要急不要急，她丟不掉的，我早就安排過了，有兩個大內武士，專門跟著她！』永琪說。

『可是……還是不放心呀！快找！』

大家就喊著紫薇，在一片人海燈海中，到處找尋紫薇。

這真是一個狂歡之夜！街道兩旁，鑲著由彩燈串連的燈鍊。無數的百姓，在街道上放著煙花，成群結隊追逐著向前奔跑。

爾康在街上已經走了一段時間了。四周的煙火、燈花、人群……在他身邊閃爍喧鬧的流過去，像是幻象一般的不真實。自從被慕沙救活，他就在『眞』與『幻』的兩種境界裡，載沉載浮，現在，他覺得自己還是在這兩種境界中，載沉載浮。他跟著人群流動，走了不知多久，他的額上開始冒汗，傷口痛楚，身體裡的螞蟻大軍，又在蠢蠢欲動。初獲自由的狂喜漸消，他無法集中思想，腳步也凌亂起來。周圍的人，以爲他喝醉了，沒人在意他，從他身邊像潮水般流過。

『這樣走，要走到那裡去？應該找一個人問問路！但是，誰聽得懂漢語呢？』他想著，四面看看。『還是不要引人注意吧！先找個地方過夜再說！』

一陣顫慄忽然通過他的全身，汗珠從額上向下滴落。螞蟻大軍出動了，衝進了他的腦子，在吸吮他的腦漿。他倉卒的扶住路邊的一棵樹，穩住站不穩的腳步。

『吃藥吧！吃完藥才有力氣走……』他想著，又搖頭。『不行，一共只有五包銀硃粉，吃完了就沒有了，沒有藥我比死還糟……忍著，除非迫不得已，不能吃藥！』

他靠在樹上，閉上眼睛，拚命忍耐那『螞蟻大軍』的強烈攻擊。

人潮依舊不斷的從他身邊流過去。人群像是沙漠上的沙，被風吹起捲起，向前滾動。『你是風兒我是沙，纏纏綿綿繞天涯……』他想起了那首歌，紫薇寫的！紫薇，妳在那兒呢？『叮嚀囑咐，千言萬語留不住，人海茫茫，山長水闊知何處？』紫薇，妳在何處？妳在何處？

紫薇就在離他數尺以外的街道上，是人潮中的一粒沙，在那兒身不由己的流動。她魂不守舍，神思恍惚，似乎根本不知道自己身在何方。爾康沒有看到她，也不會想到她會在這個城市裡，他振作了一下自己，離開了那棵樹，一邊承受著螞蟻大軍的攻擊，一邊腳步踉蹌的繼續往前走。

紫薇也在腳步踉蹌的向前走。爾康在前面的人潮裡，她在後面的人潮裡。兩人之間，是無數的煙火、燈花、燭光、舞蹈隊伍……這些異國的歡樂，交織出一種如夢如幻的氣氛。兩人一前一後，咫尺天涯，被這個『夢幻隊伍』包圍著，像神遊般前進，兩個人的內心，都在吶喊著對方的名字。紫薇，妳在那裡？爾康，你在那裡？

爾康走著走著，忽然心中一動，回頭注視。驀然間，他整個人都驚跳起來，他看到紫薇了！

『紫薇！是紫薇！她穿著緬甸的衣服，美得像個神仙一樣！』

他站住了，定睛細看。紫薇在緩慢的走著，身後有一串瀑布形的煙火在綻放，無數的煙花、煙火、燭光、彩燈在她四周閃爍舞動，把她襯托得如虛如幻。

『紫薇？紫薇……紫薇？』他喃喃的唸著，神思如醉，意亂情迷。

紫薇似有所覺，站住了，茫然的看向前方。

『怎麼好像聽到爾康的聲音呢？』

是紫薇，是紫薇！爾康沒有懷疑了，眼前那個雙眼迷濛的女子，正是他朝思暮想的紫薇啊！他再也控制不住自己，急忙衝進人潮，向紫薇的方向奔去。但是，迎面是一群狂歡的青年，對著爾康衝來，雙方一撞，他本就渾身是傷，撞到傷處，頓時痛徹心肺。他站不住，摔倒在地，人群從他身邊掠過。

紫薇伸長了脖子往前看，有人摔倒了，有人繼續走……她還沒看清楚，兩個奉命照顧她的大內武士，快步走到她身前，行禮說：

『格格！簫大俠交代，大夥都去客棧集合，不要再走散了！我們趕快去吧！』

紫薇再伸頭四看，看到的只是蜂擁的緬甸人和點點燈火，閃閃煙花。那兒有爾康？又是她瘋狂的幻覺罷了！她悽然低語：

『眾裡尋他千百度，驀然回首，那人「不在」燈火闌珊處！』

『格格！格格……』武士催促的低喊。

紫薇茫然的點點頭，跟著武士們轉身而去了。

爾康好不容易，才從地上掙扎的站起身子，趕緊衝進人群去找尋。只見人潮洶湧，一波又一波，萬頭鑽動，那兒有紫薇的身影？他呆呆的站在街頭，悲從中來。

『只是一個幻覺而已！紫薇遠在北京，怎麼可能出現在緬甸的三江城呢？這只是我的幻覺！就像在監牢裡，看到紫薇，在幽幽谷，看到紫薇一樣！』

爾康正在想著，一陣顫抖，瘋狂的襲來。

『又來了！不能再撐了……』

他從口袋中摸索著，摸到一包銀硃粉，顫抖著倒進嘴裡吃下。

他抱著雙臂，強忍著襲來的痛苦。煙火、煙花、燈光、人群……仍然包圍著他。熱鬧的是這個城市，落寞的是他！繁華的是這個城市，荒涼的是他！閃亮的是這個城市，暗淡的是他……這才眞印證了那兩句詩：『冠蓋滿京華，斯人獨憔悴』。

爾康和紫薇，就這樣擦肩而過了。

當武士把紫薇帶回客棧，大家都急得快要發狂了。小燕子立刻衝上前來，抓住紫薇的胳臂，激動的搖著喊著：

『妳嚇死我了，我以爲，又像從前一樣，我把妳弄丟了！沒想到街上的人那麼多，一轉眼，妳就不見了！』

『格格有我們照顧，大家放心，不會丟！我們下去了！』武士行禮退下。

大家都圍著紫薇問長問短，晴兒倒了一杯水過來，遞給紫薇。

『妳怎樣?臉色好壞，趕快喝杯水，定定神!』晴兒說。

紫薇被動的喝了水，依舊神思恍惚。晴兒抓住她的手，安慰著：

『妳別難過!簫劍已經去皇宮打聽消息了，大家都說，天馬病死的消息有問題，說不定根本沒死，現在，不能憑緬甸王的一句話就作定論，妳別先著急!至於天馬是不是爾康，簫劍也會再進一步打聽!』

『紫薇，振作一點，我們等簫劍的消息吧!』福倫強忍著自己的擔心和害怕，安慰著紫薇。

紫薇這才抬頭看眾人，魂不守舍的說：

『剛剛我在街上，好像看到了爾康!』

『妳總說看到了爾康，那是不可能的!』永琪搖頭：『今晚，三江城裡，家家戶戶都在慶祝點燈節，滿街的人潮，再加上燈火燭光，妳怎麼看得清楚呢?』

『紫薇啊，』福倫傷心的接口：『不止妳這樣，我也是這樣，自從爾康失蹤以後，常常都看到爾康!我知道，那只是思念成病而已!』

紫薇茫然的坐在那兒，陷進深深的哀愁裡。這時，簫劍興匆匆的開門進來，眾人全部精神一振。簫劍看著大家，興奮的說：

『福伯父，紫薇……大家千萬不要放棄希望，我打聽又打聽，都沒聽說皇宮在辦喪事，人死了，不可能連棺木都不準備!老高買通的侍衛說，那個天馬，是個硬漢，差點把猛白氣瘋了，曾經關進大牢，挨過各種苦刑，他寧可從高樓上跳下來，就是不肯成親!今晚，本來是要成親的，臨時取消婚禮，因爲……天馬逃走了!』

大家都震驚著，每個人都睁大了眼睛。永琪一擊掌，低呼：

『逃走!這就更像爾康的行爲了，他在緬甸皇宮待了七個半月，大概把宮殿都摸熟了，侍衛宮女也混熟了，時機成熟，就逃之夭夭！答應成親，是一個拖延政策。』他轉頭看紫薇：『我幾乎可以肯定，這是爾康了！一定是這樣！』

紫薇眼睛發亮了，呼吸急促的看著簫劍和永琪，又燃起了希望。

『我想，永琪分析得不錯！』簫劍盯著紫薇：『關於天馬是不是爾康，我也有了進一步的消息！那個侍衛和宮裡一個名叫蘭花的宮女很要好，蘭花侍候了天馬七個多月，據說，天馬心情好的時候，常常練字，他們偷了一張天馬寫的字給我，我想，你們都認得爾康的字跡吧！』

簫劍說著，已經在桌上攤開一張紙，眾人全部衝到桌子前面去看。紫薇大叫：

『是爾康，就是爾康！』抓起紙張來唸：『千錘萬鑿出深山，烈火焚燒若等閒，粉身碎骨渾不怕，要留眞情在人間！這是爾康最喜歡的一首詩，以前也常常寫！他只是把「要留清白在人間」，改成了「要留眞情在人間」！簫劍，你怎麼不先把詩拿出來？還要分析那麼多！』

『好戲要壓軸嘛！』簫劍已經有心情說笑了。

但是，紫薇臉色一悲。焦灼而痛楚的喊：

『他到底受了多少苦？又是大牢，又是苦刑，又是跳樓……』

福倫看到那首詩，就老淚縱橫了。

『不管怎樣，我們證實了一件事，爾康就是天馬，他沒有死！』

小燕子情不自禁，拉著永琪嚷：

『永琪，永琪！我們的爾康還活著，他一直都活著！我們哭他想他葬他祭他，他根本沒有死！你這個糊塗蟲，帶回什麼人的遺體，讓我們大家哭死！』

『這個該死的八公主，她把我們全體都騙了！』永琪興奮得語無倫次：『不止我被騙，劉德成、傅六叔、簫劍和全體官兵，都被騙了！當時，我就說「不是不是，不可能是爾康」，但是，看到紫薇的同心護身符，看到福家的傳家寶劍……我就崩潰了！居然中計，把遺體一路帶回家！我就應該追著猛白打過去！』

晴兒驕傲的看著簫劍。激動的喊：

『簫劍啊！你是我們大家的英雄！這一下，我們是士氣大振！紫薇，不要傷心了！我們現在要做的，就是去把他找到！』她忽然一驚：『我們還在這兒東找西找，說不定他已經回到雲南去了！』

『那麼，我們要怎麼辦？是留在這兒找他？還是沿路一站一站找過去？下面，他會去那裡？』小燕子問。

『下面一站，是到「大山」，然後去「木邦」，然後去「宛頂」，然後到雲南！』簫劍數著地名，想著爾康可能的回國路線。

『如果他還留在三江城，怎麼辦？』晴兒問。

『他不會，如果他自由了，他會馬不停蹄的趕回北京去！』永琪斬釘截鐵的說：『他可不知道我們全體到緬甸了，他一定想見大家想到發瘋！他身懷絕技，就算夜行晝伏，也會在幾天之內，趕到邊境！』

『那麼，我們就不要再耽誤了，我們也馬上趕到下一站去吧！』小燕子說。

大家你一言，我一語的討論著，只有紫薇默默不語。她走到窗邊去，看著窗外的天空發怔，大家見她不語，也看著她發怔。

『他就在我們很近很近的地方，我幾乎可以感覺到他的呼吸！』紫薇想著街頭上那個人影，想著那份強烈的感應，對著天空低喊：

『爾康！你在那裡？請給我一點暗示吧！』

窗外，除了隱隱約約的煙花，沒有絲毫的動靜。

同一時間，爾康走進了一條陋巷，這兒已遠離市區，看不到人潮和燈火，四周暗沉沉的。他發現陋巷裡有棟破舊的，半倒的斷壁殘垣，他摸索進去，選了一個不受注意的牆角，靠著牆角坐下，闔目休息。心裡在籌劃著：

『我必須等到天亮，才能進一步行動。從這兒到雲南，好像路途遙遠，我身上那些碎銀子，不知道夠用多久？不能住客棧，只能隨遇而安了。最重要的，是我的銀硃粉，頂多只能維持一天，沒有銀硃粉，我就等於廢物，我要先想辦法，弄到足夠的藥，才能開始逃亡！慕沙說過，民間也有這個藥，叫做……「白麵」！睡一下，天亮再說！』

爾康就閉上眼睛，試圖睡覺。

天色逐漸的亮了，一群衣衫襤褸的小流氓走了過來，打量著爾康，指手畫腳。

爾康驀然醒覺，睜開眼睛看著。一個小流氓衝上前來，用緬甸話喊：

『喂！你是什麼人？怎麼睡在我的地盤上？這裡是我的家，你知道嗎？要睡，要給我房租！』對爾康一伸手：『拿錢來！』

爾康雖然不完全懂他的語言，也瞭解了他的意思。他不想引起戰爭，只想息事寧人，就忍耐的、求饒的說：

『對不起，我是外地來的人，不想惹麻煩！我只是休息一下，現在就走！』他站起身子，想離去。

另一個流氓其勢洶洶衝來，用緬甸話大聲喊：

『原來是外國人！八成是從雲南過來的，怎麼穿著緬甸衣服，一定是偷來的！想走？門都沒有，房租還沒繳！拿錢來！』

爾康往左，幾個流氓往左，爾康往右，幾個流氓往右，爾康站住了。

『你們怎麼不講理？』他壓制著怒氣低吼：『我只是在這個牆角休息一下，礙了你們什麼事？』

他話沒說完，一個流氓伸手一抓，就抓著他胸前的衣服，另一隻手，就去摸他腰間的錢袋。爾康大驚，抽出腰間的匕首，用力一揮，流氓趕緊躲過。大叫：

『他有刀！幹掉他！居然敢用刀子！幹掉他！幹掉他！』

幾個流氓，就圍了過來，和爾康大打出手。

爾康雖然武功沒有了，打架還是第一流，手中的匕首，揮舞得密不透風，奮力苦戰。奈何他只有一個人，對方有好多人，打倒了這個，又來了那個，越打越吃力，一個不小心，挨了一拳，正好打在面頰的傷口上，傷口裂開，再度出血，爾康一個踉蹌，就被另一人踢翻在地。

頓時間，所有的流氓一擁而上，對著他拳打腳踢。他渾身的新傷舊創，在眾人的圍毆下，慘不忍睹。一個小流氓就從他腰間，抽出錢袋，大喊：

『有錢袋！還有銀子……』

爾康一看，這還得了，大叫一聲：

『這是我全部的錢，我還要靠它回家，今天才是獲得自由的第一天，就失去了盤纏和銀硃粉，我就什麼路都沒有了！你敢搶！』

爾康一面大吼，一面振臂狂呼，氣勢凌人，不顧一切的握著匕首，瘋狂砍殺。他勢如拚命，竟使一個流氓挨了一刀，爾康搶回錢袋，拚死力戰。這時，另一個流氓手持一根大木棍，對著他的腦袋，一棒打來。爾康一閃，棒子打在肩上，他跌落在地，長嘆一聲。

『沒料到，居然被慕沙說中了，我連三江城都走不出去！想我福爾康曾經多麼威風，今天連幾個小流氓都打不過……』

就在這時，有個大漢吊兒郎當的走了過來，用緬甸話大吼：

『幹什麼？又在欺負人嗎？有我三爺在，誰敢打架？』

爾康趕緊呼救：

『不管你是那一位，請幫幫忙！我只是一個過路人……』

大漢一聽，飛撲過來，七手八腳，打倒了兩個流氓，其他流氓一看，驚呼著：

『三爺來了！大家跑啊！』

流氓們轉眼就跑得不見蹤影。大漢低頭，看著遍體鱗傷的爾康，伸手給他。用很破的漢語問：

『你是中國人嗎？我會說漢語！』

爾康精神大振，急忙拉著三爺的手，站起身子，不停的鞠躬道謝：

『謝謝你救我！你會漢語？太好了！我是……阿康，你叫我阿康就好！』

『大家都叫我三爺，你也叫我三爺吧！』大漢說著，對他上上下下，仔細一打量。『看樣子，你有很多故事吧？我什麼問題都不問……你穿這樣，在三江城裡混，只要幾天，你就沒命了！』

『我要去大山，你知道怎麼走嗎？』爾康急忙問。

『到大山？你要用腳走去嗎？要走五天的樣子！』大漢搖搖頭。『你渾身是傷，這條路又很難走，你走不到的！』

這時，爾康身體裡的螞蟻大軍又開始行動，顫抖襲來，他情不自禁，用胳臂抱著雙臂，讓顫慄通過。

大漢仔細的看著他。

爾康生怕藥癮發作，不可收拾，急忙拿出一包銀硃粉，倒進嘴裡。

大漢眼睛一亮，搶過爾康丟下的包藥紙，拿到鼻子前面聞了聞。驚呼著：

『銀硃粉！只有貴族，才有銀硃粉可用！』

爾康心中一動，急忙問：

『你知不知道什麼地方有「白麵」賣？我想買一些「白麵」！』

大漢盯著他大笑，拍著他的肩，歡聲說：

『你要買白麵，你就找對人了！這三江城，要買白麵，就要找我三爺！但是，你有多少錢呢？』

爾康不敢再大意，看著大漢。

『我沒有什麼錢，白麵要怎麼賣？你有多少？』

『你跟我來吧！』大漢點點頭，豪氣的說：『我交了你這個朋友……有錢，用錢買，沒錢，用勞力買！我三爺最好講話了！』

大漢說著，掉頭往前走，爾康踉踉蹌蹌的跟隨在後，拐彎抹角而去。

爾康並不知道，他這樣跟著大漢一走，又遠離了紫薇的世界，走進一個更加無法自拔的地獄裡去了。

十天以後，永琪、紫薇、小燕子等人，還是沒有找到爾康。

這天，車車馬馬，在郊外的水邊停下。大家下車的下車，下馬的下馬，個個風塵僕僕，滿面倦容，在水邊略事休息，讓馬兒去喝水。

晴兒和簫劍坐在水邊，晴兒深思的說：

『我們已經把幾個大城都搜尋過了，還是沒有爾康的蹤跡，爾康心思敏捷，最會出主意，最有辦法，我認爲他一定已經回到雲南去了！我們是不是早點離開緬甸，到雲南去找？』

『我也這麼想！我們這樣找他，實在是大海撈針，也不能見了任何人就問，有沒有見到一個中國人？』簫劍說。

老高走了過來，點頭說：

『我們這樣沿路打聽，已經引起緬甸守軍的注意了，我看，是不會有結果的。還是早些離開緬甸比較好！』

小燕子、永琪、福倫、紫薇都聚集過來，個個臉色凝重。

『爾康如果只是逃走，他沒有交通工具，沒有馬，沒有車，他應該走不快！』永琪說：『不在大山，不在木邦……他能去那兒呢？』

『哎！永琪，你說這話就太外行了！』小燕子說：『爾康爲了回家，沒有交通工具算什麼？這個時候，還講什麼規矩嗎？他的武功又好，他用偷的，用搶的，用騙的……只要能夠達到目的，他都會用！他一定會弄到馬匹的！』

『他這人講義氣，講原則，那些不規矩的事，他不一定會用！』福倫嘆氣：『再加上……他沒有錢怎麼辦？不是「一文逼死英雄漢」嗎？』

『伯父！等到活不下去，事情緊急的時候，規矩原則那一套，就只能靠邊站了！沒錢，也一樣啊！用偷的，用搶的，用騙的！我小時候，還不是這樣活過來的！什麼都講規矩原則，大雜院裡的人，早就死光光了！』

小燕子不以為然的說著，永琪聽到她的成長過程，心中惻然，摸了摸她的肩。

紫薇用手托著下巴，一語不發，看著溪水發呆。忽然間，有一隻大鳥噗喇喇的飛過，飛向前面去了。

紫薇抬起頭來，看著大鳥的方向出神，突然跳起身子，堅決的說：『我們折回三江城去！』

大家驚看紫薇。永琪搖頭，說：

『紫薇，爾康不可能還在三江城，他就是用爬的，也早就爬出三江城了！妳想，他受困了這麼久，一定會歸心如箭，怎麼可能還讓自己陷在那個城裡？』

『我們對爾康到底遇到了什麼事，其實並不清楚。』紫薇看著大家：『說不定他還陷在三江城裡，我說不清楚為什麼要回去找他？只是有一個強烈的直覺，他還在三江城！我們沿路找不到絲毫的蛛絲馬跡，再盲目找尋下去，很難得到結果！我要回到三江城去！』

大家狐疑著，舉棋不定。晴兒看著紫薇，毅然的點點頭說：

『或者，我們應該聽紫薇的！紫薇的直覺，一直很靈，他說爾康沒有死，爾康果然沒有死！她說爾康陷在三江城，說不定他眞的陷在三江城！再說……我對那位緬甸公主，還是有些懷疑！』

簫劍一擊掌，決定了：『晴兒和紫薇都這麼說，大家就這麼辦吧！』

永琪想了想，雖然是大海撈針，也得有一些計畫。他指揮若定的說：

『我讓武士們一半留下幫我們，一半趕到雲南去見雲貴總督楊應琚，如果爾康回到了雲南，一定會去找楊應琚幫忙，好早日回到北京！我們兩路人馬，分開去找。任何一方有了爾康的消息，就快馬來找對方！像以前我們大家浪跡天涯時一樣，我們可以在樹上、牆上、石頭上，隨時留下彼此的線索！』

『就這麼辦！』福倫大聲說。

56

這是三江城的東城，幾乎是個貧民區，這天正在趕集，市集中，攤販雲集，賣雞賣鴨賣水果賣舊貨，應有盡有，熱熱鬧鬧。男男女女、老老少少都在市集中買東西，不買東西的人就在閒逛，孩子們追逐玩耍。好像全東區的人，都集中到這兒來了。

爾康也擠在人群中，他那件新郎服，早已穿得破舊不堪，連顏色都分不清了，只看得出來是件綢緞服而已。他的崗包早已不知去向，頭髮披散著，長長短短，參差不齊的掛在臉龐上，半遮著眼睛和臉上的傷疤。滿臉鬍子，和披散的頭髮混淆著，簡直是『人面不知何處去，一堆茅草亂蓬蓬』。他看來形容枯槁，雙眼無神，瘦削到幾乎不成人形。邁著踉蹌的腳步，打著哈欠，他抖抖索索的在人群中搜索著什麼。他的眼光，陰鷙的從亂髮中窺探著四周，然後，他挨到一個女人身邊去。

女人正在和小販討價還價，雙方用緬甸話吵吵鬧鬧。她的錢包，就放在攤販桌上。爾康覬覦的眼神，死死的盯著那個錢包。趕快下手吧，偷走這個錢包，可以換取幾天的白麵，趕快下手吧！

在市集另一頭，紫薇、永琪、小燕子、老高在四面探視，幾個武士遠遠相隨。他們的眼光，並非沒有看到爾康，但是，這個畏縮的、襤褸的乞兒，和爾康的形象實在相差太遠，誰都沒有注意他。老高邊走邊說：

『我今天又去了一趟皇宮，天馬已經離開皇宮，這一點是千眞萬確的了！』

『現在只能用「盲目尋找法」，我們在東門市集找，簫劍、晴兒和福伯父在南門市集找，大家用幾天工夫，把三江城所有的市集走一遍，看看有沒有什麼線索？老高，拜託你聽聽大家的談話，說不定聽出什麼疑點來！』永琪說。

『是！』

眾人就在人群中走著，東看看，西看看，依然沒有注意到爾康。

爾康也沒有發現紫薇等人，他正全神貫注在那個女人的錢包上。

女人開始選東西，要了這個又要那個，講價講不停。爾康偷偷的伸出手去，閃電般扒了那個錢袋，鑽進了人群，像條滑溜的魚，游進人潮，飛快的逃跑。女人忽然發現丟了錢袋，大叫：

『有小偷！有小偷！快抓小偷呀……』

永琪等人被驚動了，大家跟著方向看了過去。只見那個小偷，溜進人群，就迅速的取出錢袋中的錢，再把錢袋丟在地上。小燕子眼尖，一眼看到了，尖叫：

『小偷在那兒！錢袋已經空了，快去抓！』

正在飛跑的爾康，忽然聽到小燕子的聲音，嚇得直跳起來，這一驚非同小可。他急忙回頭看去。不看還好，一看更是魂飛魄散，他居然看到了紫薇！

紫薇也一眼看到爾康！雖然他憔悴至此，雖然英雄形象全部消失，雖然亂髮蓬蓬，衣不蔽體，雖然行徑奇特，匪夷所思……但是，他就算變成了灰，她也認得出來，這，就是她的爾康呀！她大震，呆住了。

爾康比紫薇更加震動，天啊！他願意付出生命和一切，只要紫薇沒看到今天的自己！天啊！

『是紫薇！紫薇和小燕子……還有永琪……他們怎麼會在這裡？』他的冷汗，從背脊一直冒到頭頂。『我不能讓他們看到我這個樣子……我寧願死，也不能讓他們看到我這麼狼狽……』他想著，就拚命的鑽進人群，迅速的，沒命的往前奔跑。

小燕子根本沒有認出那是爾康，喊著：

『小偷往那邊跑了！要不要管閒事？要不要追？』

『這是緬甸呀，』永琪也沒認出來，拉住小燕子：『我們自顧不暇了，妳還要幫緬甸人抓小偷？不許去！也不要用中文叫！』

許多緬甸人，已經拿著棍子棒子，去追爾康。

爾康顛躓的，跌跌撞撞的往前奔。一面奔，一面恐懼的回頭看。

紫薇回過神來，大喊：

『爾康！那是爾康呀！』

永琪和小燕子大驚，大家急忙看去。

紫薇早已控制不了自己，飛奔著，穿過重重的人群，對著爾康的方向追去，嘴裡發出撕肝裂肺般的大喊：

『爾康……你爲什麼要跑？是我呀！是紫薇呀！爾康……我們來找你了！你不要跑……不要跑……大家都來了……』

爾康聽到紫薇的喊聲，跑得更快了，他拚命的穿過人群，拐彎抹角，鑽進一條小巷。還好，他對這兒的地形熟悉，東鑽西鑽，四周的巷子，越來越殘破。他心底，悲吟般的喊著：

『紫薇……回去回去……爾康已經死了，老早就戰死了！記著那個戰死沙場，英勇的爾康，放掉我……妳不要來……回去回去……』

紫薇不顧一切的追著，她被人群撞得東倒西歪，兀自狂奔狂喊：

『爾康……爾康……是我呀，是紫薇呀……爾康……爾康……』

紫薇跑得太急，腳下一絆，跌倒在地。小燕子、永琪、老高和武士們趕緊撲奔上前，扶起她。

這樣一耽擱，爾康已經鑽進一條破落戶住的貧民區。他看到一個豬棚，想也不想，就鑽進豬棚去躲了起來。

紫薇、小燕子、永琪追了過來，大家東找西找。

後面呼嘯而至的人，找不到小偷，都紛紛往前跑走了。

『不見了！』小燕子瞪著紫薇：『紫薇，妳眼花了，糊塗了，那個小偷怎麼可能是爾康？』

『我看也不像！』永琪說：『爾康個兒高，那個人彎腰駝背的，沒有一點爾康的樣子，妳一定是想得太多，把一個緬甸的流浪漢也看成是爾康，這實在有點離譜！』

老高也搖頭，對紫薇說：

『格格一定弄錯了，妳想，八公主千方百計，要和額駙成親，如果額駙是這個樣子，八公主怎麼會要他呢？想必，他是風采翩翩的！』

躲在豬棚裡的爾康，瑟縮在一隻大母豬的後面，大家的對話，清楚的傳了過來。他聽到這些話，更是自慚形穢，不勝悲苦。心底在輾轉呻吟：

『紫薇，妳是最善良最體貼最瞭解我的人，我弄到今天這個局面，最不想見的，就是妳！我已經配不上妳，請妳回去，讓我自生自滅吧！』

紫薇站在豬棚外面，焦灼的四面張望。固執的，堅定的說：

『那是他！那是爾康！他就在這附近，我已經感覺得到他的呼吸，聽得到他的心跳，我知道，他就在我的身邊！』

紫薇看到那個豬棚，聽到裡面的豬群，發出低嗚的聲音，空氣裡，彌漫著豬舍的味道，臭氣薰天。她想了想，身子一彎，要鑽進豬棚去。

小燕子急忙拉住她。跺腳喊：

『妳瘋了？爾康怎麼會躲在豬棚裡？他看到我們，高興都來不及，爲什麼要躲我們？何況，這是豬棚耶！爾康最愛乾淨，平常衣服髒了都不肯穿，怎麼會鑽進豬棚？』

爾康一聽，咬緊牙關，悲苦已極。是的，這不是爾康！這怎麼可能是爾康呢？

紫薇推開小燕子，對豬棚看進去。用世上最溫柔的，最深情的，最眞摯的，最美妙的聲音，淒淒楚楚的說：

『爾康，我知道你在裡面，你要我進來找你嗎？我進來了，你不要跑，你等我……』

什麼？她要進豬棚？爾康大驚，跳起身子，沙啞的喊：

『好髒！妳不許進來！』

隨著爾康的聲音，他從豬棚中，飛奔而出，繼續向前奔跑。

這一下，永琪和小燕子也都大驚失色，永琪急喊：

『是爾康！眞的是爾康！』

永琪就施展輕功，急追過去。大喊：

『爾康！你站住！不管你遭遇了什麼，你不能看到我們還開溜！我們是你的家人，朋友，兄弟……你跑什麼？難道你連我們都不認識了嗎？難道你連紫薇都不認識了嗎？』

小燕子和武士們也施展輕功，急追過去。

爾康回頭一看，魂飛魄散，狼狽的跑著，悲切的喊著：

『我不是爾康，爾康已經死了！我是小偷，我是行屍走肉，我怎麼會是爾康？你們走！不要追我……不要追我……』

紫薇聽著，心碎的體會到，這時的爾康，是多麼不願見到他們！他一定有難言之隱，自慚形穢。她和爾康，早已心念相通，這種體會，撕碎了她的心。她拚命奔跑，因爲不會武功，已經落在永琪和小燕子的後面，她追著大家，哀聲大喊：

『永琪！小燕子！你們不要追他！讓我去跟他說，你們停下來，不要追！你們這樣追，他更會跑！』

永琪急忙收住步子，對眾人說：

『紫薇說得對，他……好像跑不快！讓紫薇去追他……』他納悶著。

小燕子、永琪和武士們，就停步觀望。

剩下紫薇，狂追著爾康，喊著：

『爾康……你停下來，不要躲我！不管你現在是什麼樣子，不管你多麼狼狽，你是我的爾康呀！你怎麼忍心讓我這樣追你呢？你知道我跑不快……』

爾康頭也不回，沒命的跑著。紫薇也沒命的追著，邊追邊喊，力盡聲嘶，腳下石頭一絆，整個人又撲倒在地。小燕子看到紫薇摔倒，就要飛奔過去，永琪一把抓住了她，低聲說：

『不要過去，看看爾康會怎樣？』

爾康聽到紫薇摔倒的聲音，驀然回頭，心中大痛，不禁停步。紫薇看到他站住了，就一步一步爬向了他，一直爬到他的腳邊。他低頭一看，拔腳又要跑。

紫薇一把抱住他的腿，仰頭看著他，掏自肺腑的說：

『爾康，山無稜，天地合，才敢與君絕！』

爾康怔住，眼淚奪眶而出，沿著面頰滾落。紫薇攀住他的身子，站了起來，凝視著他的眼睛。然後，她心痛至極的，憐惜的抬起雙手，去撫摸他臉上的刀疤，亂髮，眉毛，眼淚和瘦削的面頰……她的淚水也奪眶而出，不停的掉下來。她哽咽的說：

『我不知道你受了多少苦，我心痛你的每一個傷口，不管是身上的，還是心上的……但是，這些都結束了，因爲我找到了你！』

爾康動也不動，紫薇就抱住了他，身子貼著他。他一震，推她，啞聲的說：

『別碰我，我好髒！』

『我不管，我不管，我不管，我不管……』紫薇一疊連聲的喊著，雙手抱緊了他的腰，把頭埋進他的肩頭。

小燕子和永琪，虔誠的站在那兒看，兩人眼中，都充滿了淚水。

爾康和紫薇，就這樣依偎片刻，然後，爾康推開了她，開始向前走。這個豬舍旁邊，不是紫薇能夠停留的地方，他埋著頭，一個勁兒往前走。她不知道他要走到那兒去，生怕再刺激他，也不敢問。看他沒有逃跑的意思，就伸手挽著他，亦步亦趨的跟著他。小燕子和永琪，不敢上前，也跟在後面。武士們當然緊緊相隨。就這樣，一行人來到郊外，眼前一亮，只見繁花如錦，綠草如茵，到了一個遍地野花的山坡上。

小燕子困惑的看著，悄聲問永琪：

『爾康怎麼弄成這個樣子？紫薇爲什麼還不趕快帶他回客棧去梳洗一下？他們一直走，要走到那裡去？』

『我想，爾康不肯跟紫薇回客棧，他們一定還有話要談，所以走到這個沒人的地方來，我們除了靜靜的跟著他們，保護他們，沒有第二個方法。如果紫薇需要我們幫忙，她一定會出聲的，我們跟著就好。』

爾康走進花叢裡，仍然低著頭急走。紫薇再也忍不住了，死命拉著他。

『不要再走了！你要走到那裡去？好不容易見面了，你連正眼都不看我……』她哀求的看著他：『你知道阿瑪也來了，簫劍和晴兒都來了，我們大舉出動，到緬甸來找你！我們趕快去客棧，就可以和阿瑪他們團聚了！』

爾康顫慄了一下，神色更加倉皇，他看了看骯髒的自己，頭垂得更低了。

紫薇走到他對面，伸手去扶他的頭。

『爾康，不要這樣子，看著我！你有什麼話要說，告訴我！』

爾康立即一退，啞聲的喊：

『不要碰我！』

紫薇嚇了一跳，縮回手來，哀傷的看著他。悽苦的說：

『我要怎麼辦，你才肯跟我說話？你在恨我嗎？氣我嗎？因爲我隔了這麼久才來找你？還是……你已經不再愛我了？』

聽到紫薇最後一句問話，爾康的心乍然抽緊，沒辦法再沉默了，他飛快的看了她一眼，哀懇而急促的說：

『紫薇，謝謝妳這麼遠來找我，知道阿瑪也來了，大家都來了，我只有惶恐和害怕，恨不得打一個地洞鑽下去。我墮落到這個地步，名譽、志氣、健康、武功全體沒有了，我無地自容，沒有臉再見大家，如果妳還愛我，像當初愛我一樣，請妳幫我一個忙，讓我悄悄的消失掉！能夠再見妳一面，是上天對我的恩惠，我不再奢求什麼，妳走吧！把今天的我，全部忘掉，記住以前那個我！』

紫薇熱烈的看著他，驚喊：

『你在說些什麼？我早也想，晚也想，夢到幾千幾萬次和你重逢的情形，簫劍帶來你可能沒死的消息，我們在萬難中，日夜趕路，馬不停蹄，發瘋一樣的找你……今天見了面，我還陷在瘋狂般的喜悅裡，你卻要我忘了你！我怎麼忘？今天再見的一幕，會永遠永遠重現在我眼前，刻在我的心裡，印在我的腦海裡！你的每一件事，從我們相遇的第一天到現在，我沒有一天可以忘！』

『妳難道不瞭解，爾康已經沒有了！』他激動的喊：『現在站在妳面前的，根本不是爾康！妳看看我，看看我，我那一點像爾康？妳認錯人了，我不是爾康！』

紫薇用雙手捧起他的臉，看進他的眼睛深處去，柔聲的說：

『你不要怕，我們都知道，你過了七個多月生不如死的生活，不管你被生活折磨成怎樣，你的一切，只會讓我們大家心痛，沒有人會因此而看不起你的！』

這時，螞蟻大軍又出動了，啃噬著他的五臟六腑。他撐不下去，身子開始顫抖，他知道接下來會有的狼狽，不能讓紫薇看到他這樣！他著急的掙開她，只想趕快逃走，他哀求的喊：

『發發慈悲，離開我，你們通通離開我，我要走了，我要去找白麵！』他忽然盯著紫薇，急切的問：『妳身上有錢嗎？有銀子嗎？通通給我！』

紫薇驚愕的看著他，見他迫不及待，急忙把自己的錢袋拿出來。爾康一把搶過錢袋，回頭就走。嘴裡飛快的說：

『我走了，告訴阿瑪，妳認錯人了！趕快回北京去！』

紫薇那裡還能放他走？她撲上去，死命抱住他的腰，哀聲喊：

『如果我現在還會放你走，除非我也變了，變得不是紫薇了！你需要我們怎麼幫助，我們會拚命幫你呀！你爲什麼不認我，不認大家呢？』

爾康抓住她的手臂，著急的想拉下她的手。啞聲喊：

『放開！不要碰我！我配不上妳……離開我！離開我……』他無法脫身，痛吼：『你們已經埋了爾康，就讓爾康永遠安息吧！』

紫薇急了，說什麼都沒用，他只想走！怎麼會這樣？她一急，就踮著腳，勾著他的脖子，迅速的吻住了他的唇。

爾康怔住了，動也不能動。

紫薇熱烈的，忘我的，纏綿的吻著，無視於周遭的一切。爾康不能思想了，不能呼吸了，多麼熟悉的，瘋狂的甜蜜！夢裡，幻覺裡，回憶裡，期望裡……這一幕都不斷上演過！他的紫薇，他最心愛，最牽掛的紫薇，他生命裡的唯一！他不由自主反應著她的熱情，恨不得立即死在這份甜蜜裡！但是……那些螞蟻大軍不放過他，拚命在他四肢百骸裡蠕動啃噬……老天！一陣強烈的顫抖趕走了所有的甜蜜，他驀然驚醒，粗魯的推開了她。用手抱著痙攣的胃和肚子，他撕裂般的吼著：

『我不是爾康，不是爾康，我走了！不要再來追我！』他說完，就一面顫抖，一面拔腿就跑。

紫薇追上去，從他身後，一把抱住他。堅決的喊：

『你走不了！你走到天上，我追你到天上，你走到地下，我追你到地下，你走到天堂，我追你到天堂，你走到地獄，我也追你到地獄！你早就許了我，我們是生生世世的緣分，你今生逃不掉我，你來生也逃不掉我！』

紫薇的話，句句字字，打進了他的靈魂深處，但是……

『紫薇紫薇，』他痛楚的喊：『妳不瞭解，再不給我白麵，我會瘋掉……趕快放掉我，我、我、我……』他顫抖得牙齒和牙齒打顫：『我撐不下去了……』

他說著，就使出全身力氣，推開了她。紫薇站不穩，再度跌倒在地，他也不管，轉身就跑。紫薇大急，急喊：

『永琪！去抓住他！不要讓他走！』

永琪和小燕子一看，就施展輕功，飛躍過來。永琪迅速的竄到爾康前面，伸手一攔，爾康收步不及，一頭撞在他身上。爾康抬頭看到永琪，悲呼一聲，回頭又跑。永琪一把抓住了他，他對著永琪的臉一拳打去，永琪閃過，迅速的扭住他的雙手，激動的大喊：

『爾康！不要這個樣子！我們沒有人會嫌你，你怎麼會把我們的友誼，我們的「生死之交」都置之不顧？你今天的痛苦，都是我當初的疏忽造成的，你有氣，對著我發好了！怎麼可以對紫薇這樣？』

爾康渾身是傷，被永琪一扭，痛徹心肺，忍不住慘叫一聲。小燕子瞪著爾康，害怕的喊：

『永琪，你不要扭住他，他好像很不對勁！他很痛耶，身上是不是有傷？』

一句話提醒了永琪，怎麼爾康的武功都不見了？連反抗的力量都沒有？他急忙鬆手，爾康就癱倒在地，彎著身子呻吟不止。

永琪嘩啦一聲，撕開了爾康胸前的衣服。頓時，看到爾康遍是瘀青、鞭痕、刀傷、箭傷、舊傷、新傷……的身子。紫薇失聲大叫：

『啊……爾康！』她心痛得快死掉。

小燕子痛喊：

『誰把你弄成這樣？你告訴我，我去幫你報仇！』

爾康拉著衣服，遮住那個殘破的身子，掙扎著想站起來。哀求的說：

『讓我走……讓我走……』

永琪回頭對兩個武士大喊：

『快來幫忙！』

兩個武士，飛奔而來，對爾康行禮說：

『奴才參見額駙大人！營救來遲，罪該萬死！』

爾康痛苦的蜷縮著身子，對紫薇求救的伸出手去：

『去……去找三爺……我、我、我要白麵！白、白、白麵！』

永琪當機立斷，不管爾康在喊什麼，他對武士果斷的指示：

『把他背起來，趕緊把他送到客棧去！』他拉著小燕子：『妳和紫薇，跟著爾康回客棧，我到南門市場去找簫劍、伯父和老高，弄清楚誰是三爺，誰是白麵？』

『你小心一點！』小燕子心驚膽戰的說。

『放心！』

永琪說完，就快步的，迅速的跑走了。他不能耽擱，如果找不到三爺，爾康說不定會沒命。那個『白麵』，到底是何方神聖？

武士扛起了爾康就往前跑，小燕子拉著紫薇的手，急忙跟著跑去。

到了客棧，武士把爾康放在床上，紫薇就趕緊過來照顧他。只見他臉色慘白，汗珠把髒亂的頭髮濡濕著，臉上新傷舊傷，慘不忍睹。他不住的打滾，呻吟，雙手抱住自己，拚命想制止自己的行為，卻無法控制的痙攣顫抖著。紫薇坐在床沿上，雙手也是顫抖著，不住的絞濕了帕子，去貼在他額上。這濕帕子顯然一點用都沒有，她不知道該怎麼幫助他，不知道該怎樣停止他的顫抖，她就跟著他的痛苦而痛苦，跟著他的顫抖而顫抖。

晴兒和小燕子，不住的端著臉盆進來，幫忙紫薇，絞著帕子。

福倫得到消息，飛快的趕回了客棧。衝到爾康的床邊，他目瞪口呆的，不敢相信的看著爾康，又是緊張，又是心痛。他顫聲問：

『怎麼弄成這個樣子？爾康，我是阿瑪呀！你看看我……』

爾康顧不得福倫，顧不得紫薇，顧不得任何人，心裡只有一個渴望！他抖著，語不成聲的喊：

『白麵……白麵……給我白麵……』

紫薇握住他顫抖的手，心痛已極的說：

『簫劍和永琪，帶著老高他們，已經去找了！你再忍一忍！馬上就來了！』

爾康把臉埋進枕頭裡，痛楚的說了一句什麼，誰也聽不清楚。紫薇把耳朵貼到他的枕邊。問：

『你要什麼？』

『讓大家出去……出去……不要讓他們看到我這個樣子……』

紫薇含淚點頭，瞭解他在狼狽中還想維持的自尊。順從的說：

『是！』她回頭對眾人說：『他要大家出去……他不要你們看到他這個樣子……』她哀求的看了福倫一眼，急促的說：『你們都出去，我會照顧他！』

福倫眼淚一掉，回頭喊著：

『晴兒，小燕子，我們出去！』

大家正向門外走，房門一開，簫劍、永琪急步進房來。簫劍喊著：

『來了來了！可以買到的白麵，我都買來了！趕快先給他吃一包！』

永琪打開一包藥粉，晴兒急忙倒了水，拿到爾康面前。紫薇看看那包藥，心裡狐疑害怕著，這是什麼藥？怎麼吃？

『爾康！白麵來了！要吃多少？』她問。

爾康一聽，立即跳起身子，搶了永琪手裡的白麵，就迫不及待的倒進嘴裡，再搶了一包，顫抖著撕開紙包，再倒進嘴裡。晴兒看得膽戰心驚，喊：

『別吃這麼急，喝點水！當心噎著！』

爾康接過杯子，一口氣就喝乾了，虛脫的倒回床上，繼續發抖。

眾人看得目瞪口呆，驚疑不止。

『這是什麼藥？會不會吃出毛病來？』小燕子問：『皇阿瑪不是給了我們「十香返魂丹」嗎？我們再給他吃一顆「十香返魂丹」好不好？』

『不能亂吃，兩種藥在肚子裡打架，豈不是更糟？』永琪急忙說。

爾康蜷縮在棉被裡，繼續低語：

『出去……求求你們，出去……』

『他一直要我們出去……我們還是出去吧，或者紫薇單獨跟他談談比較好！』小燕子說。

永琪和簫劍，悲傷的看著爾康。沒想到戰場上的一場生死大戰，造成爾康這麼大的傷害，兩人震動不已。永琪看看眾人說：

『關於白麵，我們……出去談！』

大家會意，全體出了房間。

房裡，剩下了紫薇和爾康。

爾康仍在顫抖，臉色慘白如死。紫薇看了他一會兒，就用手臂，緊緊的抱著他。用最眞摯、最堅定、最溫柔的聲音說：

『把你的痛苦，傳到我的身體裡來，讓我幫你分擔！爾康啊……我這麼愛你，這麼要你，這麼離不開你，這麼喜歡你，我不會因爲你任何的改變而改變，你不要再把自己藏起來，不要害怕面對我，你最脆弱最自卑的時候，也是我最心痛最憐惜你的時候，讓我來照顧你，允許我愛你！』她說著說著，眼淚落下來。

爾康再也無法推開她，他脆弱的看著她，伸出顫抖的手，摟住了她。兩行熱淚，無聲無息的從眼角滾落。他的淚燙痛了她的心，她的淚也是。兩人就這樣依偎著，讓離別後的各種痛楚，化爲熱淚，任意奔流。

57

在另外一間房間裡，大家都聚集在一起，聽永琪解釋什麼是『白麵』。

『這個「白麵」等於是一種毒藥，越吃會越多，不吃就像爾康剛才那樣，會痛苦到生不如死！吃了，精神會恢復，會變得比較興奮，會感到飄飄欲仙。所以，一旦沾上了這個藥，就離不開這個藥，但是，這個藥會把人的身體逐漸弄壞，最後，會讓人送命！』

『那要怎麼辦？有沒有辦法把它戒掉？』福倫驚跳起來。

『聽說，要戒這個藥，非常痛苦，戒得不好也會送命。』簫劍接口說：『在雲南，像罌粟這種花，到處都有，也有一些人，染上類似的藥癮！戒藥的過程，病人會變得很暴力，有些挨不過去的，會自殺或者殺人，是相當冒險的事！許多家人，寧可讓病人吃一輩子的藥，不願意面對他們斷藥的痛苦。也有很多不法的商人，故意讓人染上藥癮來賺錢，我想，那個三爺就是這樣！』

小燕子聽得大怒。嚷著：

『你們有沒有把那個三爺抓起來？有沒有把他殺掉，給老百姓除害！』

永琪看小燕子一眼。說：

『妳又毛躁起來，我們是中國人，化裝成緬甸人，到處找人，又到處打聽怎麼買「白麵」，已經很惹人注意了，難道還去殺人惹麻煩嗎？』

『我想，我們不能再在緬甸停留了，既然已經找到了爾康，我們趕快動身回雲南吧！到了雲南，一切就好辦了！』晴兒著急的說，看簫劍：『你既然說，雲南也有人吃這種藥，那麼，雲南一定有大夫可以幫忙戒藥吧？』

『晴兒說得對！』簫劍神色凝重的說：『我們明天一早就動身，這兒太危險了！萬一猛白發現了我們……爾康就是例子，我們誰也不想變成爾康第二吧！到了雲南，我再給爾康找大夫，無論如何，大家同心協力，一定可以治好爾康！』

『可是……』小燕子憂愁的說：『我覺得爾康並不想治好，他一直排斥我們大家，他根本不想見到我們！他看到紫薇都會逃跑，我從來沒有看過他這種樣子，實在讓我很害怕！以前的爾康，好像眞的不見了！』

『不會的！他有紫薇！他會好的！』晴兒說。

大家想起爾康的樣子，都沒什麼把握，人人神情凝重，福倫尤其傷痛。永琪就振作了一下，站起身子說：

『我們大家往好處去想吧！無論如何，我們救回了爾康，他還活著，他又跟我們在一起了！這比什麼都重要，對不對？大家開心一點！明天動身回雲南！今晚，我們先把爾康弄弄乾淨！我讓高遠高達他們去廚房，趕快燒些熱水來！』

『對！我們都來幫忙，我看，金創藥、九毒化瘀膏通通拿來，一定都用得著！』晴兒積極的應著。

大家都振作了起來，開始忙碌。

片刻之後，一桶一桶的熱水，提進了爾康的房間。武士們搬來一個大澡盆，倒進熱水，澡盆裡冒著蒸騰的熱氣。

爾康的精神恢復了很多，但是，情緒仍然陷在極度的沮喪裡。他瑟縮的坐在一張椅子裡，被動的看著紫薇。紫薇手裡拿著剃刀，準備給他剃髮。

晴兒端著臉盆過來。

小燕子捧來大疊乾淨的帕子。

福倫拿來乾淨的衣裳。

『還缺什麼？我再去拿！』小燕子低聲說。

紫薇搖搖頭，示意大家出去。大家就很有默契的出去了。

紫薇就拿起剃刀，對爾康溫柔的說：

『我要讓你恢復滿人的髮式，告別緬甸的髮式，在離開緬甸以前，用崗包把頭包住就好！來，讓我幫你剃頭！』

爾康一語不發，被動的讓紫薇理髮。一縷縷亂髮落下，爾康那飽滿的前額，終於又露出來了。紫薇再為他刮鬍子，他那清秀的臉龐，終於重現。她再為他洗頭，擦乾，梳上髮辮。這樣整理之後，他雖然憔悴，卻恢復了幾分往日的神采。

紫薇把他打扮好了，凝視他，微笑起來。充滿柔情的說：

『雖然臉上有刀疤，有傷痕，你依然是個好漂亮的男人！怪不得，那個緬甸公主會看上你！』

提到緬甸公主，爾康渾身一顫，看了紫薇一眼。這時，才有力氣來想，不知道紫薇對慕沙的事，瞭解了多少？

『我要幫你脫衣服，幫你洗一個澡！洗乾淨了，包管你心情也會好很多！』

爾康站起來，倉卒的一退。簡單的說：

『我自己來！妳出去！』

紫薇怔了怔，堅定的看著他，說：

『我不出去，我要在這兒侍候你！過來，讓我脫掉你這件髒衣服！豬棚裡打滾的衣服，你還要穿多久？』她伸手去脫爾康的衣服。

『不要碰我！』爾康再一退。

紫薇咬咬牙，清亮的眸子，一瞬也不瞬的看著他。說：

『好不容易找到你，你對我說得最多的一句話，就是「不要碰我」！我告訴你，我要碰你，不管你要不要！』

紫薇說著，就拉下了爾康的衣服。於是，她再次看到他那遍體鱗傷的身子。不止前胸，背後更慘，刀疤、鞭痕、劍傷、瘀青……到處都是。她看著他的傷痕，呆怔片刻，眼裡盛滿淚水，拉住他的手。

『洗澡水快要涼了，來吧！』

爾康無法拒絕，坐進澡盆中，紫薇拿著皂莢帕子，開始幫他洗澡。他背脊上的鞭痕，觸目驚心。她很小心、很小心的用熱水洗過去，害怕的問：

『會痛嗎？那些鞭痕好像很久了……可是，這些瘀青是最近弄的嗎？』

爾康被動的坐在那兒，一語不發。

紫薇注視著那些鞭痕，忽然用嘴唇貼在他的背脊上，吻著每一道傷痕。那溫潤的、柔軟的嘴唇接觸到他的傷處，那麼貼心那麼溫柔，那麼醉人那麼震撼！他不由自主，整個人都跟著一震。顫慄通過了他的全身，這次，不是螞蟻大軍，是觸電般的甜蜜，讓他心碎的甜蜜。紫薇落淚了，輕聲的說：

『這不止是你的傷口，它也是我的傷口！我比你痛！』

這句話粉碎了爾康的疏離，他心中一酸，幾千幾萬種相思，此時一齊爆發，他轉身，抓住了她的雙手。紫薇震動著，含著淚，一動也不動的讓他握著。

爾康這才深深切切的看著她。好久好久，兩人只是痴痴對看，那種彷彿從開天闢地以來，就開始的纏綿，又把兩人緊緊相繫。她不敢動，不敢說話，生怕自己會讓他再逃進他的殼裡去。他的眼光，在她臉上細細的梭巡，直到此刻，他好像才有了一些生氣。然後，他輕聲的問：

『東兒好嗎？妳沒有拒絕他吧？妳沒有推開他吧？妳沒有因爲和我相聚的時間太短，而怪在東兒頭上吧？』

紫薇大震，驚訝至極。

『你怎麼知道？』

『我一直作這樣的夢，夢到妳推開東兒，不要東兒！我急得不得了，卻沒辦法讓妳感覺到我，聽到我！』

紫薇凝視他，震撼不已。這才體會到天地之間，有些無法解釋的大力量，確實超越了時空，超越了生死。或者，怪不得有成語說：『情之所至，金石爲開』！她滿眼熱淚，喊著：

『你還敢推開我，不要我，趕我走？你、我、東兒，我們都是一體，我曾經看不到你，聽不到你，你現在也看不到我，聽不到我嗎？』

爾康惶恐的低下頭去，慚愧和自卑再度襲來，紫薇看到他的神情，不敢再說。

片刻以後，爾康已經洗完澡，站在房中，穿著乾淨的白色對襟的中式內衣。紫薇幫他細心的去扣紐扣。兩人靠得那麼近，爾康感覺得到她的呼吸，不禁低頭凝視她。紫薇扣著扣著，感覺到他的凝視，抬起頭來，就接觸到他那深刻的、火熱的眼光。她感到一陣心跳，那種觸電似的感覺，好像比初戀時還強烈。這個男人，他控制了她所有的思想，佔據了她所有的感情！她忘記扣扣子，眼光纏著他的眼光，一瞬也不瞬。

爾康接觸到這樣的眼光，再也忍不住，伸手握緊了她的手，把那隻手拿起來，貼到自己的面頰上。低喊著：

『紫薇，想妳想到瘋狂，那種瘋狂，根本是妳無法體會的！』

『不不！』紫薇迅速接口：『我當然能體會，因為我也一直在這種瘋狂裡！你有多瘋，我就有多瘋……不不！我一定比你更瘋一點！』

他眼中含淚，聲音顫抖：

『我沒有負妳，沒有對不起妳，妳還是我生命裡的唯一，如果我還有什麼可以驕傲的地方，就只有這一件了！』

紫薇太震撼了，沒想到他陷在緬甸這麼久，是八公主的俘虜，他居然還守著當初的諾言！她感動至極，立即體會到，他為什麼遍體鱗傷了。

『為了這個「唯一」，你一定付出了慘痛的代價……』

紫薇說著，就心痛的擁抱住他，踮起腳尖，去吻他的唇。

這次，爾康再也無法克制了，他一把抱緊她，熱烈的反應著她的吻。這一吻，吻進了魂牽夢縈的相思，吻進了天人永隔的慘痛，吻進了刻骨銘心的至愛，吻進了難捨難分的纏綿……這一吻，山河變色，天地俱無。

兩顆備嘗憂患的心，又緊緊的靠在一起了。

第二天一早，大家就動身離開緬甸。

一連兩天，大家馬不停蹄的趕路。永琪、簫劍、福倫帶著武士騎馬，小燕子、紫薇和晴兒陪著爾康乘馬車，黃沙滾滾，馬蹄雜沓。這天，已經遠離了大山，越來越接近雲南了。永琪一面策馬飛奔，一面樂觀的說：

『我們這樣飛快的趕路，說不定可以在三天之內，趕到雲南！』

『爾康還是鬱鬱寡歡，不知道那個白麵，會不會讓他意志消沉？』福倫擔心著。

『伯父不要著急，只要到了雲南，我們就可以找到大夫，好好的醫治！』簫劍很有把握的說。

永琪一鞭揮向馬背，疾呼著：

『駕！駕！駕……我們把速度再加快一點！』

馬隊車隊，向前狂奔。

馬車內，爾康沉默的倚著車窗，呆呆的看著窗外飛馳而過的景致。小燕子正在指手畫腳，情緒高昂的對爾康述說別後種種。紫薇和晴兒，一邊一個，坐在爾康身旁，照顧著他，小心翼翼的觀察著他。小燕子毫無章法，想到那兒說到那兒：

『哎呀……爾康，你不知道你錯過了多少好戲，簫劍掐住了皇阿瑪的脖子，大喊，小燕子快報仇！我這樣一拔劍刺過去，永琪伸手一擋……哇！眞是險呀險呀……我們這樣一場大鬧，永琪受了傷，皇阿瑪也嚇壞了，整個祕密全體抖了出來，我們都以爲，這下完蛋了，大概是集體砍頭！誰知道，皇阿瑪居然把我爹以前的經過，全部調出來講給我們聽……哎呀，你記得那個大貪官方式舟嗎？他才是我們的殺父仇人……』

晴兒一嘆，笑著說：

『妳認爲妳說得好不好？』

『說得不好，亂七八糟的，要說的事，實在太多了嘛！』小燕子笑著。

『讓我來說重點吧！』晴兒簡單扼要的說：『皇上完全知道了我們的祕密，他原諒了小燕子和簫劍，但是，他再也不敢把小燕子留在身邊，他成全了我們！他讓我跟簫劍、永琪、小燕子一起走！從此，永琪不是五阿哥，他是平民百姓，他不能再提他的出身，他和小燕子，都不能回皇宮了！』

爾康的意志力集中了，震動的看著三人，驚愕的問：

『永琪再也不能回宮？皇阿瑪不要他繼承王位了？』

小燕子想到永琪的犧牲，就心裡酸酸的，嘆口氣說：

『親王、阿哥、皇宮、知畫、綿億、皇阿瑪……他什麼都沒有了！他只有我！皇阿瑪說，過一陣子就要宣佈，他生病死了！』

爾康太震驚了，這眞是想也想不到的事，他沉默著，一時無言。

小燕子就推著他，嚷著：

『輪到你了！我們的故事，你都知道了，但是，你呢？你一個字都不說，到底你是怎麼陷在緬甸的？你和那個緬甸公主是怎麼回事……』

晴兒趕緊拉了拉小燕子的衣服，示意她還是不談爲妙。

紫薇看了爾康一眼，小心翼翼的問：

『現在，是不是該再吃一包白麵？你覺得怎樣？』

爾康鬱悶的搖搖頭，紫薇深深看了他一眼，說：

『你想吃的時候就告訴我，不要熬到受不了再說！我們到了雲南，再找大夫，你放心，我一定讓你在回到北京以前，戒掉這個藥！』

談到戒藥，爾康不禁打了一個冷顫。

紫薇看到他的寒顫，知道這是一件多麼艱鉅的事，臉色也沉重起來。

這時，在他們的隊伍後面，出現了一隊緬甸軍隊，飛快的追了過來。爲首的是個女子，穿著一身紅色鑲金的衣裳，騎著一匹高大的駿馬，身先士卒，策馬如飛，正是八公主慕沙！她一面追，一面用漢語大喊：

『前面的中國人，快停下來！』

永琪等人回頭，只見後面煙塵大作。

『不好！有追兵！緬甸軍隊追來了！』永琪大叫。

『怎麼回事？』簫劍大驚。『我以爲沒有人發現我們，看樣子，早就被人盯上了！』他不住回頭看。

只見慕沙，騎著快馬奔來，喊著：

『停下來！趕快停下來！想把我的人帶走，你們必須通過我慕沙一關！』

『原來是慕沙！那個八公主追來了！』簫劍嚷著。

『慕沙？』永琪咬牙切齒：『她居然追了過來？她把爾康害得這麼慘，我恨不得把她碎屍萬段！咱們乾脆停下來，好好的打一場！』

說時遲，那時快，追兵轉眼已到眼前。軍隊迅速的把眾人包圍。

馬隊和馬車，都驟然停下。

慕沙揚著聲音，大喊：

『天馬！你在那裡？出來！』

車內的人，早已個個變色，聽到慕沙點名叫喚，爾康神色一凜。說：

『她還是沒有放過我！我去跟她說……』

小燕子大怒。喊著：

『她還敢追來，她把你弄得滿身是傷，我要找她報仇，她來得正好！我要把她打得落花流水！』小燕子一面嚷著，一面從車窗裡飛了出去。大喊：『慕沙！有種妳就和我單挑！你們緬甸沒有男人嗎？為什麼要搶別人的丈夫？天馬是我們的駙馬，不是妳的駙馬！要搶他，先過我這一關！』

小燕子一面嚷著，手裡的鞭子一揚，就對慕沙飛捲過去。

慕沙沒想到車窗裡飛出一個容貌俏麗，身手不凡的女子，一驚，急忙拔出長劍，一劍擋掉了鞭子。雙方人馬，個個蠢蠢欲動。慕沙大叫：

『誰都不要動手……』她盯著小燕子，問：『妳是不是紫薇？』

『妳管我是不是！打了再說！下馬！』

小燕子的鞭子，纏住了慕沙的腳，一拉，慕沙落馬。

慕沙借力使力，一落地就站得穩穩的，一劍對小燕子刺了過去。小燕子揮鞭迎戰，兩人就大打起來。慕沙以為小燕子是紫薇，一面戰，一面對眾人喊：

『這是我和紫薇的戰爭，誰都不許插手！你們要打，也等我打完再打！』

小燕子也不說穿，邊打邊嚷：

『妳這個瘋女人，把爾康弄成那樣，今天，我要為他報仇！他身上的每一道傷痕，妳要用十道來償還！』

頓時間，兩個女子鞭來劍去，人影穿梭，忽上忽下，打得天昏地暗。兩人勢均力敵，誰也佔不了便宜。永琪等人和緬甸軍，都緊張的觀望，永琪擔心的喊：

『小燕子！她會暗器！小心她用金針傷人！那些金針有毒！』

『有毒？堂堂一個公主，居然動不動就下毒手！』小燕子想到爾康的情形，更是恨得咬牙切齒，打得奮不顧身。

爾康、紫薇、晴兒都下了馬車，站在一邊緊張的觀望。爾康四面看了看，衡量著情勢。只見山頭上，冒出無數的緬軍。他暗暗心驚，知道慕沙詭計多端，只怕她從來沒有對自己放過手。眼前這種情況，敵眾我寡，雖然有大內高手，想要全身而退，恐怕也是難如登天。心裡想著，就著急起來。自己淪落也就算了，現在，還有自己最深愛的每一個人！

慕沙一眼看到爾康，就大喊：

『天馬！原來你的紫薇是個兇婆子，怪不得你怕她！』

小燕子更怒，尖聲喊：

『妳罵紫薇是兇婆子，吃我一鞭！』

小燕子一鞭對慕沙面門打去，慕沙一閃，小燕子彎腰，在地上握了一把沙，對著慕沙撒了過去，大叫。

『暗器來了！有毒！』

慕沙趕緊去躲，身子一橫，手一揚，無數的金針飛來。小燕子拔地而起，飛身上樹，躲過了金針。慕沙起身，找不到小燕子，大驚，抬頭看。

小燕子飛撲而下，壓在慕沙身上，拳打腳踢，大喊：

『我爲爾康報仇！我爲紫薇報仇！妳搶紫薇的丈夫，還給他下毒！我打死妳打死妳打死妳……』

慕沙雙腳靈活的一踢，小燕子的身子，被踢飛出去，重重的摔在地上。

永琪一看，不能旁觀了，就飛身出去。

『好一個緬甸公主！我來接招！』

慕沙跳出戰圈，驚訝的舉起雙手喊：

『不忙不忙！』

『不忙也要打！』小燕子又飛撲過去。

『先不要打，說說清楚！妳是誰？妳不是紫薇？』慕沙瞪著小燕子。

小燕子氣得一佛出世，二佛升天，大嚷：

『我當然不是紫薇，紫薇是我的師父！功夫比我好了一百倍！她不會出手和妳打，如果她出手了，妳會和這些沙子一樣，碎成一粒一粒的！』

原來紫薇那麼厲害，怪不得把天馬收得服服貼貼！慕沙抬頭挺胸，昂然說：

『請妳的師父來和我打！我要見識見識！』

永琪一怒，拔劍出鞘，喊著：

『要紫薇和妳打架，門都沒有！我也是紫薇的徒弟，打過我再說！』

簫劍也橫劍而出，大笑說：

『哈哈！紫薇的徒弟很多，我也是一個！要打，我們都奉陪！』

爾康一看，只要大家再打，情況一定無法收拾，就挺身而出。朗聲說：

『慕沙！妳是衝著我來的，不要和我的兄弟們鬥法了！妳不是放了我嗎？妳不是要我回大清去嗎？

為什麼又追著我不放?』

『哈!』慕沙怪叫:『你問我?我還要問你呢!你可以毀約,我為什麼不能毀約?』她指著眾人:『你們太大膽了,以為我們緬甸人都是飯桶嗎?居然敢跑到三江城來救人!把我的苦心安排,全部破壞了!』

『妳的什麼安排?我們在點燈節那天,不是已經告別了?』爾康驚訝的問。

慕沙大笑。看著爾康說:

『你以為,那些小流氓和三爺,從那兒冒出來的?你第一個晚上就栽了!如果沒有這些人跑出來救你,你再過幾天,就熬不下去,會乖乖回到我的宮殿裡來!』

爾康聽了,臉色一變。

『原來,那些小流氓和三爺,都是妳安排的,妳一直派人跟著我!』

『是!』慕沙坦白的承認,看著小燕子等人,恨恨的說:『可是,我萬萬想不到,你的朋友和家人會從中國跑來救你!我到現在也不知道是那裡出了錯!』

紫薇總算見識到這位『八公主』了,雖然在燈火節那天,見過她的華麗,卻不曾這樣細看過,更不曾聽到她用漢語侃侃而談。見她劍眉朗目,英姿煥發,儘管來勢洶洶,臉上始終帶著幾分笑意,好一個奇女子!像陽光般燦爛,像月光般皎潔,有男孩的英挺,有女性的清麗。面對這樣一個出色的女子,紫薇對於爾康居然沒有答應娶她,就有更深一層的感動。她聽到,慕沙口口聲聲指名要她,她也不能再躲,就一步上前,誠摯的說:

『慕沙公主,妳沒有出錯,妳只是沒有想到,爾康會有「生死之交」,在三江城明察暗訪,終於打聽出消息!妳更不會想到,我們只要有一絲絲的希望,就會趕來營救!』

慕沙打量著紫薇，問：

『妳是誰？』

紫薇對著慕沙，盈盈一拜。說：

『妳一直在找紫薇，我就是紫薇。我要特別謝謝妳，救了爾康。我相信，當初佈置假屍體，帶走爾康，妳用心良苦。當爾康傷勢危急的時候，妳一定也曾經盡心盡力的搶救他，讓他活過來，我才能夠在今天和他團聚！妳的恩惠，我夏紫薇永遠記在心裡！爾康屬於中國，他有太多中國的習氣和傳統，是妳無法克服的困難！我和爾康，有相同的文化，有最深的感情基礎，是無法分開的，請妳成全我們！』

慕沙上上下下的打量紫薇，深深看紫薇。她對紫薇那些文化論，並不是非常懂。她要看明白，到底是怎樣一個女子，讓她吃了這麼大的敗仗。她看到的，是一個面貌清秀，眼神澄澈，氣質高貴，風度優雅，語氣溫柔……渾身上下，都帶著女性特有的嫵媚，是個女人中的女人！這樣一個『純粹』的『女人』，居然把她給打倒了？慕沙瞪視著紫薇，目不轉睛。

小燕子氣呼呼的衝了過來，拉住紫薇喊：

『紫薇，妳還謝她？她把爾康弄得那麼慘，妳謝她什麼？看樣子，她不會放我們走，我們乾脆打一個你死我活，看看是誰的功夫好？』

永琪看到四面的山頭都是緬軍，知道情況不妙。向前一站，有力的說：

『慕沙！妳的軍隊，幾乎把我們包圍了！但是，我要告訴妳，我們要定了爾康！今天，如果妳一定要帶走爾康，我們勢必要大打一場，弄得血流成河！我們這些人，既然敢這樣來到緬甸，就個個都不怕死。我們大家死掉沒關係，中緬的戰爭，會因此沒完沒了，妳要付出這麼大的代價嗎？』

福倫也往前一站，護著爾康，沉痛的說：

『慕沙公主，我是爾康的父親，我和紫薇一樣，先要謝謝妳救了爾康，然後，我們兩邊人馬，再來拚命！現在，爾康是走是留，已經不是爾康一個人的事，是我們這一群人的事！生生死死，聽天由命！要和要戰，但憑公主！』

慕沙聽著大家的說話，挑著眉，眼神深邃，莫測高深。

爾康看了看四周，越看越心驚。難道爲了一個身心殘破的他，要犧牲掉美好的紫薇、年邁的阿瑪、和他最愛摯的兄弟姐妹們嗎？他往前一站，突然大笑著說：

『哈哈！爲什麼要弄成這樣？阿瑪！紫薇……你們回家去吧！慕沙既然要定了我，也是大清和緬甸的一段佳話！不瞞你們說，我在緬甸待了這麼久，和這位緬甸公主，也日久生情，現在要我和她分開，我還有些捨不得！我願意跟她回三江城，你們大家，就回去吧！』

爾康話才說完，小燕子大怒，手中的鞭子，一鞭子就抽向了爾康。大罵：

『我代紫薇，打你這個「日久生情」！』

爾康失去武功，閃避不及，被小燕子打個正著。紫薇急喊：

『小燕子！妳幹什麼？妳打我算了！』

『小燕子！不要敵我不分，亂打一陣呀！』晴兒也急喊。

小燕子還在怒沖沖，永琪一伸手，趕緊抓住了她的鞭子。大笑說：

『哈哈！爾康和緬甸公主日久生情，我們大家都離不開緬甸了！』

簫劍往前一站，也大笑著說：

『哈哈！慕沙公主，我們只好在這兒侍候妳！』說著，回頭把晴兒一拉。『晴兒！對不起，我們的婚事，又遙遙無期了！』

晴兒知道，這次，大家是生死與共，再難分開了，看到永琪簫劍的豪邁，也笑了起來，從容的說：

『沒關係！紫薇和爾康，經過了生死的考驗，還「天上人間會相見」，我們也是一樣，天上人間，都可以成親！不要顧慮我，能夠在你身邊，在這麼多好友身邊，就算死了，我也沒有遺憾！』

爾康看著眾人，知道個個和他，都是同生共死，不禁蒼涼的大笑起來說：

『哈哈！我福爾康有「生死之交」的朋友，又有「天上人間」的伴侶，眞是沒有虛度此生！慕沙，妳要怎樣就怎樣，放馬過來吧！』

大家嚴陣以待，個個含笑，一股視死如歸的樣子。

小燕子這才知道錯打了爾康，就急忙站到爾康身邊去，護著失去武功的爾康和不會武功的紫薇。對慕沙嚷著：

『好吧！要動手就動手！我們大家都是「天上人間」，了不起一起死，了不起天上見！要頭一顆，要命一條！』

慕沙環視面前這群人，越看越佩服，越看越震撼。能夠深入緬甸，救走爾康已經不容易，這樣視死如歸，同生共死，更是奇譚！還有這個紫薇，看起來弱不禁風，爲什麼有那麼大的力量？她的眼光停在紫薇臉上，看了片刻，終於抬頭挺胸，用有力的聲調，清脆的說：

『紫薇，妳用什麼方法，讓他對妳念念不忘？有沒有巫師爲妳作法？將來，如果我們有機會再見，妳一定要教我！』她忽然轉頭看著爾康，大聲說：『你以爲我和你一樣，答應了的事也會賴？我比你有氣度，我比你有出息！說過的話就算數！這次就算了！以後，你們再這樣偷偷摸摸跑到緬甸來，我們就用軍隊接待！』

所有人都驚呆了，幾乎不相信自己的耳朵，大家睜大眼睛看著慕沙。

『妳眞的要放我們走?』爾康問。

這次，輪到慕沙仰頭大笑了，說：

『哈哈!我追過來，只是要看看紫薇，是怎樣一個女人，我看到了!我還要看看是誰敢跑到我們緬甸來救人，我也看到了!我還看到了你們中國的「生死之交」，你們中國的「天上人間」!這些咒語，我們緬甸都沒有!天馬，我會把你記在心上的，有一天，如果紫薇對你厭倦了，你隨時可以到緬甸來找我!哈哈!』她瀟灑的笑著，看紫薇：『這對妳是一個魔咒，妳永遠要提防，有一個女人會和妳搶他!』

紫薇迎視著慕沙的眼光，對這個奇異的八公主，眞是又佩服又感恩，她誠摯的回答：

『是!我會牢記在心!尤其是這麼出色的女人，妳永遠是我的威脅!』

『哈哈!才怪!』慕沙笑得爽朗：『我用了八個月的時間，打不敗一個不在眼前的敵人!服了，紫薇!再見!天馬!』她手一揮，對緬軍大喊：『我們走!』

慕沙躍上馬背，就頭也不回的，飛馳而去。她帶來的人馬，都跟著飛馳而去。她眞是來得急，去得快。來得聲勢洶洶，去得行雲流水。

剩下永琪爾康等人，面面相覷，不能不對慕沙，生出一種敬意。大家站在那兒，目送著慕沙，只見慕沙騎在馬背上飛馳的背影，在煙塵滾滾中消失了。

接下來，一切順利，幾天之後，大家就到了雲南。

簫劍不敢耽誤行程，帶著大夥，直奔大理。這天，永琪、簫劍、福倫騎馬，爾康、小燕子、紫薇、晴兒乘車，武士隨後，一行人走進古樸的大理城。車內的人坐在窗口向外看，騎馬的人四看，只見大理城都是白色的建築，家家窗口，都吊著花盆。路人有的穿著清裝，有的穿著百夷人的服裝，有的穿著其他少數民族的服裝，五花八門，看得人目不暇給。路人看到他們騎馬駕車進城，都希奇的看著他們。簫劍回頭，對眾人說：

『這就是大理！』

大理！那個大家夢寐以求的地方！大理，含香和蒙丹在不在這兒？大理，我們來了，終於來了！大家興奮著，激動著。個個心裡都是百味雜陳，目不轉睛的瀏覽著大理城。

小燕子就拍拍馬車頂，喊著：

『我要下車！我要騎馬走一走！』

『我們都下車吧！』晴兒說。

車子停下，大家下了馬車，簫劍就把晴兒拉上馬背，永琪把小燕子拉上馬背，早有武士送來一匹馬，爾康就把紫薇拉上馬背，三對璧人，策馬徐行。一面看著那古色古香的城市，那『三方一照壁，走馬轉閣樓』的建築，那繞過每家庭院的小溪，那到處盛開的吊鐘花、扶桑花、美人蕉……大理！經過了多少滄桑，經過了多少波折，經過了多少離別和割捨，經過了多少的痛苦和掙扎……他們總算走到了這個地方。

『哥！你就在這兒長大？』小燕子問。

『是！我現在帶你們去我義父的家！』

晴兒依偎著簫劍，到了這時，才想起一件重要的事，問：

『你的義父叫什麼名字？你從來沒有提過！』

『他姓蕭，單名一個遙字，遙遠的遙。』簫劍說。

永琪立刻想起最初認識簫劍的時候，他特別聲明自己的姓，不是姓蕭的蕭。他就笑著問：

『蕭遙？好名字！他那個蕭，是姓蕭的蕭，還是逍遙的逍？』

『哈哈！問得好，大概都可以吧！』簫劍大笑說，笑完了，臉色一正，變得正經而恭敬：『他是個很有學問，卻不求功名利祿的人！他那兒，房子很大，我們可以暫時住下，再慢慢安排我們大家的未來！到了這兒，我等於回家了，找大夫給爾康治病，是第一件要辦的事。』

爾康聽了，臉色頓時罩上一層寒霜，治病，戒藥，他想想就不寒而慄。抬起頭來，他看著福倫，請求的說：

『阿瑪！您先回北京好不好？東兒和額娘在家裡，我很不放心，現在，我已經脫險，又有永琪、簫劍他們照顧我，您可以放心了！』

『你的病還沒治好，我要等你治好，一起回去！』福倫說。

紫薇看看爾康，瞭解治病是個艱苦的過程，瞭解他不願福倫看到他戒藥的樣子，就跟著說：

『阿瑪，治病可能很慢。高遠高達他們，也該回家了！我們把皇阿瑪身邊的護衛，都帶了出來，皇阿瑪也不方便！有武士們和阿瑪同行，大家比較安心！』

永琪想到乾隆，今生不能再見了，臉色一暗，黯然的說：

『伯父！您先回去報平安吧！我想，我們這一群人都在外面，皇阿瑪一定是牽腸掛肚的！您回去了，代我轉告皇阿瑪，艾琪在一個「天之涯，雲之南」的地方，永遠祝福他！』

『還有我！我也永遠祝福他！』小燕子急急補充。

福倫看看大家，完全瞭解了每個人的心意，點頭說：

『我知道了，我會早走一步！等我們到了蕭家，我馬上派人快馬傳書到宮裡去報平安！』

這時，一行人已經出了城，來到一個農莊前面。

只見蕭遙仙風道骨，帶著家人和妻子，已經得到消息，在門口迎接。

簫劍帶著晴兒滾鞍下馬，激動的喊：

『爹！娘！』他推著晴兒上前。『這是我還沒過門的媳婦！晴兒！』

晴兒又是羞澀，又是激動，請安說：

『晴兒拜見爹娘！』

蕭遙仔細看了看晴兒，笑著說：

『劍兒，你的收穫，真是不小呀！這個美人兒，你是高攀了！』

爾康福倫等人，都趕緊下馬，全部圍上前去。

簫劍再把小燕子拉到蕭遙夫妻面前。不勝感慨的說：

『這是小燕子！我那個失散多年的妹妹！』

蕭遙夫婦都緊緊的盯著小燕子看。蕭夫人就激動的上前，一把抱住小燕子，落淚了。喊著說：

『小燕子，我和妳娘，是結拜的姐妹！妳哥哥喊我娘，妳也是我的女兒了！自從妳下落不明，我們每天念著想著，總算皇天不負苦心人，讓簫劍找到了妳！』

小燕子熱情澎湃，眼中立刻充淚了，痛喊出聲：

『爹！娘！小燕子給你們磕頭！』

小燕子就噗通一跪，蕭遙夫婦急忙雙手扶起。

『不要跪不要跪！』

簫劍又把永琪推上前去。

『這是小燕子的丈夫……艾琪！』

永琪凝視蕭遙夫婦，拱手行禮，恭敬的說：

『爹，娘！艾琪早就聽說兩位的義行，今天才有機會拜見！我和簫劍，情如兄弟，我和小燕子，緣訂三生！從今以後，都是兩位的家人了！』

蕭遙夫婦不禁深深看永琪，都知道永琪不凡的身分。對簫劍兄妹這番奇遇，深感震懾。蕭夫人點點頭說：

『我聽簫劍說過，你們那些不凡的遭遇，你們，都是一群不凡的人物！我們家真是蓬蓽生輝……看你們一個個都又累又熱，趕快進去休息吧！』

『我們進去再慢慢認識，慢慢介紹！』蕭遙趕緊讓大家進門：『我知道大家都經過一番辛苦，但是，回家就好！回家就好！』

是，回家就好！大家都累了，大家都走了一條好漫長的路，大家都走到目的地了。他們絡繹進門，個個都懷著一顆感動的、激動的、和感恩的心。

58

乾隆這天，接到了福倫的『快馬傳書』，他眞是又悲又喜，迫不及待，他就拿著信，直奔慈寧宮。進了大廳，興奮的嚷著：

『老佛爺，雲南來的快馬傳書！他們平安的救出了爾康，不可思議呀，原來爾康眞的還活著！』

知畫、太后、令妃和桂嬤嬤等人，正在逗弄著綿億，聽到這個消息，大家全部迎上前來。太后大出意料之外，喜悅的說：

『爾康眞的還活著？這眞是一個天大的好消息！』

『他們救爾康，是不是很驚險，大家都平安吧？』令妃急忙問。

『拯救的過程，沒有損失一兵一卒，算是和平解決了！信寫得很簡單，福倫說，他會提前回來，再細說經過！』

知畫就急步上前，渴盼的看著乾隆。吶吶的，礙口的問：

『永琪……有沒有說，他什麼時候回來？』

乾隆神態一凜，正眼看了看知畫，再抬眼看太后和令妃，肅穆的說：

『我們失去了永琪！他在救回爾康以後，去雲南的途中，染上惡疾，已經去世了！』

大家都大大一震，個個心知肚明。

知畫一聽，臉色慘白，踉蹌一退。悽惶而悲苦的喊：

『皇阿瑪，一定要這樣做嗎？或者有一天，他還會回來的！』

乾隆拍拍知畫的肩。深沉的說：

『知畫，死者不能復生，朕和妳，都必須接受這個事實！像爾康的例子，只能用「奇蹟」兩個字來形容！』

『但是，我們可以希望「奇蹟」呀！』知畫含淚喊：『爾康不是在紫薇的希望中，又復活了嗎？永琪……也可以的，是不是？是不是？』

乾隆凝視知畫，不勝惻然，忍不住也含淚了。說：

『奇蹟可一而不可再，可遇而不可求！讓他活在我們的心裡吧！他是朕的骨肉，想到他，還是會讓朕心痛！他已經離開了這個「人間」，但是，他走進了他的「天堂」！』說著，想著永琪和小燕子的深情不渝，含淚而笑：『天之涯，雲之南，有他的「天上人間」！他適得其所，我們也節哀順變吧！』

知畫絕望的看著乾隆，不要不要不要……不要不要啊！她要奇蹟，她等待奇蹟，她的永琪沒有死，他不能死啊！

但是，幾天後，宮裡就慎重的宣佈，榮親王去世了！

在景陽宮，乾隆親自祭永琪。無數的白幔，高高的掛著，白燭高燒，永琪的靈位前，擺著供桌，燃著白燭，和尙們誦經超度，一片悲悽景象。宮女太監，全部素衣，旗頭上綴著白花，跪了滿院。

知畫全身縞素，跪在靈堂前，淚不可止。

桂嬤嬤抱著披麻帶孝的綿億，也跪在靈堂前。

乾隆帶著令妃、太后、和眾妃嬪，一一在靈前致祭。阿哥格格親王貴族等一排排的上前致祭。

知畫答禮如儀，一面磕頭，一面流淚，一面在心裡默默祝禱：

『永琪，我知道我的行爲，使你無法原諒，但是，我也知道，在你那善良的心底，不會把我和綿億，忘得乾乾淨淨！我會像紫薇期待奇蹟一樣，在這深宮中期待你！說不定，我的人生，也會有奇蹟出現！』

乾隆祭完永琪，雖然明知他活著，心底，仍然充滿了悲涼的情緒。因爲今生今世，他的永琪，是再也不會回來了！走出景陽宮，站在院子裡，眼前，忽然閃現小燕子的臉龐和聲音：

『皇阿瑪，你知道皇額娘已經病危了嗎？你連我這樣的人，都饒恕了成全了，還有什麼不能包容呢？』

乾隆苦澀的看著永琪住過的院子，想著小燕子喳喳呼呼的喧嘩。

『人生，別離越來越多，在身邊的人，越來越少了！』

乾隆就舉步向靜心苑走去，太監們趕緊相隨。

靜心苑裡的皇后，躺在床上，臉色蒼白，骨瘦如柴，不住咳著，已經病入膏肓。容嬤嬤端著一碗湯，用湯匙盛著，還試圖餵給她吃。

『娘娘！喝一口湯！奴婢已經吹涼了，不燙！您已經兩天沒吃了，一定要吃一點東西！娘娘……』

皇后咳著，推開容嬤嬤的手。

『實在吃不下，拿開吧！』

容嬤嬤趕緊放下湯，去拍著皇后的胸口。

『娘娘轉過去，奴婢給您背上拍拍！再給您揉揉肩膀！』

皇后拉住容嬤嬤的手，柔聲的說：

『不用了！妳也歇著吧！年紀不輕了，整天侍候我，誰來侍候妳呢？』

『娘娘說那兒話？我是生來該侍候您的人！』

『這才是那兒話？沒有人生來是該侍候別人的，可惜我瞭解得太晚，已經來不及為妳安排了！妳無兒無女，無依無靠，以後要怎麼辦？』皇后問。

『娘娘不是不動凡心了嗎？還管奴才怎麼辦？』容嬤嬤含淚說：『有兒有女也是空，無兒無女也是空！反正兩手空空來，兩手空空去，無牽無掛！』

皇后蒼白的面容上，竟然浮起微笑，看著容嬤嬤。

『妳跟著我，也學會了！悟出這個道理，妳就真的無牽無掛了！』

『我學會什麼？我只是一隻老鸚鵡，像還珠格格以前養的那隻鸚鵡一樣，會學人說話，娘娘說什麼，我學什麼而已！』

正說著，外面忽然傳來太監大聲的通報：

『皇上駕到！』

容嬤嬤和皇后大驚失色。容嬤嬤立刻緊張起來：

『皇上怎麼突然來了？娘娘，我扶妳起來，妳能下床嗎？』

『下床，是不行了，扶我坐起來吧！』

容嬤嬤拚命拉起皇后，在她身後塞滿枕頭靠墊，好不容易，皇后才喘吁吁的坐穩。兩人剛剛弄好，乾隆已經大步進房來。容嬤嬤急忙請安：

『皇上吉祥！奴婢給皇上請安！』

乾隆看到戴著尼姑頭巾、不成人形的皇后，大震。

『妳怎麼弄成這副德行？頭髮全部剃掉了？』

『是！』皇后冷冷的回答：『剃光了！三千煩惱絲，剃了好！光了好！』

乾隆碰了一個釘子，見皇后傲岸如故，坐在那兒不下床，心中的一絲柔軟，全部飛了。立刻板著臉，也冷然的說：

『妳這副模樣，算是開了大清皇后的先例！朕要妳在這兒閉門思過，妳到底思出一點心得沒有？』

『生在人間，誰能無過？』皇后傲然的接口：『我倒是天天閉門思過，不知皇上是不是也在閉門思過？』

乾隆一聽，大怒，一拍桌子，厲聲喊：

『妳好大的膽子，到了這個節骨眼，還是這麼強硬！見了朕，居然不下床，不行禮！妳頭髮沒了，基本的禮儀也沒了嗎？』

皇后勉力挺直背脊，迎視著乾隆。

『那些虛僞的東西，我確實都沒了！』

容嬤嬤急得不得了，再也忍不住，在乾隆面前，噗通一跪。解釋著：

『皇上！娘娘已經幾天沒吃東西，病得下不了床，不是忘了規矩，是沒有力氣維持規矩呀！請皇上不要錯怪了娘娘……』

容嬤嬤話沒說完，乾隆遷怒的對容嬤嬤一腳踢去。

『朕在和娘娘說話，那兒有妳開口的餘地？』

容嬤嬤被踢得仰天一摔，皇后一看，心中大痛，竟從床上撲到地下來。

『皇上！容嬤嬤年紀已老，禁不起你踢來踢去，如果你心裡還有一點仁慈，就不要爲難我們了！』皇后說著，就對容嬤嬤爬過去。

容嬤嬤大驚失色，趕緊惶恐的爬過來，去攙扶皇后。哭著說：

『娘娘！怎麼下床來了呢？您不要心疼奴婢呀，奴婢不值得啊！』

『妳在我心裡的地位，早已超過了結髮三十幾年的夫妻！』皇后抱著容嬤嬤說。

乾隆更怒，居然說他不如一個容嬤嬤！他一拂袖子，回頭就走。

『算朕鬼迷心竅，居然想來看看妳！現在，朕看到了，看夠了！』

『皇上好走！謝皇上來看我最後一面！』皇后說著，就大咳起來，一口氣提不上來，眼看就要斷氣。

容嬤嬤抱住皇后的頭，坐在地上，痛喊：

『娘娘！娘娘！娘娘……』

乾隆覺得有異，不禁站住了，回頭觀看。只見皇后已經氣若游絲，不禁大驚。容嬤嬤急喊著：

『娘娘！娘娘……睜開眼睛看看奴婢呀！娘娘……娘娘……』

皇后睜眼看著容嬤嬤，唇邊浮起一個苦笑。

『只怕……我要先走一步了！』

容嬤嬤大震，淚如雨下。喊著：

『娘娘，您撐著！我扶您起來！我扶您……』

乾隆震動已極的看著，情不自禁的走上前去，抱起皇后，凝視了她一會兒。皇后睜眼，也悽然的迎視著乾隆，兩人對視片刻。在這一瞬間，乾隆看到一個十四、五歲的小姑娘，還梳著雙髻，明眸皓齒，巧笑嫣然的凝視著自己，那個曾經讓他怦然心動的姑娘！隨後，陪伴著他度過了數十寒暑，如今竟成這樣！他惻然的說：

『我們用了幾十年，造就了一對怨偶……我們是怎麼的？』

皇后看著乾隆，斷斷續續的說：

『對……不……起……』

乾隆心中一酸，這才明白，皇后眞的快死了，他厲聲喊：

『容嬤嬤！皇后病成這樣，怎麼不傳太醫？』回頭大叫：『來人呀！傳太醫！趕快傳太醫！』

外面的太監，連聲喊著『傳太醫！傳太醫……』奔了出去。

容嬤嬤見乾隆抱起皇后，感動涕零，跪在地上，磕頭如搗蒜。

『奴婢該死！奴婢該死！都是奴婢照顧不周！』

乾隆把皇后放在床上，目不轉睛的看著她。皇后已經呼吸困難，到了最後一刻，迴光返照，對乾隆微笑起來。說：

『我這個「無髮國母」早點走，皇上也能早點解脫！其實，皇上早就解脫了吧？』

乾隆凝視她，幾十年夫妻之情，湧上心頭，悲哀的搖搖頭。憐憫的說：

『所謂「萬念皆空」，也不容易！修練到妳這個地步，不過如此！如果朕已經解脫了，今天也不會來這一趟了！現在，朕也不記得妳的許多事，倒記得最初見到妳的時候，妳才十四歲，那種清清純純的樣子……』

『忘了吧！』皇后徐徐的說：『不管是清清純純的我，還是渾渾噩噩的我，還是糊糊塗塗的我……』

她一句話沒有說完，頭一歪，眼睛一閉，就這樣去了。

乾隆震驚著，大喊：

『皇后！皇后！皇后……』

容嬤嬤急撲到床邊，顫巍巍的伸手去掐著皇后的人中，哭著喊：

『娘娘！醒來……娘娘……醒來……娘娘醒來呀……奴婢還有話要跟娘娘說，奴婢還來不及說，娘娘……醒來！醒來……』

幾個太醫直奔進來，也來不及叩見乾隆，就直撲床邊。

太醫診視了一會兒，就全體對著乾隆跪下。

『啓稟皇上，娘娘駕崩了！』

乾隆踉蹌一退，震動的瞪著床上的皇后。

『朕……居然像她說的，趕來見了她最後一面！』

容嬤嬤發出一聲哀號，抓著太醫的手，跪了下去。哀求的喊：

『太醫！太醫！你們再用針灸試試看！再用扎針試試看！說不定還有救，太醫……求求你們呀！扎她的人中，扎她的手指，試試看呀……』

『臣眞的無能爲力了！皇后娘娘已經升天了！』太醫們退後。

容嬤嬤知道再也無法回天了，起身拭去淚水，走到一邊去開抽屜，拿出一把早已預藏的利刃。她把利刃藏在袖子裡，折回到床邊，面容肅穆哀戚的看乾隆。說：

『皇上，請讓一讓，讓奴婢給娘娘蓋被子！』

乾隆讓開，容嬤嬤在床前一跪，老淚縱橫，把皇后的手闔在胸前，用棉被蓋好。她再仔細的看了看皇后，彎身磕下頭去。虔誠的說：

『娘娘，您好好的走！奴婢恭送娘娘！奴婢不敢讓您牽掛，讓您孤單單的一個人走……奴婢跟來侍候您！』

容嬤嬤在磕頭的刹那間，利刃出手，直刺心臟。她的身子用力壓下去，讓那利刃刺入體內。只聽到『砰』的一聲，她淚未乾，聲未歇，身子已倒臥在皇后床前。

乾隆大驚，喊著：

『容嬤嬤！容嬤嬤！太醫……看看她怎麼了？』

太醫們又撲奔上前察看，轉身一跪。

『啓稟皇上！容嬤嬤殉主歸天了！』

乾隆踉蹌著退後，看著屋內，只見一抹黃昏的餘光，從沒有帘幔的窗口斜射進來，照著床上的皇后，床下的容嬤嬤，一主一僕，靜靜的躺著。這個世界，總算與她們無涉無爭了。房裡忽然變得那麼安靜，安靜得沒有一點聲音。皇后那嘈嘈雜雜、恩恩怨怨的一生，就這樣結束了。乾隆呆呆的站著，眼中，逐漸凝聚著淚。

皇宮裡的一切，距離小燕子他們，已經很遙遠。

這天，六人結伴，走在大理古城中，不住東張西望。福倫已經動身回北京了，他們迫不及待，就要好好的參觀一下這個夢中的城市。

『哇！都是白色的建築，好美！還有那些門樓，簡直不輸給紫禁城嘛！』小燕子喜悅的說。

『家家有水，戶戶有花的景致，終於看到了！』紫薇看爾康：『爾康，這實在是個世外桃源呀！如果不是牽掛東兒，我真想在這兒長住！』

爾康雖然也四面瀏覽，卻是神情凝重，落落寡歡的。他心裡沉甸甸的壓著一個大問題，就是戒藥的威脅。紫薇紫薇，如果我戒不掉，妳會輕視我嗎？他很想問，卻問不出口。周遭的美景，對他如同虛設。

『大理！大理……』晴兒四面看，不勝感慨。『我們終於來了！而且，我們六個人都在一起，這好像是個不可能的夢，但是，我們大家，把這些不可能都變成可能了！我覺得，我和你們這些人在一起，也感染了你們的仙氣！居然可以作夢，也能美夢成眞，眞是不可思議呀！』

簫劍陶醉在晴兒的快樂裡。積極的說：

『晴兒，從此就是另一種生活，另外一個世界了！我們可以買一塊地，辦一個農場，或者辦一個牧場！生一群孩子！』

晴兒的臉孔，驀然緋紅，不勝羞澀。小燕子拍手大笑說：

『是！我哥可是方家唯一的血脈，就靠你們兩個努力綿延香火！你們趕快結婚吧，這才好傳宗接代呀！』

大家都大笑起來，永琪就笑看晴兒和簫劍說：

『我們是不是應該給晴兒和簫劍，辦一場別開生面的婚禮呢？以前，我們給金瑣辦過婚禮，給含香辦過婚禮，現在輪到晴兒和簫劍了，這個婚禮一定要特別特別熱鬧，因爲，它也代表了我們大家的「美夢成眞」！我們也乘此機會，狂歡一番！慶祝大家的團圓，和我們這種「天上人間」的佳話！』

簫劍看看沉默的爾康，臉色一正，說：

『我們的事還可以慢慢來，現在，最重要的，是給爾康治病！』他看著爾康說：『我已經和這兒一個著名的大夫談過了，他對緬甸的白麵很瞭解，他說，他願意來幫助我們，給你戒藥！』

爾康的眉頭驟然鎖起，神色十分慘淡。突然說：

『關於戒藥的事，我想，我們不要談了，我也不回北京去了！我就在大理住下來，簫劍幫我，隨時可以溜到緬甸去買藥，如果辦不到，就看看雲南有沒有類似的藥，我就這樣糊糊塗塗過一輩子算了！』

爾康這麼一說，大家全部變色了。

紫薇深深的看爾康，充滿感情的說：

『爾康……現在我在你身邊，不會讓你孤軍奮戰，我們每一個人，都帶著最大的決心，要幫助你！你從來不是一個會屈服，會投降的人，這次，你也不能屈服，不能投降！現在，阿瑪已經回去了，我們也不趕時間，戒藥如果太痛苦，我們就慢慢來！請你不要輕言放棄！』

爾康站住了，深刻而悲哀的看著紫薇。

『紫薇，妳不知道妳會面對什麼？我已經沒救了！這個白麵的毒，已經深入我的五臟六腑，我除不掉了！我知道，吃了這個藥，我是一個廢物，但是，離開這個藥，我生不如死！我試過許多次，失敗了許多次，我……』他沉痛的搖搖頭：『不敢再試，我也不忍心、不願意要妳面對我那種狼狽！』

紫薇目不轉睛的看著他，毅然決然的說：

『你要面對的，就是我要面對的！你的痛苦，就是我的痛苦！如果你一輩子不斷藥，就等於我一輩子不斷藥！』她痛楚的，坦率的說：『你知道嗎？現在，你每吃一包藥，我的心就絞痛一次，我都不知道，這樣的痛楚，我又能支持多久？』

爾康定定的看著她，紫薇啊，妳讓我變得多麼渺小，多麼自私！他心中一痛，咬牙說：

『為了妳，我再試一次！可是……』他看大家：『我不希望你們在旁邊！』

紫薇立刻急促的接口：

『只有我守著你，他們都在門外，我們兩個，關在門裡，除非需要大夫進來，誰都不進來，好不好？』

爾康不再說話，大家全部用鼓勵的眼光，深深切切的凝視著他。

第二天，大家開始給爾康戒藥。

自從到了蕭家，他們就住在莊院的一個偏院裡，這兒有間小廳，還有幾間房間。戒藥以前，大夫就在那間小廳裡，避開爾康，先給永琪等人上課，他看著紫薇說：

『妳心裡一定要有準備，以病人的情況看，戒藥並不樂觀。要戒這種藥，要從兩方面著手，一方面是病人的意志，一方面是病人的身體！如果病人自己戒藥的意志堅定，成功率就比較高！如果意志瓦解，就一點辦法都沒有！在身體方面，戒藥是件非常非常痛苦的事，痛苦的程度，可能超過妳的想像！但是，只要病人堅定，能夠挨過這個時期，就能成功！戒藥的方法，只有唯一的一個，就是從現在開始，全面停止吃藥，硬撐過去！』

『我有一個很重要的問題，』永琪急切的問：『大夫，病人會不會因爲戒藥而送掉性命？也就是說，這個藥不吃，他會不會死？』

『戒藥成功的例子不多，戒藥送命的人也很多，死亡的原因不在於藥，而在於病人忍受不了那種痛苦，死於昏倒，脈搏停止，撞傷，自殺……什麼情況都有！』

大家聽得心驚膽戰，面面相覷，個個都知道，這是一場大戰。

『當他發抖抽筋的時候，要怎麼辦？』紫薇問。

『幫他度過，讓他想些別的！盡妳所有能盡的力量！發抖抽筋是一個過渡期，挨得過去，就會停止！』

『然後呢？停止了就會好了？』

『不會，過一個時期，又會發作！要完全好，必須連續停藥半個月以上，甚至一個月不吃藥，也不會再想吃藥，才算成功！』

大家都神情沉重。晴兒問：

『難道沒有藥物可以減輕戒藥時期的痛苦嗎？』

『或者以後會發明新的藥物來治療，現在，我們只有「強迫斷藥法」，斷得掉還是斷不掉，就看病人的造化！這斷藥的每一天，都非常難挨，要挨過頭五天，以後就會逐漸好轉！這前面的五天，是最關鍵的時刻！』

永琪看著紫薇，積極的說：

『紫薇，無論如何，我們要試一試，最壞的情況，也就是現在的情況。爾康雖然自己說，他不敢再試，但是，以我們對爾康的瞭解，他只要吃藥，就會意志消沉！你看，他脫險這些日子以來，幾乎沒有笑過，這，怎麼會是爾康呢？何況，這個藥在慢性的侵蝕他，傷害他，我們好不容易把他救出來了，不能讓他再被這個毒藥害死！』

『就是這句話！』晴兒接口：『我們雖然救出了爾康，只救了一半，眞正的爾康，還沒有回來！只有戒了藥，我們才能找回那個風度翩翩，神采飛揚的爾康！』

小燕子熱烈的拍著紫薇，堅定的喊：

『紫薇，我們大家努力吧！如果妳忙不過來，我們就輪番上陣，一定要把爾康完完全全找回來！』

『我們就從今天開始！』簫劍鄭重的一點頭：『我們大家在這間小客廳裡，輪流守夜！大夫可以在我的房間裡休息！一場漫長的戰爭開始了……』他看永琪：『這可能比我們在戰場上的仗還難打！』

小燕子和晴兒，就走上前去，一邊一個，緊緊的握住紫薇的手。晴兒說：

『爾康不願意我們看到他的狼狽，我們盡量不進房間，也不讓丫頭來侍候，我們大家會準備水盆、帕子、熱水、吃的、喝的……和一切用品，我們送進門就走！』

小燕子緊握了紫薇一下。

『紫薇，爾康就靠妳了！除非爾康恢復健康，我們誰也無法快樂起來！所以，告訴他，他的健康不是他一個人的，是我們大家的！』

紫薇感激的看著大家，眼中凝聚著淚。感動至深的說：

『謝謝你們！我會用我全部的力量，來打這一仗！我相信「山高壓不垮大地，困難壓不倒好漢，風雨壓不倒紫薇」！我進去了！』

紫薇就勇敢而堅定的進房去。

大家全部用一種敬畏的神情，目送她進房。

一場大戰確實開始了。紫薇從來不知道，人生有如此慘烈的戰爭。

沒有吃藥的時間，對爾康來說，幾乎是停頓的。每一個時辰，漫長得像幾百年。五天？半個月？一個月？他煩躁的踱著步子，覺得幾個時辰都挨不過去。

紫薇坐在桌前，桌上，有一把琴，紫薇痴痴的看著他，開始爲他彈琴唱歌，她唱了他們認識以來，所有她唱過的歌。山也迢迢，水也迢迢，夢裡，你是風兒我是沙，天上人間會相逢……她的歌聲，那麼美妙，她的琴聲像天籟。但是，她怎麼有心情彈琴唱歌？在他難過得快要死掉的時候？他走到桌前來，打斷了紫薇的彈琴：

『我多久沒有吃藥了？我可不可以用漸進的方法，今天吃一半，明天再吃一半的一半……慢慢的減少藥量，慢慢的斷掉？』

『大夫說，只有一種方法，就是「說不吃就不吃」！你已經三個時辰沒吃了，我們繼續下去，不要前功盡棄吧！』紫薇停止彈琴，鼓勵的看著他。

三個時辰？天啊！才三個時辰！

『妳算錯了吧？我起碼四個時辰沒吃了！』

紫薇站起身子，溫柔的抓住他的手，凝視著他。

『今天才是第一天，我們不要這麼容易就打敗仗好不好？撐下去！』

爾康咬咬牙，走到窗前去。他定定的看著窗外的天空，夜色裡，月漸移，星漸稀，時間在流動吧？多久了？五個時辰？六個時辰？他越來越煩躁，掉轉身子，衝到床邊，坐在床沿上，身子開始發抖。

紫薇走過來，坐在他身邊，用胳臂抱住他。千方百計，想轉移他的思想，就回憶的說：

『爾康，我跟你講，當初永琪把你的那個假「遺體」帶了回來，我不相信是你，鬧著要開棺，開了棺，我看到我給你的「同心護身符」，就完全崩潰了！那時，我只想死，只想跟你一起去……』

『妳去撞棺！』爾康出神了。接口：『妳大喊著：「你雖然言而無信，我依舊生死相隨！」就對著棺材，一頭撞去……』

紫薇大驚，跳起身子，瞪著爾康。

『你怎麼會知道？』

『我在那兒！我也在現場啊！當時，我正在病危中，我的魂魄飄飄渺渺的回了家，我看到妳的痛不欲生，也看到阿瑪和額娘的痛不欲生，我拚命跟妳說話，可是，妳聽不到我，也看不到我……』

『可是……爾康，我常常看到你！』紫薇驚喊著：『我曾經在房裡點滿蠟燭，在窗口喊你的名字，有一次，你眞的來了……』

爾康睜大眼睛，定定的看著她。

『我確實去了！我經常回到我們的房間裡，去和妳談話！當妳拒絕東兒的時候，我幾乎跟東兒一起哭……』

紫薇和爾康相視，兩人都陷進極大的震撼裡。

這時，一陣強烈的顫抖襲來，爾康痛苦的倒上床。紫薇急忙爬上床，用胳臂緊緊的抱住他喊：

『想想那個時候，我們分隔在這麼遙遠的地方，你半死不活，我半活不死，可是，我們的魂魄還急於相見，急於解決對方的苦難，這樣強烈的愛，人間能有幾對？爾康……那麼艱苦的「天人永隔」，我們都穿越了，現在的苦難，又算什麼呢？爲我撐下去，爲我們的愛，撐下去！我抱著你，跟你一起撐！』

爾康又是感動，又是痛苦，顫抖著去抱緊她。脆弱的說：

『紫薇，給我力量！給我力量！』

『是！我給你力量！』她吻著他的額，他的眉毛，他的眼睛，他的面頰，他的唇。『我在這兒！吻我！』

爾康掙扎著去吻她的唇，驟然間，一陣抽搐，爾康放開她，跳下床。

『妳出去，讓我一個人在這兒！請妳出去！』

紫薇跟著跳下床，跑過來，拉住他的手。

『不要怕我看見，我跟你是一體的，讓我幫助你！』

『妳難道還不瞭解嗎？』他痛苦的喊：『妳沒辦法幫我，只有白麵才能幫我！』

紫薇生氣的一跺腳，說：

『如果我打不敗那個「白麵」，我還配做你的紫薇嗎？』

『是我不配做妳的爾康！』

『胡說胡說胡說！』紫薇握緊他抽搐的雙手，狂熱的看著他。『我握著你，我守著你！大夫說，只要你的意志堅定，就可以成功！拿出你的意志力來！』

爾康額上冒出大顆的汗珠，渾身顫抖，越抖越兇。他站起身子，像困獸一般，在室內到處兜圈子。兜著兜著，他嘩啦一聲，把桌上的東西都掃到地下。然後，他衝到牆邊，開始用頭撞牆，撞得砰砰砰的響。紫薇大震，飛奔過來攔阻。

『你撞我，不要撞牆！』

紫薇鑽到他和牆之間，爾康重重一撞，把她撞倒在地。爾康根本不管她，繼續去撞牆。紫薇嚇得魂飛魄散，爬起來，去拉他。

『不要再撞頭，撞暈了怎麼辦？』

『讓我暈！暈了就不想吃藥了！妳打昏我吧！』他痛苦的對她伸出雙手：『把我綁起來，把我綁在椅子上，讓我停止顫抖！去拿繩子……去……』

『不！』紫薇喊著，眼淚落下。『我不要！』

爾康舉起顫抖的雙手，平伸在她的眼前，顫聲說：

『妳看到我的手嗎？它不聽我的指揮……它很想掐妳的脖子，搶妳身上的藥……妳去拿繩子，我怕我會傷害妳，快去……』

『我不要綁你，我不怕你傷害我……』紫薇一急，就抓住他顫抖的手，塞進自己的胸前的衣服裡。她一面哭，一面顫聲喊：『我在這兒！抱我！吻我！愛我……利用我！只要能夠讓你不想那個藥，你對我爲所欲爲吧！』

爾康眼睛一閉，熱淚奪眶而出，紫薇啊紫薇，妳無所不用其極，妳這樣堅決的要我斷藥嗎？他緊緊的抱住她，痛楚的說：

『我熬過去，我一定熬過去……我爲妳……也要、也要……撐下去！我一定有這個意志力，我一定有！紫薇，紫薇，紫薇，紫薇，紫薇……』他一疊連聲的喊著她的名字，身子沿著牆壁滑倒在地，雙手顫抖的抱住腿，瑟縮在那兒。

紫薇跪倒在他面前，伸手緊緊的握住他顫抖的手。

時間緩慢的流過去，天漸漸的亮了。

小燕子、晴兒、永琪、簫劍都在外面的小廳裡，緊張的傾聽著臥室裡的動靜。大家都一夜沒睡，眼睛睜得大大的，只有大夫坐在一張躺椅中睡著了。

忽然間，臥室裡又是一陣乒乒乓乓，大家跟著那些聲音驚跳著，彼此互看。

『我們要不要進去看一看？怎麼一直乒乒乓乓的？』小燕子問：『萬一紫薇應付不過來怎麼辦？』

『我想我們還是按兵不動比較好，如果紫薇需要我們，她一定會來叫我們！』永琪說：『如果她不叫，大概爾康不願意我們看到他的樣子！情況還算樂觀，已經熬過一天一夜了！只要再熬過四天四夜就行了！』

『這一天一夜，已經漫長極了，還有四天四夜怎麼熬？』晴兒憂心忡忡。

簫劍站起身子，看著大家說：

『我再去燒一些開水，天快亮了，他們總要吃點東西！你們大概也都餓了！我去廚房看看有沒有東西可吃？』

『我跟你一起去，我去煮點稀飯，炒幾個菜！』晴兒趕緊站起來。

『妳會嗎？』簫劍驚看晴兒。她是養在深宮裡的格格呀！

晴兒臉一紅。說：

『總要學著做，以後，不是都要靠自己嗎？』

『我來我來！』小燕子急忙說：『我以前和大家「逃難」的時候，常常煮飯給大家吃，手藝是第一流的！你們忘了嗎？』

『那兒會忘？我還記得妳的「酸辣紅燒肉」，餘味猶存！』永琪笑著。

『我最難忘的還是她那些菜名，什麼「大卸八塊」，「斷手斷腳」……』簫劍一句話說了一半，臥室中忽然傳來『砰』的一聲巨響，大家全部嚇了一跳。緊接著，是更多的巨響，和東西碎裂聲。

大夫也驚醒了，跳起身子。

『進去看看！好像有問題！』大夫喊著，就往臥房裡衝。

大家全部跟著大夫，衝到臥室去。一進門，就看到爾康抱著頭，像一隻受傷的野獸般，在室內盲目的東撞西撞，撞倒了茶几，撞倒了桌子，又撞倒了梳妝檯，房裡一片狼藉，桌上的東西全部打落在地上。爾康痛苦的喊著：

『我的頭要裂開了！我的眼睛看不見了！我瞎了，我什麼都看不到！我的耳朵也聽不見了！紫薇……妳不要再虐待我，妳救救我……妳爲什麼要我這樣做？妳比慕沙還狠……』

紫薇臉色慘白，又是淚，又是汗，拚命去拉爾康抱住頭的手臂。著急的喊：

『讓我看看你的眼睛，爲什麼看不見了？給我看！給我看！』

『妳走開！』爾康用力一推，紫薇摔了出去。頭撞在牆上，再滾落到地上。

小燕子和晴兒飛奔過去，趕緊扶起紫薇，幫她揉著這兒，揉著那兒。永琪、簫劍和大夫都急忙走到爾康面前，永琪就用力的拉下他抱住頭的手臂。喊：

『讓我們看看，你的眼睛怎麼了？』

爾康眼神狂亂的看著眾人，大夫急忙診視，察看了他的瞳孔，說：

『你看得見，對不對？你只是覺得看不見了！眼珠有些渙散，但是，不會影響你的視覺……你覺得怎麼樣？』

『我覺得怎麼樣？』爾康大吼：『我覺得想殺人……你們都給我滾出去！不要在這兒，我不要見你們！把紫薇也帶出去！否則，我會把她殺了！』

紫薇衝了過來，拉住他顫抖的手。堅決的說：

『我不出去，你沒辦法把我趕走！你坐下來，我用冷水冰一冰你的頭，或者你會舒服一點！』

『對對！』大夫急呼：『大家提一些冷水進來！』

簫劍立刻奔到天井裡，迅速的提了一桶水進來。爾康看到了水，就奔上前來，拿起整桶的水，從自己頭上淋下。水花四濺，他頓時渾身濕透，丟掉水桶，他濕淋淋的衝到紫薇身前，忽然抓住她的雙肩，一陣瘋狂般的搖撼，嘴裡大喊著：

『妳這樣折磨我，妳還敢說妳愛我？妳愛我會讓我陷在這樣的痛苦裡？慕沙從來不忍心讓我這樣……她比妳愛我！我累了我病了我瘋了……我不要做妳心目裡完美的爾康，我做得好累，我做得好辛苦，我做不到！妳懂不懂？我寧願回到緬甸去做慕沙的天馬……她會給我銀硃粉，銀硃粉，銀硃粉……』

紫薇被爾康搖得牙齒和牙齒都在打顫，頭髮都亂了，汗和淚齊下。

『爾康……已經一天一夜了……』她痛喊著。

小燕子和晴兒都去拉爾康，小燕子心驚膽戰的喊：

『爾康！你不要這樣，你會弄死紫薇呀！』

『大夫！大夫！』晴兒同時喊：『要不要停止戒藥？這樣怎麼辦？』

永琪看到爾康這樣狂亂，走上去，揚手就對他的下巴打了一拳。爾康立刻跌倒在地，抱著頭號叫著：

『你們算什麼朋友？你們殺了我吧！爲什麼不乾乾脆脆給我一刀？』

紫薇小燕子晴兒都驚喊著撲過去扶爾康。紫薇幾乎也要崩潰了，尖叫著：

『永琪！你爲什麼打他？你難道不知道他太痛苦了，他不是眞心在說那些話……他已經這樣了，你還打他……』她淚流滿面。

永琪一把抓住爾康胸前的衣服，把他拉了起來，抵在牆上，義正辭嚴的吼著：

『爾康！你給我聽好！我們已經下定決心，要戒掉你的藥！你發瘋也好，你打人也好，你折磨自己也好，你折磨我們也好，我們不會和這個「白麵」妥協！大夫已經說了，沒有這個藥，你不會死！既然不會死，只是痛苦而已！我們五個人守著你，我們跟你一起熬，如果你失敗了，就是我們六個人的失敗！我不許你失敗，不許你讓我們六個人一起面對失敗！所以，聽著！我非救你不可！』

大家聽了永琪的話，個個都激動著。只有爾康，像隻垂死的野獸，掙扎著大喊：

『我不要你們救！把「白麵」給我！我……我……我失敗了！我承認失敗，你們爲什麼不讓我面對自己的失敗……永琪！你混帳，你做了王室的逃兵，難道你沒有失敗？你有你的失敗，我有我的失敗……我沒有阻止你，你為什麼要管我？』他瘋狂的大叫：『你讓我失敗去！』

永琪也對著他大叫：

『我就是不許你失敗！我做王室的逃兵，沒有做人生的逃兵，更沒有做感情的逃兵！你想從整個「人生」的戰場裡逃出去，你沒種！你想逃開紫薇的愛，你太狠！』

爾康一面顫抖，一面用雙手抱住頭，哀聲喊：

『愛是什麼？愛只是負擔，只是痛苦，我不要愛，不要愛……我的頭……我的頭……有人在我的頭裡面敲我，拉我，扯我……幾萬隻螞蟻在咬我……』他對著自己的腦袋，一拳一拳的打去。

『再去提冷水，給他澆冷水！』大夫喊。

簫劍就奔出門去，飛快的提了水進來，對著號叫不已的爾康，一桶水澆下去。爾康的呼號被冷水堵住了，他停止呼喊，驚怔著，徬徨四顧，安靜下去。大家個個心驚膽戰，目不轉睛的看著他。只見他筋疲力盡，憔悴如死，瑟縮的蜷曲著身子，不斷發抖。嘴裡喃喃的喊著冷。

『這樣不行！』簫劍說：『我們要把他的濕衣服換掉，要不然，一種病沒治好，又加一種病，那就更糟了！』

簫劍就一把抱起爾康，放到床上去。回頭喊：

『乾淨衣服在那兒？永琪！大夫！我們給他換衣服！晴兒，小燕子！妳們把紫薇帶出去，趕快給她吃點東西！』

『是！紫薇，我們走！』晴兒拉著紫薇。

紫薇掙脫小燕子和晴兒，從一屋子的狼狽中，找到乾淨的衣服，拿到床前來。

『我來換！』

永琪搶過了紫薇手裡的衣服，命令的說：

『妳去吃東西，這兒我們來！弄乾淨了再叫妳，妳想一個人應付這局面是不行的！爾康不是妳一個人的，他也是我們的！』

小燕子和晴兒，就拖著紫薇出房去。這時，爾康安靜下來了，在床上呻吟著說：

『紫薇，我說了什麼？我有沒有弄傷妳？』他看到永琪了，脆弱的，請求的說：『永琪，把我綁起來……去拿繩子……』

紫薇聽到爾康脆弱的聲音，不肯走，一步一回頭。

『我要陪著他！我要守著他……永琪，不要綁他，千萬不要！』

『我們就在外面屋裡，什麼聲音都聽得到！』小燕子拖著紫薇走：『妳不能讓自己倒下去，妳倒了，誰來照顧爾康呢？』

小燕子和晴兒，就死命拖著紫薇出房去了。

簫劍、永琪和大夫圍在床邊，七手八腳的給爾康換掉濕衣服。

紫薇到了外間的小廳，就虛脫般的倒進椅子裡，崩潰的用手蒙住臉，放聲痛哭起來。晴兒和小燕子跟著淚汪汪。

『紫薇，振作一點！我們事先就知道這是一件很艱苦的事！』晴兒安慰的說。

『可是……我不知道這麼慘，我覺得我很殘忍，我想算了，他就算吃一輩子的白麵，福家也供應得起……我不知道我是不是做錯了……』紫薇邊哭邊說。

小燕子一跺腳，喊著：

『紫薇！妳不能這麼脆弱，妳答應了福伯父，妳回到北京的時候，會帶回一個健康的爾康！那個白麵是毒藥呀，大夫說了，吃下去會越吃越多，最後還是會送命！』

晴兒也接口說：

『我只要一想到以前的爾康，風度翩翩，神采飛揚，不論何時，都充滿了自信，有徇徇儒雅的書生味，也有正氣凜然的英雄氣概，我就懷念極了！紫薇，妳知道的，爾康一直是我心中最完美的男子漢，這個男子漢，確實不見了，我們不要洩氣，還是堅持下去，把他找回來好不好？』

紫薇聽著晴兒一篇肺腑之言，不禁抱著晴兒痛哭。

『是！我堅持下去，我堅持！只是，我真的很害怕呀！』

這時，房門開了，蕭遙夫妻帶著丫頭，端著熱騰騰的飯菜、豆漿、油條、包子等食物，送進門來。晴兒、小燕子、紫薇急忙起立。小燕子迎上前去，幫忙把食物放在桌上。不好意思的說：

『爹，娘！你們一大早就在忙我們的早餐呀？我正要去廚房幫忙，這樣我們很過意不去耶！』

『怎麼好意思讓爹娘辛苦呢？我們真該死！』晴兒好慚愧。

『沒事沒事！我們起得早，閒著也是閒著。平常家裡沒什麼人，你們來了，家裡也熱鬧起來了！我高興都來不及，喜歡做給你們吃！你們如果過意不去呢，就多吃一點！』蕭夫人說，看看臥室。『折騰了一夜，大概都餓了！』

紫薇趕緊擦乾眼淚，歉然的說：

『伯父，伯母，吵得你們一夜沒睡吧？』

『放心！這個小院和前面隔開，吵不著我們，只是，聽大夫說，戒藥這麼辛苦，我們難免也跟著牽腸掛肚……』蕭遙看看臥室，壓低聲音：『情形怎樣？』

紫薇眼睛一紅，眼淚又來。蕭夫人就把紫薇摟在懷裡，真摯的說：

『孩子，已經一天一夜了，每熬過一個時辰，就是一分勝利！繼續努力吧！老天不會虧待你們的！我們兩老，看著你們一個個用情至深，感動得不得了，世間因為有你們這種人，才會變得這麼好！』

『不止我們，還有爹娘呀！』晴兒感動的說：『把簫劍撫養成人，教養得那麼好，再接受我們，就像接受自己的兒女一樣，世間是因爲你們，才變得這麼好！』

蕭夫人好感動，一手摟紫薇，一手摟晴兒，拚命點頭。

『說得好！說得好！勇敢一點，有任何痛苦，我們一起面對，你們都是我們的孩子呀！』

小燕子見蕭夫人摟著紫薇和晴兒，就擠了過來，嚷著說：

『不管不管，我是簫劍的親妹妹，才是爹娘名正言順的女兒，怎麼妳們兩個喧賓奪主，把我的位子都佔去了！』

蕭夫人就張大手臂，把小燕子也擁進懷中。蕭遙眼睛濕濕的喊：

『好了好了，趕快讓他們利用時間，吃點東西吧！』

一句話提醒了紫薇，趕緊去桌子前面，盛了一碗稀飯，拿了幾個包子，就往臥室急急走去。說：

『我去設法給他吃東西……他那樣折騰了一夜，再不吃，怎麼行呢？』

『那妳自己呢？』晴兒問。

『我跟他一起吃！』

紫薇就端著托盤，走進臥室，把托盤放在桌上。只見爾康靜悄悄的躺在床上，不鬧了。房間裡，已經約略收拾過了，桌子椅子都已扶起。簫劍和大夫在床前守著爾康，永琪拿了一把掃把，在清除一地的狼狽。簫劍看到紫薇，急忙說：

『他好多了，睡著了！』

紫薇驚喜的站在床前，看到爾康那張筋疲力盡的臉龐，即使睡著了，仍然眉頭深鎖，冷汗直冒。大夫解釋的說：

『能夠睡一會兒，就算很短很短的時間，都是好事！他……太累了！』

『我陪著他，你們趕快出去吃一點東西，伯父伯母送了飯菜過來！』紫薇看到永琪在掃地，又奔上前去搶掃把。『永琪，怎麼你在掃地？我來！』

永琪搶下掃把，笑看紫薇。

『我不是阿哥了！這些簡單的事，都不肯動手，我還能當平常百姓嗎？』

紫薇一楞，深深看了永琪一眼，這才明白，在爾康的傷痛中，大家幾乎忽略了永琪也有傷痛。割捨掉阿哥的生活，割捨掉皇阿瑪，割捨掉江山和知畫綿億……他所做的，豈是『犧牲』兩個字所能包括的？還有許多實際的生活，他要一件件從頭學起。那是比爾康戒藥，更加漫長的考驗吧？她想著，就看著永琪發呆，永琪在她這一眼中，已經瞭解她心裡所想的，對她點了點頭。

『放心！我會活得很好，學習當一個普通百姓，總比學習當一個皇帝要容易多了！不要擔心我，現在，最重要的事，就是爾康！』

紫薇點點頭，回到床前去。

『我們去吃東西！把這兒暫時交給紫薇！』簫劍看著紫薇說：『房門不要關，我們隨時可以進來幫忙！』

紫薇再點頭，簫劍、永琪、大夫就出門去。

紫薇在床沿上坐下，憐惜的看著爾康，在水盆裡絞了帕子，輕輕的拭去他額上的冷汗。爾康在睡夢裡驚顫，睡得極不安穩，嘴裡發著模糊的囈語。紫薇拿出一把扇子，幫他搧著，不斷幫他換著帕子。時間緩慢的、緩慢的、緩慢的流過去，不知道過了多久，爾康忽然醒來了，睜開眼睛，凝視她。紫薇看到他醒了，立刻給了他一個甜甜的微笑，低聲問：

『嗨！有沒有夢到我？』

爾康伸出手來，握住她的手。柔聲說：

『是！夢到妳了，夢到我對妳兇，吼妳，罵妳……』他的眼神一暗，擔心的問：『我……沒有吧？我沒有兇妳罵妳吧？』

紫薇眼裡漾著淚，拚命搖頭。

『沒有！你沒有！』

爾康看到紫薇額頭有一塊瘀青，伸手去摸。憐惜的問：

『這兒怎麼瘀青了？摔跤了嗎？疼嗎？』

『不小心撞到了！』紫薇去扶他。『坐起來，趕快吃點東西，餓了吧？』

爾康坐起身子，四面看看。

『我撐過去了嗎？幾天了？』

『不要管幾天了！』紫薇不敢說眞話：『先吃東西！』

爾康接過飯碗，吃了幾口稀飯，忽然間，一陣反胃，要吐。他把飯碗一放，衝下床，奔到一個空的水桶前，大吐。紫薇奔了過來，爲他拍著背脊。爾康吐完，坐在地上喘氣，額上冒著汗珠。紫薇拿了一杯水來給他漱口。他漱完口，神情慘淡，顫抖又來。他努力克制著，伸手握住她的手。

『紫薇，我覺得我的意識可能會模糊，我的神志也可能會不清楚，那些痛苦，像是海浪，一波一波的侵襲著我，海浪一次比一次大，快要把我淹死了！我不知道還能承受多久，在我意識還清楚的現在，我要告訴妳，謝謝妳爲我做的一切！如果我罵過妳，吼過妳，那都不是我的眞心話！』

紫薇拚命拚命的點頭。他凝視著她的眼睛，柔聲的說：

『我還要告訴妳，我愛妳！』

紫薇喉中哽咽，一句話都說不出來。爾康就把頭埋在雙膝中，挨過一陣寒顫。片刻，他再抬起頭，盯著她問：

『妳呢？妳愛我嗎？』

『我愛，我當然愛！』紫薇又拚命拚命點頭。

『那麼，我求妳，我們結束這種痛苦吧！』爾康忽然導入了正題，一本正經的說：『妳可以做兩件事，一件，是妳拿一把刀，插進我胸口裡，這兒！』他拍著心臟的地方。『我的生命結束在妳手裡，我也是很幸福的！另外一件，是妳趕快去拿白麵給我，我跟妳說實話，我已經撐不下去了！我的身體裡，有幾千幾萬隻蟲子，在啃我的骨頭，喝我的血……我放棄了，妳也放棄吧！』

他那麼溫柔，說得那麼刻骨銘心，是出自肺腑，還是爲了要得到白麵？紫薇驚怔著，痛楚得一塌糊塗。看著他說：

『我們再試一試，到了今天晚上，你還是撐不下去的話，我就給你吃！』

『不要再等了，再等我就死了！』爾康哀懇的，痛苦已極的說：『什麼叫做「十八層地獄」，我明白了！什麼叫「上刀山，下油鍋」，我明白了！紫薇，不是做了十惡不赦的人，才會受到這樣的報應嗎？爲什麼是我？給我白麵，好不好？』說著，雙手又劇烈的顫抖起來。

『爾康，爾康……我們再試試，再試試……求求你……』

爾康的眼神，驀然發出陰鷙的光芒。他陡的跳起身子，發出一聲暴怒的大吼：

『我殺了妳！我掐死妳，我打死妳！我踢死妳！這樣好說歹說，妳都不聽！妳那裡是我的紫薇，妳是一個魔鬼！魔鬼！魔鬼……』

外面小廳裡，大家聽到這聲大吼，全部驚跳起來，衝進房。

只見爾康揚起手來，給了紫薇重重的一拳，紫薇應聲而倒，他又撲過去，又打又踢又踹。簫劍一步上前，就把爾康攔腰抱住。大叫：

『爾康！睜大眼睛看看，那是紫薇呀！』

永琪跟著怒喊：

『你無論失去理智到什麼地步，都不能打紫薇！你看看你做了些什麼？』

小燕子和晴兒扶起紫薇，只見她嘴角流血，眼角紅腫，遍體鱗傷。晴兒看到這樣的紫薇，眞是心痛無比，不敢相信的說：

『爾康連紫薇都打，他眞的瘋了！』

小燕子眼眶脹紅了，衝到爾康面前，對著他，也是一陣拳打腳踢。嚷著：

『你這樣對紫薇，我打死你！我也不管你是生病還是發瘋，我們的爾康，確實死了！你才是一個魔鬼，魔鬼，魔鬼……』

永琪趕緊攔腰抱住小燕子。喊：

『小燕子，他失去理智，妳也失去理智了嗎？冷靜一點！』

『冷水！冷水！給他澆冷水！』大夫喊著。

永琪奔出去，提了冷水進來，對著爾康一澆。

紫薇看著狼狽已極的爾康，覺得自己完全崩潰了，她哭著，從口袋裡掏出幾包白麵來。送到爾康面前，哭著說：

『他撐不下去，我也撐不下去了！爾康，給你！』

爾康看到白麵，眼睛都直了，撲過來就搶。誰知，小燕子比他快，用手一揮，把那些白麵打到地下的積水中，她再跳上去，用兩隻腳拚命去踩。那幾包白麵，立刻被小燕子踩得亂七八糟。她一面踩，一面喊：

『紫薇！妳自己說的：「山高壓不垮大地，困難壓不倒好漢，風雨壓不倒紫薇！」不許投降，我們永不投降！』

爾康眼看白麵被小燕子踩得稀巴爛，氣得拚命想掙脫簫劍，苦於簫劍的雙臂，像鉗子一般，就是掙不脫，他就對著小燕子的方向踢著踹著。瘋狂的喊：

『我要把妳碎屍萬段！我要妳的命！妳給我滾過來……』

『我告訴你！』小燕子大聲說：『這是我們最後的幾包白麵，本來還有很多，昨天晚上，我把它們通通丟到火爐裡燒掉了！現在，你要吃也沒有了！』

『不要……』爾康發出一聲撕裂般的哀號，絕望的喊：『紫薇！紫薇！妳這麼狠心，妳這樣待我，我恨死妳！恨死妳……』

紫薇聽著看著，臉色慘淡已極。

大夫看得膽戰心驚，說：

『沒辦法了！如果你們還要繼續下去，把他綁起來吧！要不然，他不是殺人，就是殺自己！戒藥的人，都是死於自殘！』

永琪當機立斷。說：

『只要他不會死於缺藥，我們就堅持到底！我去拿繩子！』

『不要用繩子，繩子會勒傷他！』晴兒說：『我們用布條，小燕子，紫薇……來幫忙，我們把床單撕成一條一條的！撕寬一點！』

晴兒就去撕床單，小燕子也過去幫忙。只有紫薇，痴痴的看著爾康，心碎了。

片刻以後，爾康已經被五花大綁的綁在一張堅固的椅子裡，他喊著叫著掙扎著。大家不理他的喊叫，不停的提了冷水進來，澆他，淋他。紫薇守在旁邊，一會兒給他擦拭，一會兒跟他輕言細語，一會兒拿著食物哄他吃，一會兒跟他抱在一起哭。這樣，大家忙忙碌碌，一個時辰一個時辰的挨著。太陽終於落山了，又是一天過去了。半夜的時候，爾康忽然發狂，跳起身子，連椅子帶人，全部跌在地上，椅子破碎了，他掙脫了綑綁，起身就打向永琪。永琪和簫劍雙雙撲過去，制伏了他。大家沒辦法，只好把他綁在床上。他無法把整張床打碎，只能不斷的吼著叫著哀號著。

就這樣，大家守著爾康，忍受著那種慘烈的煎熬。日出日落，月升月落……時間一直緩慢的、緩慢的、緩慢的消逝。每過去一天，大家就像『死去活來』一樣，迎接的，不是新的一天，而是新的生命，這新生命，不止是爾康一個人的，也是大家的。他們六個人，曾經共同面對過許多艱苦，許多次死裡逃生，只有這一次，才深切領悟到『重生』的意義。

59

終於挨到了第六天。

在那間小廳裡，永琪、簫劍、晴兒、小燕子四個人，都累得像脫了一層皮，個個形容憔悴，狼狽不堪，東倒西歪的倒在椅子裡。有的睡著了，有的還在傾聽臥室裡的動靜。忽然，房門一響，大夫擦著汗，從臥室出來，看著大家，喜悅的說：

『他不抽筋不發抖了，已經很安穩的睡了兩個時辰，恭喜各位，眞是眾志成城呀！』

大家全部精神一振，打瞌睡的小燕子也驚醒了。永琪跳起身子，急切的問：

『大夫，你的意思是說，戒藥已經成功了嗎？』

『是！應該算是初步成功了！以後，他會在脆弱的時候，還想吃藥，只要他能克服心裡想吃藥的衝動，他就完全成功了！我看，各位這樣拚命救他，還有那麼好的夫人守著他，他不會有「脆弱」的時候了！』

小燕子忍不住，『哇』的一聲，就發出歡呼。狂喜的喊著：

『哇！勝利勝利！我們勝利了！大夫萬歲！紫薇萬歲！永琪萬歲！晴兒萬歲！我哥萬歲！爾康萬歲……』

喊到這兒，正好蕭遙和夫人送食物進來，小燕子就一下子撲進蕭夫人的懷裡。

『娘！我們成功了！爾康活了，他會變成我們原來的爾康！我們做到了，我們太偉大了，我太感動了！怎麼辦？我被我們自己感動得一塌糊塗！』小燕子太興奮了，語無倫次的喊著。

蕭夫人十分感動的，把小燕子擁在懷裡，對蕭遙說：

『妳看她這副樣子，還有什麼可懷疑的，高興起來，恨不得把天都拆了！和我那結拜姐姐的脾氣，眞是一模一樣！』

『我那有懷疑？』蕭遙趕緊說：『見到她那天，我就知道沒錯！她這眼睛，這嘴巴，跟她的娘，像得不得了！』

簫劍一怔，怎麼？這話頗有玄機。他連忙看二人說：

『爹娘是什麼意思？難道懷疑我認錯了妹妹？』

小燕子也怔住了，緊張的看蕭遙夫妻。

『沒有沒有，』蕭夫人急急的接口：『我們只是私下討論而已，其實，小慈那個孩子，出世時我還帶過，她身上有個……』

蕭遙急忙咳了一聲，蕭夫人才驚覺失言，趕快住口。

小燕子疑心大起。連聲問：

『有什麼？有什麼？』

『沒什麼，沒什麼！』蕭夫人掩飾的笑著：『你們趕快吃東西！幾天以來，沒有一個人有胃口，現在，爾康戒藥成功了，大家總可以好好的吃一頓了！』

『娘！』小燕子狐疑的說：『說話說一半，最彆扭了！到底有個什麼嘛？妳說妳說嘛！一定要說！』

蕭夫人沒轍了，笑著說：

『有個小記號而已。』

『啊？有個小記號？』小燕子大驚，很快的尋思了一下：『什麼小記號？我身上光溜溜，沒有胎記，沒有疤痕，什麼都沒有！』她的心一沉，看簫劍。『糟了！你一定認錯妹妹了！』

簫劍急忙看著蕭遙夫婦，著急的說：

『怎麼你們以前都沒跟我說過？』

『那個不大好說，也沒什麼意義，別去研究了！』蕭夫人笑著。

『不行不行！你們把我的好奇心都引出來了！我一定要知道！』小燕子嚷著。

簫劍不安起來，萬一眞的認錯了妹妹，這事就太離譜了！因爲認妹妹，造成小燕子離開了皇宮，造成永琪放棄了皇位，造成乾隆父子分離，也造成永琪和綿憶分離……萬一錯了，這一切豈不是都錯了？

他一摔頭說：

『這個不用去研究了吧？我已經認了這麼久的妹妹，她就是我的親妹妹，認錯也是親的，沒認錯也是親的，我不想去研究她身上的記號！』

永琪擔心的看看小燕子，看看簫劍，完全瞭解簫劍的心思，就急忙說：

『當初小燕子進宮，是「陰錯陽差」，這個「認妹妹」，說不定是「歪打正著」，不管怎樣，錯也好，對也好，造就的是人間三對佳偶，我們大家都認了吧！別研究了！』

『就是就是！』蕭遙趕緊接口。『爾康戒藥成功，恭喜大家，我們趕快去殺雞，熬一鍋好湯，給大家補補！』

夫婦兩人就要走，小燕子抓抓耳朵，忽然忍受不了，衝到蕭夫人面前。

『告訴我，告訴我！這種啞謎，我受不了！到底我身上有什麼小記號？在那兒？頭上腳上還是身上？』

蕭夫人走不掉，只得湊在小燕子耳邊，說了一句悄悄話。

只見小燕子一怔，衝口而出的喊：

『什麼？我屁股上有顆紅痣……』驀然覺悟不雅，用手蒙住了嘴。

大家都瞪著她，想笑又不好意思笑。晴兒就看永琪說：

『這事，恐怕只有永琪知道了！長在那種地方，小燕子自己都看不見！』她連忙問永琪：『有沒有？有沒有？』

大家都看永琪，永琪面紅耳赤，打著哈哈。

『這個……這個……我眞的沒注意，要不然，我、我、我……我下次注意……』

小燕子跳了起來，嚷著：

『我告訴你們大家，誰也不許來檢查我，我才不給你們看！不管怎樣，我已經認定簫劍是我哥哥，我也爲了這個，離開了皇宮，還帶走了永琪！一切都成爲事實，再也無法懷疑了！我爹是方之航，我娘是杜雪吟，我認定了！』

『我也認定了！』簫劍也大聲說。

晴兒過去摟著小燕子，簫劍的顧忌，她早就體會到了。這件事，萬一錯了，也只能當它是對的。她堅定的說：

『我們大家都認定了，就這麼回事！不要再去研究那顆小痣了！嬰兒時期的痣，也不見得會留到今天！』

永琪鬆了一口氣，大笑說：

『哈哈，那麼我的檢驗工作，就不必了，是不是？其實我也很樂意……』話沒說完，小燕子踢了他一腳，他趕緊改口：『大家都是「落地爲兄弟，何必骨肉親？」我們就糊塗一點吧！』

大家都釋懷的大笑著，一屋子嘻嘻哈哈。這是爾康戒藥以來，第一次房裡充滿了笑聲。

這晚，深夜的時候，爾康從沉睡中醒來了。他迷迷糊糊的睜開眼睛，看到房中一燈如豆，紫薇在床邊睡著了。他不知道這是戒藥後第幾個黑夜，好像已經過了幾千幾萬年。他伸了伸手腳，發現沒有繩子綁著自己，不禁一驚。

在床邊椅子裡打盹的紫薇，聽到他的聲音，立刻驚醒了，急忙撲到床前去。

『爾康！你怎樣？覺得怎樣？』她急切的問。

『你們怎麼放開了我？怎麼不把我綁起來？』爾康怔怔的問，忽然發現自己的藥癮症狀都沒有了，驚疑不定。『我不發抖了！也沒冒冷汗，也沒抽筋，身體裡也沒有蟲子在爬……』他注視紫薇問：『第幾天了？』

紫薇凝視他，見他眼神清明，不禁悲喜交集。激動的喊：

『爾康，你太勇敢了，太偉大了，你挨到了第六天！大夫說，他簡直不相信，你可以成功！他說，留在你身體裡的毒素，已經慢慢的消退了！只要你意志堅定，這個藥癮不會再犯！你讓他很有成就感！你讓我驕傲，讓我們大家，都開心得不得了！』

爾康從床上坐起來，伸出雙手，不敢相信的看著，見自己的手，不再發抖，頓時間欣喜莫名。

紫薇就急急的站起身子，要往門外跑。

『你一定餓了，我去給你熱雞湯，這鍋雞湯煮好的時候，你睡得正香，大家都不敢吵醒你，幾天以來，你都沒吃什麼，吃了就吐，現在，可以好好的喝點雞湯了！』

爾康跳下床，一把拉住了她，仔細看她。啞聲的說：

『不要走！』

紫薇站住，看著他。

『你，餓不餓？』

爾康一瞬也不瞬的凝視她，回答：

『是！很餓！』

『那我趕快去……』紫薇急著要走，笑著說：『今晚沒人幫忙了，大家被你折騰了五天，個個筋疲力盡，全體睡覺了，所以，只好我去！』

爾康緊緊的拉住她，不讓她走。他的眼光，深深切切的停駐在她臉上，伸手撫摸她臉上的傷痕，嘴角的瘀青。聲音哽塞的，帶淚的說：

『這一定不是我弄的，對不對？我不可能弄傷妳，對不對？』

紫薇微笑著，眼裡漾著淚，拚命點頭。

爾康一把就把她抱進懷裡，用胳臂緊緊的環抱住她，把她的頭，壓在自己的肩上。在她耳邊痛楚的說：

『我夢到我變成一隻野獸，不管碰到誰，我都亂咬一氣！越是靠近我的人，我咬得越兇！不止咬她，還說了很多混帳話……很多不可原諒的話……』

紫薇急急的抬起頭來，看著他，伸手去摀住他的嘴。

『那是夢！那是夢！那不是眞的……我一直聽到你的心聲，你在喊我的名字，要我救你幫助你……不過，眞正救了你的，是我們大家，因爲，我幾乎功虧一簣，幾乎放棄了！』

爾康眼中潮濕了，再度抱緊她。

『我在妳的臉上，看到這場戰爭的痕跡，什麼叫「慘烈」，我知道了！這五天，是我一生最漫長的日子，也是妳這一生最漫長的日子！對妳的所作所爲，我無以爲報，只能用我全部的生命和熱情，來好好愛妳！而且保證，這份愛不會因爲任何改變而改變，不會因爲年華老去而褪色，永遠鮮明如今天！』

紫薇感動至深，眼中帶淚，唇邊帶笑，緊緊的依偎著他。

這天，風和日麗，鳥語花香。大理的天空，特別的藍。洱海的水，特別的綠。大理的古城，特別的古色古香。三對璧人，擺脫了各種陰影，嘻嘻哈哈的走在大理的街道上，個個神清氣爽，精神抖擻。爾康已經恢復原來的風度翩翩，比所有的人都興奮。大家正在研究簫劍和晴兒的婚禮，應該用什麼方式？六個人七嘴八舌，議論紛紛。

『百夷人的婚禮有沒有特色？讓晴兒和簫劍，用百夷人的婚禮怎樣？』永琪說。

『百夷人結婚，是載歌載舞的，許多跳舞的姑娘，陪著新郎去迎娶新娘！』簫劍解釋。『爲什麼要用百夷人的婚禮呢？』

『因爲你是百夷人呀！』永琪笑著。

『我覺得，我們不要分民族，我們來個混合大婚禮，能夠多熱鬧，就多熱鬧！什麼滿族、漢族、百夷族、苗族、蒙古族、回族……都可以，怎麼熱鬧就怎麼辦！』小燕子興沖沖，建議著。

『對！這個種族的歧視，希望到我們這兒爲止！什麼滿人、漢人、百夷人、蒙古人……大家都是一家人！』永琪心有所感，如果不是滿漢的問題，也不會因為一首剃頭詩，造成了文字獄。『這樣的婚禮，別有意義，就來個混合婚禮吧！』

『怎麼混合呢？到底你們打算怎樣？』簫劍問。

『記得我們在西湖，給晴兒和簫劍製造機會，鬧了一個火燒小船的故事嗎？』紫薇問。

『那件事，我一輩子都忘不了！這和婚禮有什麼關係？』晴兒問。

『我看洱海比西湖還大，我們弄一個花船婚禮好不好？用一隊小船，上面張燈結綵，掛滿鮮花，其中一條，全部用紅色羅帳，佈置成喜船！紀念我們的火燒小船！幸虧當天一燒，才燒出了今天的喜事！』紫薇興高采烈的說。

爾康一聽，興奮得不得了，嚷著：

『紫薇，我們兩個再結一次婚好不好？這個船隊的點子，就留給我們兩個吧！』

『那……我也要和小燕子再結一次婚！』永琪也興奮的說：『我們就來個載歌載舞吧！』

『載歌載舞？這個點子也很好！我們也可以參加！』爾康又說。

『你們搞什麼？』簫劍笑著嚷：『要大家研究一下我們的婚禮，你們這些結婚好多年的人，湊什麼熱鬧？我聽起來，花船的點子滿好，爾康，你搶什麼？』

『哈哈！』爾康大笑：『我現在很興奮，什麼都想搶！』

『我覺得越簡單越好，不要太鋪張了！』晴兒羞答答的說：『結婚是兩個人的事，為什麼要驚動全天下呢？』

『怎麼會是你們兩個人的事呢？』爾康嚷：『我們大家辛辛苦苦熬到今天，就靠你們的結婚，寫下最完美的一章，你們兩個的婚禮，是我們大家的事！我提議，先是船隊，再是迎親隊伍，新人拜完天地，到了晚上，再把百夷的「火把節」，緬甸的「點燈節」都用上，狂歡它一天一夜！』

『啊？要這樣折騰我呀？我不要！』晴兒睜大眼睛。

小燕子樂得手舞足蹈。笑著，叫著：

『妳不要也得要，我聽起來就很過癮，哈哈！好極了，什麼時候舉行？趕快回去挑日子……』

大家談論得興致高昂，這個也有意見，那個也有想法，眞是人人參與，個個歡欣。永琪找了一個空檔，悄悄拉了簫劍一把，簫劍看到他神祕的眼色，就跟著他走到一邊去，避開了眾人。永琪笑著，低聲對他說：

『我要告訴你一聲，關於那顆紅痣……我幫你檢查過了！沒錯！小燕子是你嫡嫡親的親妹妹！再也不用懷疑了！』

簫劍眼睛一亮，喜不自禁。

『是嗎？雖然我嘴裡說不在乎，心裡可眞想知道！』

紫薇發現他們兩個走開了，回頭嚷：

『你們兩個在說什麼悄悄話？我們也要聽！』

『就是！我們之間，應該沒有祕密吧！』爾康馬上呼應紫薇。

『快說！快說！兩個大男人，也會神祕兮兮！』晴兒也不依。

小燕子奔過來，拉著永琪一陣亂搖，噘著嘴喊：

『快說快說！趕快說！神神祕祕，幹什麼嘛！』

永琪沒轍了，大笑著說：

『我們在談一顆小紅痣！』

晴兒、紫薇、爾康都睜大眼睛，同時大嚷：

『小紅痣？有還是沒有？』

小燕子滿臉通紅，又跺腳，又扭身子，又笑。

簫劍走過來，一巴掌拍在小燕子的肩膀上。神氣活現的喊：

『再也沒有懷疑了，這是我親妹妹，有證據了！以後有人提出異議，我就……』

『你就怎樣？你就怎樣？』小燕子大叫。

『我就……揍他！』簫劍大笑說：『妳以爲我要怎樣？難道還能把證據拿出來？』

大家笑得前俯後仰，彎腰駝背。小燕子臉紅紅的，也忍不住笑。簫劍看著她，直到今天，才肯定這是自己的親妹妹，眼裡，盛滿了寵愛和親情。

就在這一片溫馨的時刻，只見街頭有民眾聚集，議論紛紛，個個唉聲嘆氣，搥胸頓足。小燕子覺得奇怪，奔上前去，拉住一個老者問：

『你們在談什麼？爲什麼每個人都這麼傷心？』

『眞是國家的不幸呀！』老者嘆氣，拭淚說：『皇后去世，我們還沒什麼感覺，可是，五阿哥去世，實在是太可惜了！』

永琪一聽，震動無比，喃喃的問：

『五阿哥去世了？皇后也去世了？』

『是啊！』老者扼腕的說：『那位五阿哥，上次帶兵打緬甸，從來不打擾百姓，打得轟轟烈烈……剛剛才封了榮親王，年紀那麼輕，咱們都指望他當太子，怎麼就去世了？』

永琪怔忡著，楞了半晌，回頭就走。大家聽到皇后去世，個個傷痛。看到永琪走開，知道他尤其難過，趕緊追著他，小燕子就去拉他的胳臂。

『永琪，你是爲皇后難過，還是爲五阿哥難過？』

『都難過！』

『皇后早已油盡燈枯，早些走，也早點解脫！不知道容嬤嬤怎樣了？』紫薇說。

『多半跟著去了！』晴兒深知宮裡的嬤嬤，尤其像容嬤嬤這種人，都以『殉主』爲榮的。她看著永琪，輕聲說：『五阿哥的事，你也看開一點！皇上早就說了，要這樣宣佈！』

『雖然知道這是必然的事，可是，這個宣佈，也表示我和皇阿瑪……不，是我和艾老爺之間，再也沒有父子的關係了！』永琪嘆息著。

永琪神色暗淡，眾人的歡樂，也因這個消息，而打住了，大家都難過著。

小燕子看著永琪，不禁歉疚心痛起來。都是爲了她，他什麼都沒有了，那麼好的一個阿瑪，還有那麼小的綿億，他都丟下了！她眞値得他這麼做嗎？她心裡熱烘烘，嘴裡說不出話來，只是緊緊的挽住了永琪的胳臂，挽得那麼緊，把他的手腕都快拉斷了。永琪偏過頭來看著她，用另一隻手，揉了揉她的頭髮，眼底，是一片義無反顧，和一片濃得化不開的深情。小燕子接觸到他這樣的眼光，這才體會到紫薇常說的話；『山無稜，天地合，才敢與君絕！』不，是『山無稜，天地合，也不肯與君絕！』

晴兒和簫劍的婚期定在半個月以後，大家決定採用小燕子的意見，用少數民族的婚禮形式，什麼迎親隊，船隊，火把晚會……全部上場，大家就開始積極的籌備婚禮，做衣服頭冠飾物，佈置船隊，組織迎親隊伍……忙得不得了。爾康戒藥以後，也需要一段適應期，正好藉這一段忙碌，來治療他偶然發作的『思藥症』。

一切都準備得差不多了，在婚禮之前，大家找了一天，來到蒼山上，祭拜方之航夫婦的墓，這是簫劍第一次帶著小燕子祭拜父母，兩人都有說不出來的激動。其他的人，也各有各的感動。大家站在墓前，只見墓碑上刻著：『先考方之航　先母杜雪吟之墓』，下面刻著：『不孝子方嚴　媳晴兒　不孝女方慈　婿艾琪　敬立』。

大家恭恭敬敬的把鮮花供品放上，簫劍回頭對小燕子說：

『這就是我們爹娘的墓地，他們合葬在這兒，後面是蒼山，前面是洱海，不論是人間還是天上，他們都結伴同行了！我猜，他們應該死而無怨！這塊墓碑，是我前幾天重新刻的，我把我們的名字都放上去了！來，小燕子，永琪，晴兒，讓我們四個，給爹娘上香！』

四人上前，虔誠的燃香祝禱。小燕子從來沒見過爹娘，現在，看到爹娘的墓，想起這一路的曲折，簡直不知道心裡是什麼感覺。她正正經經，一臉誠摯的說：

『爹，娘！經過了這麼久流浪的日子，我終於可以在你們的墓前上香，對於我，這個意義實在太大了。我和哥哥，在你們的牽引下，終於找到了一生的幸福！從此，我們會生活在你們身邊，不再遠離了！爹娘，請原諒我這個不孝的女兒，到今天才來拜見你們！』

小燕子說完，永琪就接口說：

『爹，娘！請原諒我阿瑪造成的不幸！你們的故事，牽牽連連，一直蔓延到我們的身上！是你們在冥冥中牽了紅線，才有我們今天的全員到齊。相信你們的遺憾，我們也幫你們彌補了！我會用我最眞摯的心，照顧你們心愛的女兒！請放心吧！』

晴兒也恭恭敬敬的說：

『爹，娘！今天，我可以站在這兒給你們上香，實在是一個奇蹟。養在深宮的我，幾乎從來沒有出過遠門，卻會和簫劍相遇相知，到今天攜手共創我們的人生，說起來像夢，是你們讓這個美夢成真！從此，我會一心一意的陪伴簫劍，讓你們的美夢成真！希望你們在天之靈，安心吧！』

簫劍聽到晴兒這樣說，更是感動不已，焚香再拜，說：

『爹娘！我這條尋親復仇的路，走得坎坷，所幸，卻得到最佳的效果，我想，爹娘心裡再也不會有仇恨了，我和小燕子，心裡也沒有仇恨了！我們會用一顆顆的愛心，去面對以後的人生，去教育我們的子女！我相信，這也是你們的心願！』

爾康聽到這兒，心裡有話，不能不說，一拉紫薇，雙雙上前。說：

『伯父！伯母！我和簫劍小燕子的關係，你們一定瞭解！我和他們一起來上香，只想告訴你們一句話，你們太偉大了！生下這麼可愛的一對兒女！如果沒有小燕子陰錯陽差進宮，就沒有我和紫薇的生死相許！謝謝你們一切的一切！』

紫薇虔誠的作了總結：

『伯父，伯母，他們把我要說的話，都說完了！現在回憶起來，我們所有的故事，是從你們開始！我相信，你們的愛，我們的情，會世世代代綿延不斷！爲你們的存在，繼續寫下最美麗的故事！』

六人說完，就一齊跪下磕頭。六個人的心，密切的契合著。

祭拜完了爹娘，大家開始遊蒼山，蒼山有十九峰，峰與峰之間，都有小溪。山特別的青，水特別的綠，天特別的藍，雲特別的白。大家有無數的話要說，過去未來，談也談不完。每個人興致都很好，只有永琪，有些落落寡歡，常常陷進沉思裡。小燕子悄悄注視他，知道他時常在懷念著皇阿瑪，大概也不能不懷念著綿億和知畫吧！她怎樣可以讓他快樂起來呢？她心裡轉著念頭。簫劍在說：

『我已經把整個大理，和附近的鄉鎮都跑遍了，沒有發現含香和蒙丹的絲毫痕跡，我猜，含香他們，從來就沒有到過大理！』

『我也這麼猜想，他們兩個的民族觀念太強，一定還是偷偷溜回新疆了！』爾康說。

『沒有見到含香和蒙丹，雖然是個遺憾，但是，我們可以想像，他們一定也和我們一樣，生活得非常幸福美滿！』紫薇充滿祝福的說。

晴兒四面看，不勝感動的伸展著手臂，呼吸了一口新鮮的空氣。

『這眞是一個好地方！城市有城市的古樸，山有山的壯麗，水有水的清秀，我眞喜歡這個地方！我只要想到……』晴兒臉一紅，話說了一半就噤住了。

『想到什麼？想到什麼？』簫劍追問著。

『不說了！』晴兒羞澀的。

『怎麼話說一半呢？』小燕子問，就大聲宣佈：『你們這些人給我聽著，要跟我一起生活，就不許話說一半！我最受不了「欲言又止」、「吞吞吐吐」、「故弄玄虛」、「語焉不詳」……弄得我「心癢難搔」、「一頭霧水」、「丈二金剛摸不著頭腦」，氣死了！』

大家全部不敢相信的瞪著小燕子。

永琪的眼睛瞪得最大，忍不住脫口驚呼：

『小燕子！不得了！妳用了好多成語耶！全部用對了，連「語焉不詳」這樣的句子，妳都會用了！妳簡直讓人不敢相信！』

『這有什麼希奇，我早就說過，總有一天，我會四個字四個字的說話，煩死你們！』小燕子得意的說，看到永琪的注意力，眞的被自己的成語吸引了，就更進一步，說：『永琪，我發明了一個學成語的方法，很快就學會了，比死背有用多了！』

『是嗎？什麼方法？』永琪好奇的問。

『我用唱的！把成語編成黃梅調，你們聽我唱來！』小燕子就用黃梅調連唱帶作的唱了起來：『一口咬定』不放鬆，「一寸丹心」在胸中，「一目十行」學得快，「一見如故」樂融融。「一日千里」快如飛，「一日三秋」太可悲，「一言九鼎」不能悔，「一往情深」是紫薇。「一表人才」推永琪，「一呼百諾」成回憶，「一波三折」如你我，「一知半解」是燕子！「一夫當關」是爾康，「一諾千金」簫劍當！「一見傾心」晴兒苦，「一帆風順」歲月長呀，歲月長！』

小燕子唱完，大家情不自禁，都報以瘋狂般的掌聲，永琪尤其震動，嚷著說：

『小燕子，這是妳自己編的嗎？妳實在不愧是方之航的女兒！妳的進步，眞讓我太開心了！』

小燕子就依偎著永琪，含情脈脈的看著他。說：

『你眞的開心嗎？我就是爲了要你開心，編了好久才編出來！如果你眞的開心，就不要再悶悶不樂了，雖然你失去了皇阿瑪，失去了綿億和知畫，但是，你有我，我會爲了你的快樂，做很多很多的事！』

小燕子一篇話，永琪眼眶濕了，把她緊緊一摟，他故意用『一』字頭的成語，串連著說：

『是！我不會再悶悶不樂了！我會爲了妳的「一片苦心」，拋開我的「一己之私」，從此「一心一意」，和妳共度「一生一世」！』

『哇！太感人了！』晴兒叫著：『這「一」字頭的成語，還有嗎？』

紫薇笑看晴兒，嘻嘻哈哈的說：

『當然有！爲了方家的「一脈香煙」，希望妳「一舉得男」！』

這一下，全體大笑起來，不止笑，還瘋狂的鼓掌。晴兒滿臉緋紅，又是歡喜又是羞。小燕子這才想起來，抓著晴兒問：

『妳剛剛說到一半的話，還沒說清楚！妳想到什麼？趕快說！』

大家心情良好，樂不可支，就全部鼓譟著，看著晴兒嚷：

『說！說！說！』

晴兒只得臉紅紅的說：

『我想到……我們的孩子們，會在這樣的環境裡長大，吸收著這兒的山靈秀氣，將來一定會長成快樂、健康的青年！我就很開心！』

大家都笑了，甜蜜的感覺，把每個人都抓得牢牢的。紫薇含羞的依偎著爾康說：

『爾康，我簡直不想回北京了！我捨不得跟大家分開！』

『哈哈！那可不行！我們在北京，還有我們未了的責任！但是，我們可以常常來大理探視他們呀！』

爾康笑著說，不想讓離別的情緒，這麼早就影響大家，就看著簫劍晴兒，大聲的說：『如果要「一舉得男」，恐怕就得「一鼓作氣」，快馬加鞭，辦一場「一時之選」的婚禮了！』

60

終於，到了簫劍和晴兒結婚的日子。

這天，在碧波如鏡的洱海上，一溜小漁船排列著，船上，堆滿了鮮花。船篷上，用紅布貼著大大的囍字，打著紅綢結，船員都是紅衣，有的舉著囍牌，有的划槳，有的奏樂……整個船隊，緩緩前進，紅船綠水，如詩如夢，美麗無比。

第一條小船是樂隊，一色紅衣的樂隊，奏著喜樂。第二條船特別大，佈置得美輪美奐，是新娘的船。三、四、五條是儀仗隊。第六條後面都是親人朋友的船隻，全部舉著囍字的紅牌，繞著湖邊，划向碼頭。

在新娘船上，晴兒一身百夷人的新娘裝，頭上是頂銀製的頭冠，鏤空的銀花顫巍巍的豎在頭上，垂著美麗的銀流蘇。她端坐在花團錦簇中，四周圍著紅色的帘幔，映紅了晴兒的臉。紫薇和小燕子充當喜娘，一邊一個圍繞著晴兒，兩人也是百夷姑娘的盛裝，小燕子是紅色的，紫薇是粉色的，也分別戴著有流蘇的帽子，和平日的清裝完全不一樣，好像來自另一個世界的美女。兩人滿面笑容和喜氣，不時悄看晴兒，忍不住吃吃的笑。晴兒很緊張，卻被兩人弄得常常要笑，醒悟過來，又趕緊正襟危坐。

在路上，簫劍坐在一頂滑竿上，穿著百夷新郎的服裝，在樂隊、儀仗隊的簇擁下，吹吹打打，走往洱海去迎親。爾康和永琪充當男方伴郎，也穿著華麗的百夷衣服，隨行在簫劍身後。許多百夷族的男女青年，跟著迎親的隊伍一齊前進。大家浩浩蕩蕩，迤邐的走向洱海的碼頭。

迎親隊伍吹吹打打到了碼頭，正好船隊也吹吹打打陸續靠岸。新郎下了滑竿，親自走到碼頭的木橋上來迎接新娘。紫薇和小燕子，已經攙著盛裝的晴兒下了船，早有百夷族的青年，抬來打著如意結的新娘滑竿，代替花轎。晴兒羞答答，在大家攙扶下，小心翼翼的上碼頭，再上台階。簫劍看到如此美麗的新娘，幾乎眼光都離不開她，看到她步履維艱，就什麼都顧不得，忘了自己是新郎倌，上前一把抱起晴兒，把她抱上了滑竿。這樣忘形的一個舉動，惹得所有群眾，瘋狂的大笑和鼓掌。也把晴兒羞得滿臉通紅。簫劍這才驚覺的笑笑，不好意思的坐上新郎的滑竿，兩頂滑竿抬了起來，新郎新娘高高的坐在滑竿上，在百夷族青年的吹吹打打下，和無數男男女女的簇擁下，浩浩蕩蕩的向蕭家走去。

進了蕭家庭院，紫薇才用紅喜巾，蒙住了晴兒的臉。

新郎和新娘被攙扶著，走進大廳。

蕭遙夫婦端坐在房間正中。晴兒被小燕子和紫薇攙扶著，和簫劍走到兩老面前站定。滿屋子賓客，笑著，鬧著，議論著。爾康當司儀，已經是經驗老到，中氣十足的高喊：

『一拜天地！』

小燕子和紫薇扶著晴兒，和簫劍面向門外。行禮如儀。

『再拜高堂！』

晴兒和簫劍轉向蕭遙和蕭妻。再度行禮如儀。

『夫妻交拜！』

晴兒和簫劍對面對站好。彼此對拜。

『送入洞房！』

鞭炮聲劈哩叭啦的響起，紫薇把晴兒絲帶，交到簫劍的手裡。

簫劍就牽著晴兒，在親友的恭喜聲中，在花瓣的飛撒下，走向新房。對簫劍和晴兒來說，這一條結婚之路，走得眞是遙遠，從北京到大理，從皇宮到農莊……一直到走進洞房，兩人都恍然如夢，充滿了不眞實感。

進了新房，一切就按照慣例，晴兒蒙著喜帕，端坐在床沿，簫劍站在床前。

紫薇捧著喜秤，笑吟吟的站在一旁。小燕子站在新郎另一邊，興高采烈的唸著：

『請新郎用喜秤挑起喜帕，從此稱心如意！』

簫劍拿起喜秤，挑開喜帕，露出晴兒那張『半帶羞澀半帶情』的臉龐，她低垂的睫毛下，掩映著一對清亮的眸子，彎彎的嘴角，噙著淺淺的笑意。那種高雅，那種清麗，那種脫俗的美，簡直讓人無法喘息。簫劍痴痴的看得出神了。小燕子忍不住，就開始笑場，這一笑，好像具有傳染性，紫薇也跟著笑，永琪和爾康，也跟著笑。大家這樣一笑，簫劍忍不住，也傻傻的笑起來。晴兒趕緊低俯著頭，唇邊那淺淺的笑，就變成了深深的笑。房裡擠滿客人，個個都嘻嘻哈哈的笑開了。

紫薇換了交杯酒上來，小燕子清清嗓子，再唸：

『請新郎和新娘喝交杯酒！從此「如魚得水」，「瓜瓞綿綿」，「鶼鰈情深」，「地久天長」，「如膠似漆」，「百年到老」，「比翼雙飛」……』

永琪睜大眼睛，對爾康說：

『糟糕！她走火入魔了，不知道背了多少成語，看樣子，我們眞的會被她四個字四個字說得煩死！』

『反正簫劍拿這個妹妹沒輙，只好認了！看她能說出多少？』爾康笑著說。

小燕子果眞說不完，還在那兒繼續唸：

『「百年好合」、「宜室宜家」、「鳳凰于飛」、「神仙眷屬」、「親親愛愛」、「長長久久」……』

簫劍和晴兒，舉著酒杯，手都舉痠了，簫劍生怕小燕子沒完沒了，一聽到『長長久久』，就趕緊拿了酒杯，一個箭步上前，就和晴兒喝起交杯酒來。

小燕子脫口驚呼：

『哎呀，我還沒說完呢！他們已經「急如星火」，「迫不及待」了！』

一屋子賓客哄堂大笑。

紫薇笑得腰都直不起來。

晴兒羞得面紅耳赤，可是，唇邊那深深的笑，已經漾開到整張臉龐上了。

婚禮總算完成，但是，晚上還有『火把慶典』。無數無數的火把，從四面八方聚攏，迤邐前來，把原野照耀如同白晝。小燕子紫薇帶著一隊人，在火把的簇擁下，抬著晴兒進場。另外一邊，永琪和爾康帶著一隊人，也高舉著火把，抬著簫劍進場。兩隊匯合以後，放下滑竿，在歡呼聲中，一對璧人走下了滑竿。許多百夷族和其他少數民族的青年男女，成雙成對的聚集到草原上，把無數的火把插在地上，就一對一對的，手挽手跳著舞，歡慶婚禮。

簫劍和晴兒，被好多對年輕人包圍著，也學習著少數民族那樣跳著舞。簫劍雖是身經百戰，這時，卻弄了個手忙腳亂。不好意思的說：

『這個跳舞，我可是外行！』

『我也外行呀！』晴兒說，看著四周那些高舉火把，唱著歌的青年男女，驚嘆著：『如果老佛爺看到我這樣的婚禮，一定嚇得昏過去！』

簫劍挽著她，低頭看她，寵愛已極的說：

『晴兒，我何德何能，居然能夠擁有妳！』

『希望幾十年以後，你還能對我說這句話！』晴兒仰望著他，深情的說。

『幾十年？』簫劍誇張的喊，早已心醉神馳了。『幾百年以後，我還要跟妳說呢！妳永遠是我的新娘！妳看，這個婚禮，我是煞費苦心設計的！有「蒼山爲證，洱海爲憑」，算是名副其實的「山盟海誓」，從白天鬧到晚上，表示「朝朝暮暮，永結同心」！』

晴兒這才體會，小燕子爲什麼常說，『感動得快要死掉』、『幸福得快要死掉』、『高興得快要死掉』……她也是這樣。她的眼睛，閃亮如星，柔情似水。

『你再說下去，我就醉了！』

『醉吧！人生難得幾回醉？』簫劍說：『跳舞吧！不管會不會跳，我們跳吧！』

兩人就陶醉的酣舞著。

爾康和紫薇也跳著舞，紫薇看著爾康，快樂的、疑惑的問：

『爾康，我們的喜怒哀樂，爲什麼這麼強烈？一般人也是這樣的嗎？』

『不會，有些人一輩子沒有認識過「愛」！』爾康說。

『會有這種人嗎？那不是太可憐了！』紫薇驚愕的問。不認識愛，那豈不是白白來到人間走一趟？

『如果他根本不認識愛，他也不會可憐，他渾渾噩噩度過一生，沒愛就沒煩惱，說不定反而很平靜。愛的本身，就兼有「痛苦和狂歡」的特質，所以我們動不動就驚天動地，死去活來！愛的負擔是很沉重的！』爾康深刻的說。

『可是，我寧可像我們這樣！我寧可要這份沉重。你知道嗎？我一生的快樂加起來，也沒有這些日子來得多！自從你好了，我就覺得每個日子，都是上蒼給我的恩惠，能夠這樣看著你，感覺到你的快樂，我就飄飄欲仙了！』紫薇微笑的說。

『傻紫薇！』爾康感動極了，笑著。忽然笑容一收，盯著她說：『妳很可怕！』

『我很「可怕」？怎麼「可怕」？』紫薇睜大了眼睛。

『男人，常常把一生的愛，分給很多的女人，每個女人分一點！妳卻像一個大海，匯集了我全部的愛！把其他的女人，都變成虛無！妳怎麼不可怕？』

紫薇笑了，深深的凝視著爾康，想著他爲自己付出的，心裡滿溢著愛。

小燕子和永琪也在跳舞，小燕子一面跳，一面笑，笑得腳步大亂。

『妳今天怎麼搞的？害了「笑病」嗎？怎麼一直笑不停？』永琪問。

『沒辦法，我好想笑！』小燕子邊笑邊說：『我這叫做「笑容可掬」、「笑逐顏開」、「笑脫下巴」、「笑斷肝腸」、「笑裡藏刀」……呸呸呸，說錯了！』

『不得了！』永琪看著她笑：『以後，我要跟妳這樣過一輩子，妳瘋瘋癲癲，一下子笑不停，一下子猛背成語！我豈不是慘了？』

『現在還好，我只背成語，下面，我準備開始背「唐詩」了！』

『唐詩！』永琪大驚失色：『妳四個字四個字已經夠煩了，假若七個字七個字說，那還得了？』

小燕子又笑，笑著笑著，不跳了。永琪拉著她的手，喊著：

『跳舞呀！難得這樣狂歡一次，來！跳舞！』

小燕子臉紅紅的，笑著說：

『不知道可不可以跳？』

『什麼叫做「不知道可不可以跳」？老佛爺又不在這兒，還有什麼人不許妳跳舞？』永琪不解的問。

『我有點怕怕的，還是不跳比較好！』小燕子低下頭去。

『妳怕誰？』永琪詫異的說：『別怕了！我們已經離開那個讓人害怕的地方，從此，妳都不用害怕了！來，難得我想跳舞！跳！』

『等我問一問……』小燕子吞吞吐吐的說。

『問一問？問誰？』

『南兒！』小燕子扭扭捏捏的說了兩個字。

『誰？誰？誰？』永琪聽不清楚。

小燕子這才喜孜孜的說：

『南兒！我們的南兒！這下名副其實了，是在雲南有的！』

永琪呆了呆，恍然大悟，驚喊出聲：

『小燕子！妳懷孕了？』

永琪喊得好響，紫薇、爾康、晴兒、簫劍都停止跳舞，驚看過來。只見永琪抱起小燕子，高興得轉圈圈。大家都忘了跳舞，圍繞過來。全部驚呼：

『小燕子！妳有了？』

小燕子羞澀的點頭，紫薇歡呼著：

『爾康！我們的媳婦來報到了！』

『妳怎麼知道是個女孩？』爾康笑著問。

『憑直覺！因為我們需要一個媳婦！』紫薇一廂情願的說，就跑去拉住小燕子。『小燕子，不許轉了！我媳婦在妳肚子裡，這怎麼辦？我要足足擔心十個月！』

小燕子笑得好開心。這個新的喜訊，使原本就高昂的喜氣，更加熾熱。三對幸福的人，全部笑得好開心。

那些百夷青年，分沾著他們的喜悅，個個笑著，拿著火把，熱熱鬧鬧的跳過來，很有默契的，把三對幸福的人，簇擁在中間。然後，跳舞的人向後仰，火把跟著後倒，像一朵燦爛的火花綻開。三對相擁的人，彼此深情凝視，站在中間，像是花蕊一般。這場『火舞』，後來被紫薇形容成『最有熱力的婚禮』，常常把這個盛況，講給她的兒女聽。

快樂的時光，像飛一般的過去了。晴兒和簫劍的婚禮已經結束，爾康和紫薇，又住了一些日子，兩人思念東兒，幾乎快要思念成疾。實在不能再拖延，必須回北京。這天，終於到了離別時候，大家送爾康和紫薇，一直送到城外。

路邊停著馬車，車伕坐在駕駛座上等待著。爾康和紫薇站在車旁，磨磨蹭蹭不捨得上車。小燕子、晴兒、永琪、簫劍站在馬車旁，執手相看，依依不捨。紫薇握著小燕子的手，千叮嚀，萬囑咐：

『小燕子，千萬要照顧好我的媳婦兒！我跟妳約定，等到她十六歲的時候，妳就把她送到北京來，那時，東兒也很大了，就算不馬上成親，兩人也可以培養一下感情……』

晴兒忍不住打斷：

『紫薇，妳也計畫得太早了吧？萬一小燕子生個兒子呢？』

『那我就預訂妳的，說不定妳生女兒！』紫薇笑著對晴兒說。

『哈哈！』小燕子高聲笑著：『妳的東兒隔得那麼遠，說不定我的女兒愛上晴兒的兒子呢？「近水樓台先得月」嘛！』

『不得了，「近水樓台先得月」也知道了！小燕子，「不可同日而語」喲！』晴兒讚美著，小燕子就得意洋洋起來。

三個男人，笑著搖頭。爾康看看永琪，看看簫劍，拿出一包銀子，往永琪手中一塞。說：

『你們的農場，我幫不上忙了，出力不行，出錢總行！這兒是僱工人買莊稼的錢，算我加入一份吧！』

永琪趕緊塞回爾康的手裡。說：

『你知道我不缺錢，離開北京的時候，帶出來許多盤纏，夠我們幾年用的了！買地開墾，用不了什麼錢，我們絕對夠用，倒是你們一路上，要用錢！』

『不不不！你拿著！』爾康推給永琪，一定要他拿。

這時，有一夥莊稼漢，大約十幾個人，拉著幾輛堆著稻草的馬車，慢吞吞的向前走，走著走著，車輪掉了下來，那群莊稼漢，就停下來修車輪，眼光一直在注意這群衣著光鮮的男男女女。永琪等人充滿了離愁別緒，誰也沒有注意這群農人。

爾康不肯收回銀子，永琪就把紫薇拉到一邊，把那包銀子，塞進她手裡。說：

『紫薇，妳帶著！回到北京，幫我問候……艾老爺！還有，進宮的時候，也去看看知畫和綿億！勸勸知畫，早點找個人嫁了，至於綿億……』他一嘆：『唉！』

紫薇凝視他，對於他那些沒說出來的牽掛，了然於心。就承諾的說：

『放心！如果知畫另外嫁了，我就稟明老佛爺，把綿億帶到學士府來，養在我身邊，和我自己的兒子一樣，東兒有什麼，他就有什麼！』

永琪點頭，知道紫薇的承諾，是一言九鼎的，心裡稍稍的安心一些。

簫劍和爾康站在馬車前，簫劍注視著爾康，還有些不放心，拍拍他的肩膀問：『爾康！那個藥癮，沒有再發吧？』

『偶爾還會想吃……熬一熬就過去了！』他想到簫劍居然隻身潛入緬甸，打聽到自己的消息，再冒險回北京找救兵，這種朋友，多少人一生也遇不到，真是可遇而不可求！他忍不住對簫劍一抱拳，誠摯的說：『大恩不言謝！』

『哈哈！』簫劍爽朗的一笑：『這話就多餘了！』

兩個男人，相視而笑。

這時，一個莊稼漢躍上馬背，忽然疾馳到紫薇身邊，伸手一撈，就搶走了那包銀子，策馬飛奔而去。紫薇大驚，喊著：

『有強盜！有強盜……』

永琪大怒，原來這群人，不是莊稼漢，而是土匪！他大喊：

『大膽！居然敢從我們手裡搶東西！』

一面喊著，永琪就飛身而起，疾追那個土匪。爾康一震抬頭，正好看到土匪的馬，從他身邊掠過。他大叫：

『往那兒跑？你給我站住！』

爾康想也沒想，就飛身而起，迅速的落在土匪的馬背上，把那個土匪拉下地來。土匪把銀子高高的一拋，拋向他的同夥，就和爾康大打出手。

永琪一飛身，半路攔截了那包銀子，土匪們就吆喝著撲奔過來。

『光天化日搶東西！這還得了！』簫劍嚷著，也飛身而出，一群土匪攔了過來，簫劍就大打出手。

『哈哈！要打架！怎麼少得了我！』小燕子興沖沖的大喊，一面抽出隨身的鞭子，一面也飛身出去，和土匪交手。

永琪搶回了銀子，飛快的奔回，把銀子塞回紫薇手裡，大喊：

『簫劍！保護晴兒她們！我去幫爾康……』

永琪奔向爾康一看，不禁又驚又喜，原來爾康拳腳如飛，打得那個土匪哇哇大叫。這是救回爾康後，第一次看到他動手，居然不輸給以前。永琪喜悅的喊：

『爾康！打得好！藥癮戒了，功夫也回來了！我去收拾那些土匪！』

永琪抬頭一看，不得了，小燕子居然掄著鞭子，跳上跳下，鞭子舞得密不透風，在那兒打得過癮，嘴裡還在嚷嚷：

『本姑娘好久沒有和人動手了，今天要打個痛快，你們這群有眼不識泰山的混帳東西！我給你一個鐵沙掌，再來一個仙人鞭……』

晴兒急得要命，正在大叫：

『小燕子！回來！回來……讓他們男人去打！妳不能打呀！』

紫薇也急得要命，跺腳大喊：

『小燕子！小心我的媳婦，小心南兒呀！』

永琪這一看，眞是嚇得魂飛魄散，好不容易，這才有了身孕，怎麼她又忘了？這『前事不忘後事之師』，對小燕子而言，還是『前面石頭後面獅子』，學不會的！他喊著：

『小燕子！不要讓「晒書日」的事情重演！趕快退下來！』

永琪一個飛躍，跳到小燕子身邊，抱住她飛出重圍落地。放下了她，他忍不住對她打躬作揖說：

『小燕子，我的老婆，南兒的娘，我孫子的奶奶，我曾孫的祖宗……妳就安分一點吧！』

小燕子聽他說得滑稽，忍不住看著他噗哧一笑。

『妳在這兒好好待著，我再去收拾那些土匪！』

永琪躍回土匪身邊，一拳打飛一個，再一腳踢飛一個，兩個疊在一起。

『要這樣玩是嗎？』爾康笑著喊：『來了！再一個！』他俐落的把一個土匪踢到前面兩個身上，大喊：『又來一個！再來一個！』他一陣拳打腳踢，土匪們紛紛落地，後面的跌在前面的身上，摔得個個七葷八素，哎喲哎喲叫不停。

『這樣玩是嗎？知道了！讓他們疊羅漢怎樣？』簫劍用簫，左一擋，右一橫，土匪們紛紛倒地，疊在一起。

小燕子拍手大叫：

『紫薇，妳看到了嗎？爾康的武功恢復了！他打得好漂亮！』

『他重生了！他回來了！他又是當初的爾康了！』晴兒欣慰的點頭。

紫薇注視著爾康，只有她明白，爾康還是變了。她微笑著，深刻的說：

『他不是當初的爾康，他比當初多了一份滄桑，多了生死的體驗，憂患餘生，他變得更深刻更謙虛，更熱愛生命，更珍惜幸福！』

三個女子談論間，那些土匪們全部躺下了。爾康拍拍手，意興風發的問：

『我們把這些土匪怎麼辦？』

『他們搶東西，一人砍斷一條手臂如何？』簫劍沉穩的說。

一地土匪，爬起身子，跪地哀求：

『大老爺，姑奶奶饒命！我們實在太窮了，沒飯吃，家裡老的老，小的小，才會這麼做……饒命饒命……我們給大老爺磕頭！』大家又拜又磕頭。

永琪義正辭嚴的，大聲說：

『你們一個個大男人，不缺手也不缺腳，什麼事不好做？居然攔路搶劫老百姓！家裡有老有小，不會做事來養家嗎？我給你們兩條路，一條是通通綁起來，送交官府！另外一條，是做我的工人，我給你們薪水，你們幫我開墾，從此改邪歸正！你們選那一條？』

土匪們面面相覷，喜出望外，一起磕頭說：

『謝謝大老爺恩典，只要有工作可做，我們一定改邪歸正！再不搶劫了！』

『那麼，待在這兒不要動！誰敢逃跑，我抓回來就沒命！這個大理山明水秀，絕不容許土匪的存在！』永琪轉頭對爾康說：『你們上路吧！我來處理他們！』

爾康看到那些土匪，居然乖乖的跪著，誰也不敢逃。大概眞是活不下去，才出此下策吧！他注視永琪，不禁一笑說：

『哈哈！你這份「王者之風」，要想消失，也不容易！』

永琪看到爾康功力恢復，也一笑，接口說：

『哈哈！你的「英雄之風」，要想消失，也不容易！』

簫劍見他們兩個，彼此恭維，不甘寂寞，也大笑說：

『哈哈！我的「草莽之風」，能和「王者」「英雄」並列，也不容易！』

三聲『哈哈』，三個『也不容易』，讓三個男人相視大笑，大家英雄惜英雄，豪氣干雲。

經過這樣一鬧，時間眞的不早了，爾康拉著紫薇走向馬車，說：

『紫薇，該走了！三江城那麼遠，大家都可以去！大理算什麼？改天我們再來！各位，後會有期！』

小燕子和晴兒，一看紫薇要上車了，就都抱著她不放。

『不行不行，我捨不得妳，我不要跟妳分開！』小燕子喊。

『這一分手，我們什麼時候才能再見呢？』晴兒喊。

『我們說好，今天誰也不許掉眼淚的！我們不要再爲別離傷心，人生，就是四個字：「悲歡離合」！有悲才有歡，有離才有合。』紫薇安慰著兩人，眼裡卻迅速的濕潤了。

小燕子眼淚汪汪，拉著紫薇的手，就是不肯放。

『你們說得很好聽，很有學問，我還是捨不得！一千個捨不得，一萬個捨不得！紫薇，爾康，我們一定一定要再見！』

『是！一定一定要再見！』紫薇和爾康應著。

爾康一拉紫薇，紫薇鬆開了握著晴兒和小燕子的手，一步一回頭的，和爾康上了馬車。小燕子、晴兒、簫劍、永琪開始拚命揮手。喊著：

『再見！再見！珍重珍重！』

車夫一拉馬韁，馬車起動，向前奔馳。紫薇和爾康，從後面的車窗那兒，伸出頭來，拚命揮手。小燕子等人追著馬車，也拚命揮手。

『再見！再見！再見……』雙方都拚命拚命的喊。

馬車就在這一片喊聲中，越走越遠，越走越遠，越走越遠。

小燕子和晴兒淚汪汪，目送馬車走到看不見了，兀自在那兒揮手。這種情形，正像紫薇寫的歌：

『人兒遠去，山山水水路幾重？送君千里，也只一聲珍重！』

永琪看著離去的爾康和紫薇，看著站在身邊的小燕子、晴兒和簫劍。心想，人生，沒有十全十美的吧！有聚有散，有苦有甜，有得有失，有笑有淚……這才算是眞正的『人生』吧！這樣的人生，才算沒有『白活』，沒有『虛度』吧！他攬住了小燕子，振作了一下說：

『擦乾眼淚，讓我們去開始以後的新生命！』

小燕子看著他，看到一個充滿信心的永琪，一個嶄新的永琪，一個她最愛最愛的永琪，一個完完全全屬於她的永琪！她的頭一揚，笑了。是的，她要擦乾眼淚，用無數的笑，來迎接以後全新的生命！也用無數的笑，來塡滿永琪以後的生命！

尾聲

乾隆四十五年的春天，已經七十高齡的乾隆，第五次下江南。這次太后皇后都不能隨行，太后還健在，已經八十四歲，行動不便。皇后早已駕崩了。乾隆到了杭州，舊地重遊，有許多難忘的回憶，也有許多的感慨。聽說，夏盈盈嫁給一位杭州才子，已經『綠樹成蔭子滿枝』，仍然住在西湖附近。她終於像她自己期望的，活在這片好山好水中，也找到了屬於她的幸福。乾隆可以召見她，卻再也沒有勇氣見她一面。他把那段最美好的回憶，鎖在記憶深處，讓夏盈盈永遠是當年的樣子。

他再次看到西湖的柳樹，西湖的水，西湖的雲，西湖的月。最懷念的，還不是和夏盈盈那段忘年之愛，而是當時圍繞在自己身邊，嘰嘰喳喳的小燕子，熱情奔放的永琪，溫柔細膩的晴兒，豪放不羈的簫劍，還有聰明體貼的紫薇，和俠骨柔腸的爾康。那時，一路上風風雨雨，轟轟烈烈，演出多少難忘的故事！如今，隨行的只有爾康一個，連紫薇也忙著家事兒女，不能同來。乾隆和爾康，私下聊著，聽說在雲南大理，有一位名醫，專門為誤食毒花毒草的人治療，也精通跌打損傷和針灸，這位名醫姓『艾』，單名一個『琪』字。乾隆詫異之餘，不禁怦然心動了。

這天，在大理城外，有一片茶園，遼闊無邊。

許多採茶的姑娘包著頭，正在忙碌的採茶。許多孩子，也在茶園中幫忙。大家一面採茶，一面唱歌。歌聲輕快悠揚，嘹亮的響在田野中：

『今日天氣好晴朗，處處好風光！

蝴蝶兒忙，蜜蜂兒忙，

小鳥兒忙著白雲也忙！

馬蹄踐得落花香！

眼前駱駝成群過，駝鈴響叮噹！

這也歌唱，那也歌唱，

風兒也唱著，水也歌唱！

綠野茫茫天蒼蒼……』

兩位帶頭唱歌的採茶的女子，不是別人，正是小燕子和晴兒。她們身邊圍繞著許多採茶女，還有大大小小，男男女女十幾個孩子。這年，她們的孩子是這樣的；南兒十二歲，雲兒十歲，乾兒八歲，隆兒六歲，山兒十一歲，海兒十歲，寬兒七歲，容兒五歲。她們正在悠哉遊哉的採茶，一面教育著兒女，不止自己的兒女，也教育其他居民的兒女。

在茶園中間的馬路上，一輛相當豪華的馬車，在許多侍從的護送下，緩緩經過。坐在馬車裡的，竟是乾隆和爾康！兩人聽到這樣的歌聲，都震動起來，乾隆立刻大喊：

『停車！停車！讓我聽聽這歌聲，好熟悉的歌！好悅耳的歌！』

『老爺，要不要下車看看，小燕子一定在裡面！』爾康激動的說。

『不忙不忙！讓我悄悄的看一下，不要驚動他們！我偷偷跑到這兒，馬上得回杭州，你也只好跟著暗訪，不能出面打招呼，知道嗎？我們看看就走！』

爾康好想見到小燕子他們，聽到乾隆這樣說，只能按捺著答應：

『是！』

馬車停下，乾隆和爾康都殷切的看著車窗外。只見小燕子和晴兒荊釵布裙，雜在一群採茶姑娘之中，依舊出色而美麗。雖然她們都用布巾包著頭髮，背上背著茶籃，雙手麻利的採著茶葉。但是，小燕子那明亮的雙眸，依然閃亮，晴兒那高雅的氣質，也依然如故！只是，兩人的臉龐都曬成健康的微褐色，神采飛揚，看來年輕極了。當乾隆仔細觀察她們的時候，小燕子正聲音嘹亮的喊著：

『孩子們！一面工作，一面讀書，大家不要忘了背成語！今天應該背那一個字帶頭的成語呀？』

孩子們齊聲答應，聲震四野：

『背「天」字頭的成語！』

『那麼，就快背！背錯的要罰啊！』小燕子又喊。

於是，孩子們就開始用黃梅調唱著『成語歌』，唱得好生熱鬧：

『「天下一家」人和睦，「天下太平」最幸福，「天下為公」是眞理，「天下第一」要唸書！「天空海闊」最豪邁，「天各一方」最悲哀，「天人交戰」眞苦惱，「天涯海角」盼歸來！「天涯比鄰」存知己，「天從人願」最歡喜，「天誅地滅」懲壞蛋，「天經地義」莫懷疑！「天理昭彰」無掩藏，「天寒地凍」盼太陽，「天荒地老」同生死，「天上人間」情意長呀，情意長！』

乾隆聽得眼睛都瞪大了，震驚的看著爾康問：

『這是小燕子嗎？她在教孩子背成語？用「黃梅調」教成語？』

『沒錯！』爾康肯定的說，嘆為觀止的點頭：『這是她背成語的「發明」，居然用到下一代身上了！

不知道紀師傅看到小燕子的教學方法，會不會嚇一跳？』

提到紀曉嵐，乾隆忍不住大笑起來說：

『我看紀曉嵐輸給小燕子了！我還記得他第一次教小燕子唸書，被小燕子整得七葷八素，怎麼沒有想起用唱戲唱曲的方式來教？』他再看了看茶園，看了看忙碌採茶的小燕子和晴兒，忍痛說：『爾康，咱們走吧！』

『眞的就不聲不響的走了？還沒看到永琪呢！』爾康不捨的說。

『不用看了，』乾隆一嘆：『我知道他過得很好！在我「捨不得走」之前，走吧！要不然，我就走不掉了！』

爾康不得已，一拍車頂，馬車便向前駛去。他和乾隆，都不住回頭觀望。

小燕子和晴兒，也看到了路上的馬車，但是，完全沒有想到在這遙遠的地方，會有故人來。認爲只是行旅的商人，根本不曾注意。但是，孩子們的注意力，早就被這輛馬車吸引了。晴兒四面看看，忽然發現身邊的孩子少了幾個，就笑著說：

『妳的南兒和雲兒，帶著我的山兒和海兒，一起溜了！』

小燕子一聽，氣沖沖的四面找著，大罵：

『南兒！雲兒！妳們給我滾出來！又躲到那裡去貪玩了？當心我抓到妳們兩個，扒了妳們的皮！』

小燕子喊得好大聲，乾隆聽得清清楚楚，他笑著搖搖頭，馬車緩慢的轆轆而行，他不住的從車窗向外看。突然間，南兒飛奔而出，馬車眼看就要撞上，南兒在千鈞一髮之間，拔身而起，躍上了車頂去坐著。車伕、乾隆、爾康正在驚愕中，雲兒手裡拿著一把木劍，追殺出來，後面緊跟著山兒、海兒，手裡拿著木棍，嘴裡殺聲震天，一起追來。馬兒連續受驚，人立而起，發出長嘶。幾個孩子，昂首站在馬車前面，一股天不怕地不怕的樣子，瞪著馬兒和車伕。

就在這危急的時候，永琪背著藥箱，迎面走來，一看大驚，急喊：

『小心馬車！雲兒，南兒，妳們保護兩個小的……』

永琪一面喊，一面拋下藥箱，飛身而起，要去抱地上的孩子。同時，爾康生怕孩子有閃失，也從車門飛身出去，搶救孩子。

誰知，爾康和永琪都撲了一空，眼前一花，只見四個孩子，全部上了車頂，好端端的坐在那兒看風景。

爾康和永琪一個照面，永琪不敢相信的大叫。

『爾康！是你？』

爾康總算看到永琪了，激動得一塌糊塗，忽然一掌劈向永琪，笑著嚷：

『好小子！躲在這個天涯海角過神仙生活，讓我嫉妒死了！吃我一掌！』

『十幾年不見，你居然來試我的功夫？』永琪驚喊，急忙接招。

兩人迅速的過了幾招，打得漂亮到極點。茶園的孩子們全部奔來看熱鬧。

小燕子和晴兒，在茶園中驚愕的觀望。

『怎麼永琪在跟人打架？一定是南兒他們闖禍了！』晴兒說。

乾隆自從看到永琪，情緒激動，不能自已，目不轉睛的伸頭探視。

幾招之後，永琪和爾康都試出對方功夫更強了，兩人站定，互相凝視。

『爾康！別來無恙，你的功夫更好了！緬甸的那番苦頭，顯然沒有留下痕跡……太讓人高興了！』永琪看著看著馬車，屏息的問：『難道紫薇也來了？』

爾康還來不及回答。車頂上，孩子們爆出瘋狂的掌聲。南兒和雲兒齊聲大喊：

『爹！打得好，給他一點顏色看看！』

『姑爹！姑爹……』山兒、海兒也嚷著：『打得好厲害！再打再打！左鉤拳，右鉤拳……』

永琪抬頭看車頂，不好意思的笑著，興奮的嚷著：

『南兒，妳給我下來！這兒有個妳非見不可的人，趕快下來見客！拿出妳的禮貌和規矩來，記住妳是個姑娘，別給我漏氣！』

爾康好奇的，期盼的，打量車頂的南兒，帶著一分無法言喻的感情。這個小姑娘，就是東兒的媳婦呢！他看到南兒那黑白分明的大眼睛，那兩道劍眉，那帶笑的嘴，那潔白的牙齒，那神氣活現的樣子……眞是明眸皓齒，天眞爛漫！

『原來這就是南兒！好漂亮的小姑娘！』他歡喜的說。

南兒卻坐在車頂，懊惱的，撒賴的接口：

『爹！你又把「姑娘」兩個字抬出來了！爲什麼姑娘就比小子差？這個也要規矩，那個也要規矩，那有那麼多規矩？』

永琪看看爾康，見爾康一臉驚奇，更是抱歉，笑著說：

『這個孩子被小燕子和我，寵得無法無天，鄉下地方，教規矩也只能馬馬虎虎，恐怕配不上你們的東兒。』抬頭大喊：『南兒！妳再不下來，我上去抓妳了！』

南兒大笑，清脆的喊：

『好呀！爹，你來抓我，你一定抓不到！』

南兒一面說著，一飛身，竟上了路邊的樹梢。嘴裡還不住嚷著『來抓我！』

只見一個人影，飛竄而出，上了樹梢，原來是小燕子。小燕子氣呼呼的喊：

『妳別欺負妳爹……讓我來修理妳！看我抓得到妳還是抓不到妳！』

南兒看到小燕子來了，一飛身，又跳下了地，小燕子跟著跳下來，南兒再上了另外一棵樹，小燕子如影隨形的追過去。母女兩個，就高來高去，翻翻滾滾的追打著，這一下，孩子們可樂了，大家又笑又叫又鼓掌，看得不亦樂乎。

乾隆自從永琪出現，就陷在巨大的震動裡，一直悄悄的聽著，悄悄的看著。這時，情不自禁，忘了要隱藏自己，頭伸出車窗，看得津津有味。

爾康也看得目瞪口呆，搖頭大嘆：

『紫薇常常問我，不知道小燕子如何做一個「娘」，我現在領教了！這隻「小小燕」，看樣子，是青出於藍，而勝於藍！只怕我們的東兒，不是對手呀……』

永琪看著和南兒追追打打的小燕子，急呼：

『小燕子，不要跟南兒攪和了，妳看看是誰來了？有貴客呀……』

小燕子那裡肯放過南兒，邊追邊嚷：

『不管是誰來了，我得先教訓這個丫頭！』

說話中，小燕子已經制伏了南兒，拎著南兒的衣領，大罵：

『妳不背成語，帶著弟妹淘氣，見了客人不行禮，和妳爹大呼小叫……妳簡直丟我的臉……』

南兒對著永琪大叫：

『爹！趕快救我啊！娘欺負我人小，力氣沒她大，還一直罵我！簡直是……「一鳥罵人」！「一鳥罵人」！』

乾隆看到這兒，渾然忘我，不禁撫掌大笑說：

『哈哈哈哈！有其母必有其女呀！小燕子也有敵手了，居然是「小小燕」啊！』

乾隆一面說著，什麼都不顧了，走下馬車來。

永琪和小燕子，忽然看到乾隆，這一驚真是非同小可。兩人大震，永琪驚喊：

『皇……』驀然醒覺，改口嚷：『老爺！』雙膝一軟，就要跪下。

乾隆伸手，一把扶住。含淚說：

『不要多禮，我只是「路過」這兒……我到了杭州，聽說雲南有位名醫叫艾琪，種了許多藥草，濟世救人無數，忍不住來一趟，總算見到這位名醫了！我必須在人不知鬼不覺的情況下回去，不能久待！見到了，就好了！』說著，淚已盈眶。

小燕子用手摀住嘴，激動得說不出話來，喉中哽咽的重複著：

『皇……皇……皇……』

『小燕子！別「皇皇皇」了！我是艾老爺！』乾隆嚷著，第一次微服出巡的往事，又一一浮現眼前。

小燕子凝視著白髮蒼蒼，滿臉皺紋的乾隆，淚水也已盈眶。

『艾老爺，我來攙您，我來扶您……』她一步上前，就扶住乾隆，激動不已，再看到爾康，更是激動。『爾康，你也來了……紫薇呢？紫薇呢？』

永琪凝視乾隆，見乾隆跑到這麼遠的雲南，親自探視他們，震撼得說不出話來，眼中也滿是淚水。

這時，晴兒不知道發生了什麼事，也奔了過來，見到乾隆和爾康，真是太、太、太驚喜了。張著嘴，半晌才喊著說：

『皇……老爺，我真是不相信，今生今世，還能和您見上一面！還有爾康，一別就是十來年了……』

她東張西望，也急問：『紫薇呢？紫薇呢？』

『紫薇沒來！』爾康說：『老爺是偷偷來的，我陪老爺到了杭州，老爺臨時起意，我們怕大家知道，假說要在廟裡靜修幾天，就連夜趕來了！』

『我快要高興得昏倒了！我快要感動得死掉了！』小燕子悲喜交集的喊：『無論如何，你們要去我們家坐一坐！』

『是啊！』晴兒也滿眼淚水，震動得一塌糊塗。『簫劍在家裡製藥，如果知道你們來，不知道會多高興！老爺，您一定要給簫劍一個機會，好好的謝謝您！』

乾隆遲疑起來，轉頭看爾康。爾康趕緊說：

『老爺，來都來了！不在乎喝杯茶再走！』

『喝杯茶就走？』永琪激動的喊：『不行的！』他看著乾隆，充滿不捨，懇求的說：『既然見了面，就乾脆過一夜，明早再上路吧！』

乾隆看著眼前的兒孫，豁出去了，一點頭：

『管他的！既來之則安之！走吧！』

大家就簇擁著乾隆，向前走去。

到了永琪和小燕子的農莊，乾隆被帶進一間佈置樸實卻充滿書香的大廳裡。小燕子端來躺椅，永琪扶著乾隆坐下，晴兒飛奔到隔壁去喊簫劍，簫劍立刻趕來了。乾隆端坐在椅子裡，小燕子、晴兒、永琪、爾康、簫劍都環立在側。然後，八個孩子，一排站在乾隆面前。看得乾隆眼花繚亂，永琪對孩子們鄭重的說：

『這是你們的艾爺爺，你們大家跪下，給爺爺好好磕個頭！如果沒有爺爺的寬厚仁慈，今天就沒有你們這一群孩子了！』

八個孩子在南兒帶頭下，全部規規矩矩的磕下頭去。南兒恭敬的說：

『我們給爺爺磕頭，祝艾爺爺福如東海，壽比南山！』

乾隆一個個看過去，看到的是一張張健康清秀的臉龐，八個孩子，個個都珠圓玉潤，明眸皓齒，一個賽一個的漂亮。他驚喜的說：

『起來起來！我眼睛都花了，這些孩子，誰是永琪的？誰是簫劍的？』

『我來介紹吧！』小燕子上前一步，一個個數過去。『這四個是我和永琪的！南兒，雲兒是兩個姐姐，乾兒，隆兒是兩個弟弟！這四個是我哥和晴兒的孩子，山兒和海兒是哥哥，寬兒，容兒是妹妹！我們各有兩男兩女！』

『不得了！』乾隆喊著：『這個雲南是不是得天獨厚，小燕子以前要孩子沒孩子，現在生了四個！』他抬眼看簫劍。『簫劍，這就應了兩句唐詩：「昔別君未婚，兒女忽成行！」看樣子，晴兒幫我彌補了一些遺憾，你們會瓜瓞綿綿了！』

『老爺，我們方家，總算有後了！』簫劍充滿感情的說：『我爹和我娘，葬在蒼山腳下，有我們年年掃墓，相信他們在天之靈，已經得到最大的安慰了！一切的一切，盡在不言中！』

乾隆拈鬚微笑。說：

『好一個盡在不言中，咱們就把心裡的那些說不出，講不盡的感覺，都放在這幾個字裡吧！』

晴兒凝視乾隆，心裡塞滿了想說的話，不能不說：

『老爺，我每天都記著老佛爺和您，心裡的感觸很多，感謝很多，千言萬語，都不知道要從何說起？我眞的好感激您爲我們大家所做的一切，讓我們瞭解了生命的美麗，和人生的價値！這些，在宮裡我們學不到的東西，在這兒，我們都得到了！我要告訴您，不管對永琪還是我，您當初的決定，是正確的！』

晴兒一番話，深深溫暖了乾隆的心，他誠摯的說：

『我一直無法肯定，我的做法有沒有錯誤，今天看到這些孩子，我才眞正放心了！我聽到孩子們的名字，雲南，乾隆，山海，寬容！你們的境界和懷念，我也明白了！』

『我知道乾隆兩個字應該避諱一下，可是，就是無法抗拒要給他們取這樣的名字，爲了紀念我所生的這個時代和我的思念！』永琪懇切的說。

乾隆迎視永琪，一笑，朗聲說：

『我回去之後，會和乾隆那老頭兒談一談，給你一個特許，孩子的名字可以不避諱！乾兒，隆兒！好極了！』

這時，天色已暗。小燕子拍了拍手，嚷著：

『孩子們！都來幫忙洗菜切菜，擺桌子，我們要請艾爺爺和福伯伯吃晚餐！』

孩子們一呼百應，跟著小燕子奔向廚房，晴兒當然也去張羅。沒多久，一桌子的菜，就紛紛上桌，永琪攙著乾隆上坐，一家三代，全部圍著圓桌坐著。大家都坐定了，菜也上完了，南兒以茶代酒，捧著杯子，走到乾隆面前，恭恭敬敬的說：

『南兒代表弟弟妹妹，上來敬艾爺爺一杯酒，南兒不知道艾爺爺和我爹娘是什麼關係，但是，聽說您也姓艾，一定是我們的本家，那麼，您就和我的親爺爺一樣！剛剛在茶園，我放肆了，讓艾爺爺和福伯伯看笑話……但是，我們並不是不知道規矩，爹娘都教了……我敬酒，祝爺爺和福伯伯，永遠健康快樂！』

南兒規規矩矩一篇話，乾隆和爾康都瞪大了眼。

『不錯！不錯！好一個南兒！』乾隆大笑說。

爾康不禁深深看南兒，再仔細打量一番。見她收斂了茶園裡的淘氣，說話不亢不卑，婉轉得體，那種高貴的書卷味，像極了永琪。他就更加喜出望外了。他有意要考一考她，說：

『南兒，白天在茶園，我見識了妳的武功，不知道妳唸書是不是一樣好？妳有沒有唸過唐詩？』

永琪瞪了爾康一眼，大笑說：

『哈哈！爾康，就算她不會唐詩，你也沒辦法賴帳了，你認了吧！』

小燕子、晴兒、簫劍、都一臉的笑，乾隆興致盎然的看著。

只見南兒屈了屈膝，從容不迫的說：

『艾爺爺和福伯伯來，爹、娘、舅舅、舅媽都高興得一塌糊塗，南兒想到一首杜甫的詩！剛剛艾爺爺也唸了兩句的那首！』就背誦著：『人生不相見，動如參與商，今夕復何夕？共此燈燭光……』

乾隆聽到這首詩，大為動容，忍不住接口：

『少壯能幾時，鬢髮各已蒼；訪舊半為鬼，驚呼熱中腸……』

『焉知二十載，重上君子堂；昔別君未婚，兒女忽成行……』南兒不由自主的接著唸。

『怡然敬父執，問我來何方？問答乃未已，兒女羅酒漿……』乾隆也接著唸，唸到這兒，乾隆呆了呆，神情一痛。『來來來，這首詩最後幾句，我不忍心唸，我們別唸詩！喝酒吧！』

爾康怕乾隆傷感，急忙說：

『我們幾個小輩，敬老爺一杯！為了我們大家的「盡在不言中」！』

簫劍、晴兒、永琪、爾康就全部起立敬酒。大家一飲而盡，乾隆也一飲而盡。這餐團圓飯，遲了十幾年才吃到，大家的情緒，可想而知。

夜靜更深的時候，大廳裡燃著油燈，晴兒和簫劍帶著孩子回去了。南兒也帶著弟弟妹妹去睡覺了，室內剩下乾隆、爾康、小燕子、和永琪。這才能夠安安靜靜的談話。父子久別，都有無數的話要談，永琪看著乾隆，回答了乾隆的疑問：

『從來沒有想到，要適應一個「平民」的生活，也要付出許多代價，剛開始的兩年，我確實弄得焦頭爛額，農場的收成也不好。後來，我對雲南的氣候和土壤進行研究，開始大規模的種藥材，因爲種藥材，就對醫學發生濃厚的興趣，看了好多書，再加上以前和太醫們的接觸多，經驗多，在戰場又學到一些急救的知識……所以，偶爾給一些朋友看看病，誰知，這樣一天天過下去，病人越來越多，副業變成主業，農場的事，倒都成了小燕子她們的工作！』

乾隆恍然大悟。

『原來如此，我就說，你怎麼成了「名醫」，現在才明白了！』

小燕子接著說：

『那幾年，我們大家的日子也不好過，我對永琪，總是充滿了歉意，孩子一個個來，我顧此失彼，又怕永琪不能適應，眞是苦呀苦呀苦呀……可是，在辛苦中，卻有說不出的充實和甜蜜，現在，我們都適應了，是苦盡甘來了！』

『這，就是幸福！』爾康看著小燕子和永琪，知道他們是『求仁得仁』了。

『是！』永琪看著爾康問：『聽說，爾泰也從西藏回來了，你們福家熱鬧得不得了，是嗎？』

『可不是！』爾康笑著回答：『紫薇現在，也是三個孩子的娘，加上爾泰的三個孩子，和那個嗜嗜呼呼的塞婭，家裡眞是熱鬧極了！這次南巡，她怎樣也走不開！』

小燕子看著乾隆，欲言又止，半晌，還是忍不住問了出來：

『我要代永琪問一句話，他憋了一個晚上，問不出口！』她看了看永琪，再看乾隆，問：『知畫怎樣？綿億怎樣？』

永琪看了小燕子一眼，眼裡盡是感激。是的，憋了一個晚上，就是問不出口。

『知畫……』乾隆看小燕子，又看永琪，一嘆：『唉！那也是個死心眼的人！永琪離開的三年後，我作主，要把她嫁給蒙古小王爺費安揚！誰知，她說什麼都不肯，連陳邦直夫妻親自進京來勸，她還是不肯，我們也沒辦法了。她就這樣帶著綿億，守在景陽宮過日子。還好綿億優秀得不得了，母子相依爲命。』

永琪驚愕的聽著，又是震撼，又是難過。無法置信的說：

『她爲什麼要這樣？她……爲什麼不聽您的安排？』

『人生，就有這種無奈！』乾隆凝視永琪，突然又想起雨荷，想起盈盈，想起許多被自己辜負了的女子。再度一嘆：『不用爲她難過，她有綿億，她也認命了！』

永琪的眼神裡，頓時充滿痛楚，小燕子看他這樣，也跟著痛楚起來。她伸手握住永琪的手，低聲的說：

『是我們對不起她，對不起綿億！當初，我們也錯怪她了！』

永琪不說話，心裡是無比的震撼。知畫，那個被他認爲可以長出新尾巴的『爬牆虎』，卻用時間來證明了她不變的心。到底，薄情的是自己，狠心的也是自己！這樣想著，他再也笑不出來。小燕子悄眼看他，讀出了他所有的思想，一句話都沒說，只是緊緊的、緊緊的握住了他。感到她手心的熱和力，他抬眼看她，接觸到她那充滿歉意、充滿感激、充滿深情的眸子。他怦然心跳，為自己的懊惱而懊惱起來。人生，就有這種無奈！知畫，已經辜負，不能再讓小燕子難過。他給了小燕子一個深情的凝視，用力的握回她的手，兩人在剎那間，交換了無數心靈的語言。

爾康見大家情緒低落下去，急忙一笑說：

『你們不要感傷了，老實告訴你們吧，知畫和紫薇成了閨中密友，常常到我們家來作客。至於綿億，更是經常住在我家。所以，我們那個學士府，是熱鬧加熱鬧！我剛剛不提，以為小燕子會介意！既然小燕子不介意，我就說了！綿億和東兒，每天比功夫，比騎術，比唸書……他寫一手好字，東兒不如他！兩人已經結拜為兄弟，情同手足！』

永琪霍然起立，對爾康一抱拳說：

『爾康！所謂生死之交，就是如此！他們母子兩個，麻煩你們照顧，謝了！』

乾隆看著三人，不勝感慨系之。

『轉眼間，你們都是兒女成群，我，老囉！』

『皇……』永琪喊了一個字，發現又喊錯了，趕緊改口：『老爺，您還是精神抖擻，永遠不老！』

『畢竟歲月不饒人……最近，「回憶」已經佔了生命的一大部分，常常想著你，想著小燕子進宮的種種情形……』乾隆怔住了，忽然看著永琪和小燕子，充滿感情的，渴求的說：『現在，沒有外人在，我好想……聽你們好好的喊我一聲！』

永琪和小燕子，立刻眼中含淚了，雙雙在乾隆膝前一跪，誠心誠意的喊：

『皇阿瑪！』

好珍貴的三個字，想了十來年，才又聽到這聲呼喚！乾隆的眼淚奪眶而出，一手緊緊的握住永琪，一手緊緊的握住小燕子。哽咽的說：

『現在，想起杜甫那首詩的最後兩句，不忍心唸，還是在心裡打轉：「明日隔山岳，世事兩茫茫」！』

永琪不想再讓乾隆傷感，就用堅定的聲音，充滿感情的聲音，有力的說：

『不會的！皇阿瑪，這麼遠的路，您瞞著全天下的人，來了！下次，該我瞞著全天下的人，去看您！我們不會「世事兩茫茫」，我會給您我的消息！』

『父子連心，血濃於水！這種聯繫，是超越千山萬水的！』乾隆不住的點頭。

永琪、小燕子、爾康都感動至極。室內，充滿了溫暖和溫馨。

第二天一早，乾隆就動身，要在大家發現之前，趕回杭州去。

永琪、小燕子、晴兒、簫劍、爾康及八個孩子，大家簇擁著乾隆上車。便衣侍衛打扮成隨從，騎著馬護送。

『我們大夥兒送艾老爺和爾康一程，如何？』簫劍提議。

『我正有這個意思！』永琪說。

『那麼，大家都上車吧！』爾康對八個孩子一招手。

『孩子們坐得下嗎？』小燕子問。

『我看，車子滿大的，大家擠一擠吧！』晴兒看了看車子。

『都上來！都上來！』乾隆興高采烈的喊著。

於是，孩子們就歡呼著，通通擠上馬車。簫劍跳上一匹馬背，說：

『我和永琪爾康騎馬，免得把馬車壓垮了！』

簫劍、永琪、爾康就上了馬。

馬車中，乾隆坐在正中，小燕子在左，晴兒在右，緊緊依偎著他。八個孩子環繞，嘻嘻哈哈，笑聲不斷。

車伕一拉馬轠，車子和馬隊就向前行進。

永琪、簫劍、爾康三人，再度並轡而行，又是歡喜，又是感慨。永琪看著爾康，忍不住問：

『爾康，綿億那孩子，會不會很淘氣？』

『總有一天，你們父子會見到面，到時候，你自己看！你的南兒那麼可愛，紫薇一定會喜歡得不得了。你幫我養育媳婦，我幫你照顧兒子，我們誰也不欠誰，別道謝了！』爾康說著，臉色一正，看著永琪：『綿億是個品學兼優，才華出眾的孩子！知畫對他，愛護得不得了，還有皇阿瑪，更是把他捧在手心裡，你，還有什麼不放心呢？』

『就是皇阿瑪那句話，父子連心，血濃於水！要想不關心，也不容易！』永琪一嘆：『還有知畫……我沒想到她那麼傻！』

『為了不辜負小燕子，只好辜負知畫。人生，那有十全十美的事呢？再給你一次機會，你還是會作這樣的選擇！知畫的遺憾，只能讓她去吧！小燕子活得這麼好，就是你的成功了！』爾康說，忽然想起慕沙，她應該也是兒女成群了吧？

『對！』簫劍同意的說：『爾康這句話，深得我心！我喜歡我們的故事……本來，我是個看故事的人，被你們這些怪物傳染，也變成了製造故事的人，這種病，艾大夫，有沒有方子可以醫治？』他對永琪笑，想提起永琪的興致。

『哈哈！』爾康大笑：『你才是製造故事的人，你和小燕子出生那天，就是故事的開始！沒有你們兩個，就沒有我們大家的故事！』

永琪微笑起來，是的，人生，那有十全十美的事？

『這是人類永遠治不好的病，一代一代，故事會源源不斷，歷史會一再重演！像我們這種「怪物」，製造的故事怎麼可能面面俱到？在圓滿中有遺憾，也是必須接受的事吧！』他無奈的一笑：『這輩子欠的，只好下輩子還了！』

『說得好！永琪！』爾康說：『說不定幾百年後，經過輪迴，我們又會在人間相遇，那時，再各還各的債吧！』

車內，乾隆被孩子們包圍著，帶著幸福而滿意的笑容，他不停的看看這個，又看看那個，愛得不得了。小燕子拍拍手喊：

『孩子們！大家唱首歌給艾老爺聽，好不好？』

『好！』大家齊聲響應，喊得好大聲。

『唱什麼？』南兒問。

『今日天氣好晴朗，怎樣？』晴兒說。

乾隆看看車裡的兒孫，看看車外的田野，興致高昂的說：

『是啊！今日天氣好晴朗，處處好風光！我這次的密訪雲南，看到了「好山好水好人家」，眞是開心極了！在我的暮年，還有這麼溫馨的一段，小燕子，晴兒，妳們帶給我的快樂和安慰，眞的不是一點點！』

晴兒和小燕子，都非常感動的對著乾隆笑。兩人都決定，不要再讓離別的悲哀，加重乾隆的傷感。

他們要用歌聲和歡笑來送別乾隆！

她們兩個，就和孩子們一起，開心的，歡喜的高唱起來：

『今日天氣好晴朗，處處好風光！

蝴蝶兒忙，蜜蜂兒忙，

小鳥兒忙著白雲也忙！

馬蹄踐得落花香！

眼前駱駝成群過，駝鈴響叮噹！

這也歌唱，那也歌唱，

風兒也唱著，水也歌唱！

綠野茫茫天蒼蒼！』

永琪、爾康、簫劍並轡而行，聽著那開朗的歌聲，三人都帶著滿臉的笑意。永琪知道，轉眼間，又是離別的時候。但是，團聚的驚喜，總在離別後！

歌聲中，一行人走在綠草如茵的原野上，漸行漸遠。

全書完

瓊瑤二〇〇二年八月二十四日寫於台北可園

瓊瑤二〇〇二年十月十六日初度修正於台北可園

瓊瑤二〇〇三年五月三日再度修正於台北可園

後記

小時候，我的父親母親，常常帶著我們四個兄弟姐妹，做一個遊戲，這個遊戲的名稱是『接故事』。玩的方式，是大家坐成一圈，由一個人起頭，說一句話，第二個人接下去說第二句，第三個人接下去說第三句……這樣一直接一直接，連續不斷，要接成一個完整的故事。在我的小說《翦翦風》中，曾經採用過一個我們接出的故事。因為每個人的思想不同，故事的發展無法控制，會接出許多意料之外的『笑果』。在我那窮困貧乏的童年裡，沒有玩具可玩，沒有娛樂場可去，『接故事』就是我們最好的家庭消遣，帶給我們很多的快樂，也讓我們享受到許多親情。

大概從那時開始，我對『接故事』就產生了興趣。從小，我就是一個靠『幻想』生存的人。每晚入睡前，我會在腦海裡勾劃一個故事，想著那情節的發展，直到昏昏欲睡再也想不下去為止。第二晚，我會接著昨晚斷掉的地方，繼續想下去。這種『獨自遊戲』持續了很多很多年，是我成長過程中的『入睡良方』。大概，這也是我現在會從事『連續劇』這種工作的『原始訓練』吧！

《還珠格格》是『接故事』的一個證明。連我自己都不太相信，我能把這個故事這樣延續下去。想當年，我的父母訓練我們『接故事』，給我的影響實在良深。從一九九七年到現在，我用了六年的時間，在《還珠格格》這部小說和劇本裡。六年，對我來說，是一段非常漫長的歲月。我想，以後我不可能再用這麼多的時間，來寫一個連續的故事。不管它好還是不好，不管讀者對它有怎樣的看法和評價，那些，對我都不重要，重要的，是我終於在有生之年，完成了它。《還珠格格》這系列的三部曲，已經成爲我生命的一部份。

在《還珠格格》第二部結束時，我已經伏下第三部的伏筆，聰明的讀者也已看出有第三部的可能。但是，我對自己是否有心力去繼續寫第三部，是完全沒有自信的。在我的寫作生涯裡，我也經常有未完成的故事。我常想，人生的故事，都是分段的。這段之後，還有下一段。任何一段，都可以成爲結束，也可以成爲開始。故事結束在哪一個段落，只有我自己知道。故事有沒有寫完，也只有我自己知道。我舉出我的兩本書爲例，這兩本書都只寫了一半。一本是《一顆紅豆》，另一本是《失火的天堂》。前者，我要寫的原本是個婚姻的故事，女主角在兄弟兩人中，無法抉擇，最後，因爲哥哥爲她受傷，她在他生死關頭，發現自己愛著哥哥，而選擇了他。我的故事寫到這兒，累了，覺得這樣的結局也不錯，就停止了。事實上，我還有一本『下冊』沒寫出來，我眞正要寫的是這個婚姻的『失敗』。『感動』不等於『愛情』，女主角愛的，還是那個和她個性相像的弟弟。至於《失火的天堂》，實在有些可惜，我的『下冊』，連書名都有了，書名是《燃燒的地獄》。書中的女主角，是豌豆花和魯森堯的那個女兒。一個『天使和魔鬼』的混合品，如何在醜惡的眞相下燃燒自己的生命，最後蛻變爲一個眞正的『天使』。沒有繼續寫下去，一直是我心裡的遺憾。

我提到這兩本書，只是說明任何小說，『斷』在何處，只有作者明白。當《還珠格格》第二部出版後，雖然我心裡知道故事沒完，寫不寫第三部，我仍然抱著『順其自然』的態度，並不想逼迫自己去完成它。但是，我不寫，居然有別人寫！很多讀者在各網站上，競寫《還珠格格》第三部。在內地，更有好多冒牌的《還珠格格》第三部，公然用我的名義出版，讓我痛心至極。想到一生工作，卻讓不法分子，欺世盜名，覺得自己好像被淩遲了。想到許多被騙的讀者，更是難過。我也順便在這兒，呼籲當局，正視『著作權』這件事。因爲，一個作者，想寫一部對自己、對讀者負責任的書，確實不容易。冒名者，卻毫無『責任感』，可以胡寫瞎寫亂寫。寫得不好，反正是丟原作者的人。

我不寫，別人會寫。這件事，打擊了我。同時，來自各方的要求，又鼓勵了我。於是，我決定還是完成它。這樣，我的生活，又鑽進寫作的痛苦和狂歡裡，先寫劇本，再寫小說，幾乎是夜以繼日的工作。

劇本寫得並不順利，在創作中途，適逢美國發生九一一事件，我在電視上，目睹飛機撞大樓，帶給我前所未有的震撼。深感人事無常，也覺得人性太可怕！我的詩情畫意全部飛了，乾隆小燕子突然距離我很遙遠，我再也找不回他們。那是第一次，我停止了寫作，覺得倦了累了，不想寫了。直到兩個月以後，我才撫平了情緒，重新執筆。

好不容易完成了劇本，我又開始寫小說。去年四月，我那九十四歲的父親，身體亮起了紅燈，到了七月，父親去世，這又給了我極大的打擊。雖然父親年事已高，這是預料中的事，但是，親人永別，哀痛只有自己才能體會。在這種情緒下，和辦理喪事的忙碌中，五阿哥小燕子又距離我很遠，傷痛之餘，再度停筆。

等到情緒平靜下來，繼續提筆，自己覺得，對人生的體驗，更加深刻。小說脫稿後，我照例要有一段很長的時間，來修正它。豈料，九月中旬，鑫濤因病住院，從不生病的他，病情來勢洶洶，嚇住了我。在他住院、出院、治療、調養……的過程中，我在緊張、著急、煎熬中度過，再度停止了修正工作。直到他出院，我才能在他休息入睡後，偷出一些時間，來繼續完成《天上人間》。所以，這部書寫寫停停，自己的情緒，也常在驚濤駭浪裡。如果有錯誤，如果寫得不夠好，請讀者們原諒我！

和以前兩部一樣，《天上人間》的語言，一直是我最大的難題。幾經考慮，我仍然讓它維持前兩部的路線，用了許多現代語言。有些考據工作，可能做得不夠，犯錯也在所難免。我曾寫了『浪漫』兩字，發現這是翻譯的詞彙，趕快修正。書中出現很多次『中國人』的對白，也使我考慮了很久，不知道清朝人，會不會自稱是『中國』人？直到在我父親的遺著《什麼是中國人》一書中，看到父親寫的一段文字：

『「中國」這兩個字，最早見於周朝的史料，譬如詩經生民篇說：「惠此中國，以綏四方」。孟子見梁惠王說：「辟土地，朝秦楚，蒞中國而朝四夷。」左傳裡更屢稱「中國」……』

這才沒有疑問的，用了『中國』這個詞。我曾經說過，處處考據，會讓人顧此失彼；設限太多，會造成許多困擾。所以，我但求讀者讀來通順明白，不會過分苛求考據。

還珠第三部，分成幾條線並進。乾隆和夏盈盈的一段情，帶出乾隆對雨荷的思念。即使是皇帝，也有他的悲哀和無奈。簫劍和晴兒，這份不可能發生，卻發生了的愛情；不應該發生，卻發生了的愛情，貫穿整個故事，也促成永琪娶知畫。小燕子、永琪、和知畫之間的三角問題，是書中的主軸。在我下筆時，對知畫是帶著同情的。那個年代、那種教育下的女子，幾乎注定是悲劇。宮裡的女人，誰不是悲劇？皇后和容嬤嬤，也在這一部裡，作了『悲劇』兩字的總結。小燕子和乾隆之間的『殺父之仇』，造成永琪的捨棄江山。造成乾隆的『覺悟』，自己爲了『江山』失去的東西，不忍要永琪也跟著失去。於是，永琪在乾隆的瞭解下，選擇小燕子，歸隱山林，成爲救世濟人的名醫，爲他的『皇子』身分，寫下最完美的詩篇。至於爾康『離魂』那段，是全書最難寫的部份。『離魂』之說，在中國由來已久，在一部《中國歷代筆記小說》中，有許多關於『離魂』的故事。我一直對於『生死』之間，有沒有靈魂？有沒有來生？有沒有轉世？有沒有生生世世的愛？感到困惑懷疑，對於『當天地萬物，化爲虛有，我還是不能和你分手……』這樣的愛情，心嚮往之。所以，爾康和紫薇那段『魂魄相守』的愛，也是這部完結篇的重點。

我承認，這部小說，是我在人生的風浪裡完成的。自己的情緒，難免左右了小說的走向。以前，總希望『人定勝天』，現在，深知『人，不一定能勝天』。人生，有太多的沈重，太多的悲哀，太多的負荷，太多的無可奈何……我在《我的故事》一書中寫過，我相信人生是一趟苦難的旅程，如何在這段『苦旅』中，活得豐富，活得快樂，活得充實，活得無悔，活得轟轟烈烈……這才是學問。還珠格格這個故事，終於劃下了句點。其中的每一個人物，都很『用力』的『活過』了！如果他們眞的存在過，應該是『不虛此行』了！或者，你們要說，人生，那裡可能發生這麼多不可思議的事？是！這只是『故事』！

走筆至此，鑫濤的身體，仍然沒有完全復元，我在牽牽掛掛中，草草寫下這篇後記，有些不知所云。許多未竟的話，不知從何說起？《還珠格格》這部長達兩百五十萬字的小說，能夠『完成』，鑫濤是幕後最大的功臣。如果沒有他的鼓勵，沒有他的堅持，沒有他的督促……甚至，沒有他對我的種種照顧，我都無法完成它！即使在他臥病中，他還忍著痛苦，爲《天上人間》設計封面。所以，我要感謝我所有的讀者，感謝那些讓我相信『人間有愛』的人，感謝我的父親和家人，還有守護著我的鑫濤！因爲有大家，這才有『還珠』！

瓊瑤二〇〇三年五月四日寫於台北可園

國家圖書館出

還珠格格天上人
‥初版‥臺北市；
面　；公分，‥（皇冠叢書；第 3287 種）
〔瓊瑤作品；64〕
ISBN 957-33-1968-3（平裝）
857.7　　92008302

皇冠叢書第 3287 種
瓊瑤作品 64

還珠格格 第三部
天上人間 三之三

作　　者—瓊瑤
發 行 人—平鑫濤
出版發行—皇冠文化出版有限公司
台北市敦化北路 120 巷 50 號
電話◎ 2716-8888
郵撥帳號◎ 1526151～6 號
香港星馬—皇冠出版社(香港)有限公司
總 代 理　香港灣仔告士打道 80 號 16 樓
電話◎ 2529-1778　　傳真◎ 2527-0904
出版統籌—盧春旭
編務統籌—金文蕙
美術設計—李顯寧・陳韋宏
行銷企劃—陳凝香
印　　務—張芸嘉・林佳燕
校　　對—鮑秀珍・金文蕙・陳秀雲

著作完成日期—2003 年 4 月
初版一刷日期—2003 年 8 月

法律顧問—王惠光律師

讀者服務傳真專線◎ 02-27150507
皇冠文化集團網址◎ http：//www.crown.com.tw
電腦編號◎ 000064
國際書碼◎ ISBN957-33-1968-3
Printed in Taiwan
本書定價◎新台幣 280 元 / 港幣 93 元

50皇冠

50週年 嚴選50

皇冠文化集團 50 週年回饋大抽獎專用回函卡

皇冠邁向50週年，從2003年3月起至2004年2月的一年間，特別嚴選出版50本好書，您只要任選購買二本嚴選好書，剪下書封後摺口上的抽獎專用印花（影印無效），貼在本專用回函卡上寄回本公司（免貼郵票），即可參加回饋大抽獎，有機會獨得新台幣50萬元現金及其他數百項獎品！

回函有效期至2004年2月29日截止（郵戳為憑），並將於2004年3月舉行公開抽獎。詳細辦法請密切注意皇冠雜誌和皇冠文化集團網站：www.crown.com.tw。

印花黏貼處	印花黏貼處

讀者資料

姓名：________________ 身分證字號：________________

性別：□男 □女 生日：______年______月______日

學歷：□國小或以下 □國中 □高中職 □大專 □研究所

通訊地址：□□□ ________________________________

____

聯絡電話：（公）______________ 分機______ （宅）______________

e-mail：________________________________

《還珠格格第三部天上人間三

1. 您從何處得知本書？（可複選）

□書店　□宣傳活動　□報章雜誌　□郵購DM　□網站

□書評或書介　□親友介紹　□其他：

2. 您購買本書的動機？（可複選，請以1. 2. 3……排優先序）

□封面　□書名　□內容題材　□作者　□廣告

□系列規劃　□促銷活動　□其他：

3. 您通常透過哪些管道購書？（可複選）

□書店　□便利商店　□量販店　□網路　□信用卡銀行郵購

□郵購型錄　□劃撥郵購　□團體訂購　□其他：

4. 您對本書的意見：

北區郵政管理局登
記證北台字1648號
免　貼　郵　票

〔限國內讀者使用〕

105

台北市敦化北路120巷50號

皇冠文化出版有限公司　收